L'ÂME SOEUR

par

SYLVIE BERGERON

DU MÊME AUTEUR
Dans la collection Communication simple

Rétablir la communication, 1997
La quête du détachement, 1998
La conscience du génie québécois, 1999
Journal de l'Esprit, 1999
L'amour dévoilé, 2001

Conception graphique : Atrait
Révision : Manten Vansteenbergen
Manon Bergeron
Correction : Carole Leroy
Couverture : Johane Bergeron
titre : Les fluides, dyptique
huile sur toile 16"x20", 1999
Distributeur : Diffusion Raffin

ISBN : 2-9807683-0-8
Dépôt légal – Bibliothèque nationale du Québec, 2002
Dépôt légal – Bibliothèque nationale du Canada, 2002

Je tiens à remercier particulièrement
Manten pour l'émulation constante
à chaque étape de ce livre.
Merci à Manon, Catherine, Vincent, Lise, Normand et Johane
pour leur temps et leurs commentaires précieux.
Merci à Sylvie et Carole pour
leur efficacité, leur méticulosité et leur vivacité.
Enfin, merci à tous ceux qui m'ont inspirée
de près ou de loin.

DE MULTIPLES ÉMOIS

Clara ajouta de l'alcool pour séparer la membrane des cellules. Un brouillard de lait tournoyait dans le petit contenant de verre. Elle admira presque amoureusement le flacon de liquide précieux. Reproduire la vie en laboratoire était une chose fantastique, mais la créer directement à partir d'une étincelle de vie, là résidait toute la quête de la biophysicienne. Elle contempla la formation de la méduse, une agglutination de flocons composés de millions de doubles brins d'ADN. La masse blanchâtre roula lentement dans le flacon.

La scientifique passa l'éprouvette au stagiaire, un jeune américain sympathique et toujours dévoué. Stewart déposa délicatement la fiole sur un support. Il en était à sa dernière semaine de stage et appréhendait son départ.

- Vous allez me manquer, jeta-t-il doucement.

Clara sourit.

- Ça vous passera, répondit-elle.

Le département donnait au bout d'un long corridor. Divisé en deux par une imposte, d'un côté se trouvait le labo et de l'autre s'étendait une pièce imposante : la salle des matrices artificielles. Stewart considéra Raphaëlle, l'assistante du docteur, à travers l'imposte ; elle leva la tête vers Clara, appuya sur un bouton et une alarme bourdonna légèrement. Dans le labo, une lumière verte clignota. La biophysicienne cessa ses activités, fit un signe d'acquiescement à son assistante et, tout en se dirigeant vers la salle des matrices, s'excusa auprès de Stewart.

- Mais il n'y a pas de quoi, répondit complaisamment le stagiaire.

Elle entra dans un petit local attenant au labo et ouvrit la porte. Clara Miles était une femme gracieuse. Chacun de ses mouvements pourvus d'une virtuosité naturelle adoucissait tous les angles de sa personne. Ses yeux, toujours curieux, interrogeaient la moindre particule, visible ou invisible. Elle aimait son travail. Et par-dessus tout, elle cherchait un moyen de libérer les femmes de la souffrance de l'enfantement.

Stewart regarda Raphaëlle s'approcher d'une matrice. Les compétences de Raphaëlle en chimie, doublées de son intérêt pour le mystère de la vie, avaient fait d'elle une assistante indispensable ; elle était aussi devenue une grande complice pour Clara.

Lorsque le docteur revint vers le labo avec dans ses mains une petite boîte noire, Stewart fronça les sourcils, renifla sèchement et suivit la scientifique vers la salle des matrices.

Clara mettait au point une matrice capable de soutenir entièrement le développement d'un fœtus. Cet utérus souple était constitué d'un mélange de peau greffée en poche et d'un support électronique qui dégageait un champ électromagnétique étudié selon la particularité chimique de chaque embryon. Clara avait mis des années à comprendre l'importance du rôle des neurones de la peau dans la confection de sa matrice artificielle. Le support électronique agissait sur les neurones comme un stimulateur nerveux contribuant à la fois au champ magnétique et à la formation de molécules de protéines. Cet ensemble reproducteur de vie fournissait au corps l'apport d'éléments indispensables.

- Stewart, dit Clara, j'ai bien peur que vous ne deviez demeurer dans le labo.

- Mais…

- Vous n'êtes pas en tenue, blagua-elle en entrant dans la cabine de stérilisation.

La boîte noire était un élément hautement protégé. Cet appareil émettait l'onde de vie nécessaire à la survie de l'embryon. Le mécanisme envoyait une succession de vibrations de différentes tonalités que l'embryon acceptait ou rejetait. Ce rythme établi engendrait l'expression d'un modèle plus défini. La boîte noire, munie d'un ordinateur électromoléculaire, demeurait fixée à l'embryon pendant plusieurs jours, jusqu'à ce que le rythme soit ancré, comme le disait Clara. L'ordinateur notait les tonalités qu'avait adoptées l'embryon.

Stewart attendait avec impatience. Il tourna la tête à gauche et vit que la porte du local interdit demeurait entrouverte. Il s'y hasarda, aperçut un coffre-fort et constata, non sans étonnement, la sécurité déployée pour cet appareil.

Il revint dans le labo et observa les deux scientifiques espérant comprendre la fonction de cette opération mystérieuse. Clara raccordait la boîte noire à la matrice et Raphaëlle la branchait à l'ordinateur. Tout se passait normalement. Maintenant elles devaient attendre que l'embryon indique son rythme à l'ordinateur. Les deux femmes se regardèrent en souriant et sortirent de la salle des matrices en repassant par la chambre de stérilisation. Raphaëlle ôta ses gants et referma la porte tandis que Clara entrait le code d'interdiction. Personne ne pouvait pénétrer dans cette pièce, tant que l'opération durait.

Clara, plantée devant la salle des matrices, méditait sur l'évolution du travail. Chacun de ces utérus était muni de câbles optiques et électromagnétiques calibrés justement afin d'entretenir ce rythme capable de dynamiser les fibres du futur fœtus et de les mesurer. L'utérus émettait des tonalités qui enrobaient l'embryon afin de lui fournir une source d'énergie vitale permanente. Finalement, à la manière d'un bébé prématuré, le fœtus allait éventuellement offrir au bout de six ou sept mois une maturité suffisante pour naître de la matrice artificielle. À ce jour, aucun n'était encore parvenu à ce stade.

En tout, une cinquantaine de matrices artificielles besognait sans relâche à la dynamisation d'embryons conçus à partir d'ovules fécondés. Cette expérience couvrait la moitié de la salle. L'autre moitié était occupée par un rêve encore plus grand.
Depuis peu, Clara pressentait qu'elle pourrait bientôt passer à cette étape primordiale : créer l'étincelle de vie sans le concours de l'ovule. Après avoir peaufiné la mécanique de sa matrice artificielle, elle s'appliquait maintenant à produire des formules d'ADN qu'elle

dynamisait directement dans la matrice par voie de courants électromagnétiques rotatifs inversés.

Cette nouvelle étape n'était pas sans inquiéter Alain Mathieu, son directeur, vieux routier du département de recherche. Mais n'avait-il pas fait preuve de la même réticence à chaque fois ? Il n'était pas contre l'idée de cette création à la source, au contraire, mais il trouvait que Clara avait tendance à se disperser. Il la rappelait souvent à l'ordre.

Pour Clara, la recherche de cette étincelle de vie ne pouvait pas se limiter au seul domaine de la physique ou de la chimie. L'âme humaine demeurait à ses yeux une question clé dans la compréhension de la vie. Elle cherchait à en découvrir les paramètres subtils en vue de démontrer scientifiquement leur importance dans le processus de la procréation. La scientifique espérait découvrir comment la mise en vibration pouvait être conduite depuis l'âme jusque dans l'embryon. Alain n'avait jamais été très chaud à l'idée de mêler les affaires de l'âme aux affaires de la science, aussi la biophysicienne s'était-elle soumise aux restrictions inhérentes. Mais aujourd'hui il lui semblait pertinent de poursuivre son étude dans cette direction de manière plus pointue. Comment parler de la vie sans parler de ses états subtils ?

Tandis que Clara réfléchissait face à la salle des matrices, Raphaëlle mesurait, sur son ordinateur, l'évolution des courants de vie d'un embryon. Un petit sifflement se fit entendre. Raphaëlle se dirigea vers un écran. Les courbes devenaient plus rapides, saccadées. Elle fronça les sourcils et tenta de localiser la provenance du problème dans la salle des matrices.

- Clara, le code… je dois aller voir ce qui se passe.

Clara, interpellée, abandonna ses réflexions et entra le code. La porte s'ouvrit et les deux femmes remirent masque, sarrau, gants et chapeau avant d'entrer dans la salle des matrices. Stewart, se laissa encore emporter par l'agitation.

De nouveau au milieu des matrices, Clara perçut immédiatement des petits points de lumière qui flottaient au-dessus d'un embryon.

- Raphaëlle, regarde, dit-elle.

Raphaëlle s'avança vers la matrice incriminée et cherchait à comprendre ce qu'il y avait à voir.

- Qu'y a-t-il ?

- Tu ne vois pas, là ? fit Clara en pointant dans le vide.

Raphaëlle dut plisser les yeux pour tenter de percevoir quelque chose.

- Oui. On dirait un voile de lumière jaune gris. D'où ça peut-il venir ? demanda-t-elle à Clara.

Les filaments de lumière prirent doucement la forme d'une gélatine ambrée qui se densifia. Clara resta béate.

- Mais c'est... Regarde, là ! s'écria-t-elle.

Raphaëlle regarda dans la direction du doigt de Clara mais ne vit rien. Le voile mouvant et coloré descendait vers l'embryon. Alors que la forme devenait de plus en plus définie pour Clara, Raphaëlle distinguait tout juste quelques émanations de vapeurs légèrement lumineuse.

Ce que Clara voyait était à la fois attendu et inespéré ! Il était clair pour elle que la vie s'établissait à partir d'un autre plan, mais comment faire la preuve d'un phénomène invisible ? Il lui semblait bien que là, sous leurs yeux, apparaissait tangiblement une âme. Les ordinateurs en décodent-ils la présence ? se demanda Clara en retournant la tête vers les appareils.

Le téléphone sonna. Clara sursauta. Raphaëlle répondit et lui tendit le combiné.

- Oui ? Ah ! Je l'attendais. Auriez-vous la gentillesse de la conduire ici ? Nous sommes, s'interrompit-elle en cherchant ses mots, occupés. Merci.

Clara rendit le combiné à Raphaëlle qui le reposa. Les deux femmes poursuivirent l'observation du phénomène, fascinées.

- C'était Nina. Ma grande amie.

- La romancière ? J'ai hâte de la rencontrer ! fit Raphaëlle, encore toute concentrée.

Stewart s'avança timidement vers l'imposte et frappa en suppliant Clara par signes de le laisser entrer.

- Je peux voir ?

Clara fit un signe de dénégation. Tandis que, figé devant la grande vitre, Stewart digérait sa frustration, Nina arriva. Elle aperçut son amie dans la salle des matrices. Tout de suite, Nina fut interpellée par une forme flottante qui rôdait autour de l'embryon. Un long silence régnait et l'émerveillement les gagna. Ils assistèrent à l'organisation voilée de forces de lumières qui parvenaient jusqu'à l'embryon pour mettre en vibration définitivement, semblait-il, la vie dans ce corps. Stewart était sidéré.

- Oh ! échappa Nina.

Stewart sursauta. Il se retourna et aperçut Nina stupéfaite.

- Que faites-vous ici ? fit-il. Qui êtes-vous ?

- Je suis une amie de Clara. Votre portier vient de me conduire, montra-t-elle du pouce.

Stewart aperçut le portier qui retournait à son poste et fut satisfait. Il invita Nina à s'approcher de la vitre.

- Venez voir. Il semble se passer quelque chose d'irréel, lui lança-t-il.

Nina frappa à la vitre.

- Attendez, fit Stewart en branchant l'interphone.

Clara se retourna et aperçut son amie.

- Nina ! Tu vois ce que je vois ? s'écria Clara cherchant une confirmation.

- Oui, mais…, laissa tomber Nina.

- Oh ! J'ai vu une ombre ! J'ai vu, j'ai vu une forme de… quelque chose, fit enfin Raphaëlle émerveillée.

- Bon ! C'est un début, conclut Clara.

Alain entra dans le laboratoire alors que le phénomène perdurait.

- Clara, je…

Il s'interrompit devant l'étrangeté de la scène. Raphaëlle nota le numéro de la matrice d'où provenait cette activité insolite.

- Voyez-vous quelque chose, docteur Mathieu ? Là, juste au-dessus de la 35003, fit Raphaëlle, heureuse d'avoir enfin réussi à percevoir un voile subtil.

- Pas très clairement, répondit-il du labo, feignant de saisir. De fait, j'entr'aperçois quelque chose.

- Nous venons d'observer un genre de voile se mouvoir au-dessus de cet embryon. Voyez, là. Il a presque terminé sa descente. Nous croyons que nous aurons des indications de cette activité sur l'ordinateur, expliqua Clara emballée.

Grisé par la surprise, chacun avait peine à refroidir son esprit. Le phénomène cessa.

- Raphaëlle, il faudrait vérifier si tout est en ordre avec la boîte noire.

Clara sortit. Alain, qui avait commencé à désespérer des résultats, laissa libre cours à son émotivité, lui qui, d'ordinaire, faisait preuve d'un aplomb imperturbable.

- Alors, c'est une opération disons… réalisable ? fit-il avec une note d'espoir dans la voix.

- Je ne sais pas encore, répondit Clara.

Raphaëlle sortit de la salle des matrices. Alain aperçut Nina. Il la scruta comme un employé face à un compteur électrique, pour avoir un estimé sûr de cette intruse. Clara, s'apercevant du malaise, la présenta à ses collègues.

- Oh ! Excusez-moi, Nina, une très grande amie.

- Nina Belinski. Bel pour les intimes, s'amusa Nina.

- Je suis Raphaëlle, fit la chimiste en lui serrant la main avec admiration.

- Vous êtes biophysicienne aussi ? demanda Alain.

- Je suis romancière, docteur, dit-elle simplement avec un sourire désarçonnant.

- Bon. Quand vous en aurez terminé, vous viendrez me voir. Et puis nous en profiterons pour discuter de la conférence de presse, termina Alain en pointant du menton la matrice.

- La conf… Quelle conférence de presse ? fit Clara surprise de la tournure précipitée que prenait cet événement.

- Nous allons annoncer la possibilité de développer la vie à partir d'une matrice artificielle, conclut-il.

- Je vais déjeuner avec mon amie, mentionna Clara. Je vous revois après ?

Alain acquiesça, félicita Clara promptement et lança un regard oblique à Nina avant de quitter le labo. La biophysicienne demeurait à la fois comblée et inquiète. Nina la prit par le bras et l'amena à l'écart, tandis que Raphaëlle refermait la porte.

- Clara, j'aurai besoin du nouveau code...

- Oui, Raphaëlle, dans deux minutes, fit-elle en sortant du labo avec Nina.

- Tu ne vas pas faire une conférence de presse ? chuchota Nina.

- Mais pourquoi pas ? répondit Clara.

Nina dégageait cette autorité douce qui attirait la félicité. Elle était cette force incarnée capable de rendre bienfaisant tout écueil. Honnête avec elle-même et avec les autres, son verbe s'épanouissait sans faconde. Nina n'avait pas l'âme errante ni même de vagues sentiments. Elle était incorruptible.

- Je ne vais tout de même pas attendre de pouvoir expliquer ce que nous venons de voir, renchérit Clara. Ce ne serait pas rentable pour moi, Nina.

La romancière fit une moue. Clara plongea son regard profond dans celui de son amie.

- L'argent ne règle pas tout, je le sais.

Après un échange du regard, Nina mit fin à la conversation.

- Je t'attends dans le hall, convint Nina.

- Oui, j'ai faim, lança Clara.

Elle rejoignit Raphaëlle qui attendait le nouveau code pour la semaine.

Nina emprunta le corridor et passa devant le bureau du docteur Mathieu. La porte était entrouverte, elle l'entendit bavarder et ralentit, les oreilles interpellées par des propos connus.

- Nous venons de confirmer le résultat ! s'anima Alain, le cœur léger. Ah ! Un conseiller n'appelle jamais sans raisons valables ! Son pourcentage sur la matrice ? Tu as trouvé une solution ? Formidable.

Alain regarda vers la porte et s'aperçut qu'elle était ouverte.

- Tu m'excuses un petit moment ? dit-il à son conseiller.

Alain se leva pour fermer et vit Nina qui se tenait devant la porte. La tête penchée, elle affectait d'attacher sa chaussure. Alain ferma et verrouilla. La romancière poursuivit son chemin, ébranlée par les paroles qu'elle venait d'entendre.

*

Une enveloppe traînait sur le coin d'une vieille table de bois. Dehors, la pluie revendiquait sa nostalgie. Travaillant depuis l'aurore, un homme, pensif, leva la tête. La ville se réveillait, à petits pas maussades. Des passants se plaquaient contre les murs en quête d'un toit transitoire. Les parapluies valsaient avec le mauvais temps et se recroquevillaient au gré du vent. Assis à la table, il lisait et relisait une lettre manuscrite.

L'homme se leva subitement et gagna son lit, sur lequel s'étendait le journal. Il en relut certains passages pour se changer les idées. Les murs à peine relevés par le rouge défraîchi des tentures définissaient une ambiance aussi nébuleuse que la tâche à laquelle il s'attaquait. Mais pour lui, le brouillard était sa plate-forme de travail. La missive révélait des secrets convoités.

> J'ai vu l'invention du docteur Miles. Une petite boîte noire, faite de métal. Il semble qu'elle agisse comme initiateur d'une onde dans l'embryon. Elle est indispensable, dès le départ, à l'évolution de l'expérience.
>
> J'ai terminé mon stage officiellement et je dois quitter l'université ce soir. Je n'aurai pas le temps d'approfondir de cette affaire. Je crois comprendre que le docteur Miles a

financé elle-même ce projet. Désolé pour le manque de détails. Bonne chance et merci pour votre arrangement. S.C.

P.S. La boîte est bien gardée.

Après sa lecture, William retourna à son ordinateur et imprima la biographie entière de Clara Miles. Il survola l'ensemble et entreprit d'enquêter plus avant sur la famille de sa mère, Géraldine Fortin. Il accéda aux données gouvernementales concernant les registres de naissances, décès, et autres précisions qui complétèrent son dossier.

La pluie s'épuisait. Ne tombait plus qu'une fine bruine. William ouvrit la fenêtre pour rafraîchir l'atmosphère, ferma les rideaux pour plus de discrétion et alluma la lampe. Il n'était pas sorti depuis la veille de cette chambre miteuse qui contrastait avec son attirail. Après quelques recherches additionnelles, il put établir un lien entre André Fortin, Géraldine Fortin, la mère, et Clara Miles. André Fortin était l'oncle de Clara, décédé depuis deux ans. William s'arrêta enfin, s'étira et sourit. Son intuition ne l'avait pas trompé. Il pénétra plus profond dans les rouages polymorphes des banques virtuelles mais, fut très rapidement bloqué par une fenêtre clignotante : accès interdit.

- Le code, où ai-je foutu ce code d'accès ? marmonna-t-il.

Un refus d'accès sur un dossier confidentiel apparaissait presque à chaque manipulation. Inlassablement, William le relançait avec des codes de décryptage que son patron lui avait fournis. Enfin une série de numéros de compte s'alignèrent suivis du nom qu'il cherchait. William sélectionna « André Fortin » et le dossier s'étala devant lui, comme une vierge offerte. Un grand sourire se dessina sur son visage.

Le soleil commençait à trouer les nuages que le vent semblait sérieusement déterminé à balayer. Face à l'écran, l'homme caressa le bout de son nez fin et long et fit courir son index et son pouce autour de sa bouche jusqu'au menton. Il demeura sans bouger, le regard dans le vide, pendant plusieurs secondes. Il regarda sa montre : onze heures deux, s'écria-il. Il se leva d'un bond et, dans un même mouvement, débrancha son ordinateur portable, le rangea derrière le placard, saisit son parapluie et sortit en hâte.

William regarda à gauche puis à droite en sortant de l'immeuble. Il se rendit sur la rue Côte-des-Neiges où il atteignit une cabine téléphonique et composa un numéro.

- C'est William, dit-il.

- Je vous le passe tout de suite, répondit une voix de femme.

La secrétaire savait que lorsque William téléphonait, elle devait le mettre immédiatement en contact avec son patron.

- Oui, fit Zimmer.

- J'ai trouvé une information potentielle…

*

Plusieurs jours s'étaient écoulés depuis « l'apparition embryonnaire ». Clara marchait sous les rayons d'un soleil radieux. Michaël entendait, à travers ses réflexions, les états d'âmes des chauffeurs pressés d'en finir avec le trafic. La circulation était assez dense. Les gens avaient faim. Clara se mit à chantonner, Michaël lui prit la main. Clara sentit une chaleur envahir son cœur. Son mari l'aimait magnifiquement. Il était le père de sa fille, Annie, son ami, son amant et son plus grand fan.

Michaël était plutôt grand et costaud et avait un sens de l'empathie. Il était psychiatre. Clara et lui s'admiraient mutuellement et partageaient cette même soif de connaissances. Il saisissait la quête de Clara qui, aujourd'hui, voulait comprendre comment se produisait la vie et comment, à partir de cette fabuleuse lumière, la matière pouvait s'organiser ! Il savait que cette question revêtait pour elle la source de tous les rêves sur terre.

Nina marchait un peu en retrait, derrière eux. Les trois revenaient de chez un agent immobilier. Clara et Michaël se cherchaient une deuxième maison, dans un environnement paisible. La scientifique cessa de chanter.

- L'idéal, déclara-t-elle, serait une maison vraiment sans voisins. Du moins, pas trop proches de chez nous, avec un puits et un lac.

- Avec toutes les indications que tu as données à l'agent, j'espère au moins que cette maison existe ! Autrement, il faudra revoir tes exigences, lança Michaël.

- Allez, Michaël, il faut quand même y croire un peu, non ? rétorqua Nina.

- Et si tout fonctionne comme je le souhaite, je pourrai enfin convaincre Alain de pousser mes expériences sur le phénomène de l'âme dans le corps, dit Clara enthousiaste. Je pourrai poursuivre certaines expérimentations dans cette maison, en faire un mini-lab !

- Ça devient une habitude, Clara, répliqua Michaël plaisamment.

Ils s'arrêtèrent au feu de circulation le cœur léger et attendirent sur le trottoir. Michaël se pencha vers Clara en inclinant tendrement son regard vers elle.

- Peut-être saurons-nous enfin si nous sommes des âmes sœurs ? se réjouit-il.

Attendrie par cette pensée, Clara sonda le cœur de Michaël dans ses yeux. Les amoureux avaient toujours cru dans la possibilité des vies antérieures. Depuis qu'ils s'étaient rencontrés, ils savaient qu'ils apprenaient à se reconnaître plutôt qu'à se connaître. Mais cette impression particulière, personne ne savait l'expliquer, la démontrer. Michaël plongea ses yeux pers dans les pupilles noires de Clara jusqu'à ce que Nina les pousse dans le dos avec un brin d'humour pour qu'ils avancent. Le feu était au vert depuis quelques secondes. Tous trois traversèrent la première moitié du boulevard jusqu'au terre-plein en bavardant.

- C'est quand même fascinant. C'est moi qui suis psychiatre et c'est toi, la biophysicienne, qui finiras par faire des recherches sur l'âme, observa Michaël.

- Clara a enfin trouvé l'outil pour convaincre le docteur Mathieu, sauf que la matrice artificielle n'aurait pas dû, elle, donner l'impression d'un résultat affirmatif, lança Nina qui avait encore cette éventuelle couverture médiatique sur le cœur.

- Quoi ? Tu n'es pas convaincue de la complétion de la matrice ? demanda Michaël étonné.

- Exact, répondit Nina ravie qu'on entende son point de vue.

- Nina, on ne reviendra pas là-dessus ? s'agita Clara. Tu as vu la même chose que moi, oui ou non ?

- J'ai vu une chose et certainement que tu l'as vue aussi mais je n'en fais pas la même interprétation que toi et Raphaëlle. L'enfant que vous allez sortir de cette matrice n'aura aucune chance de survivre dignement.

Cette phrase fit sourciller Clara. Michaël chercha à défendre sa femme.

- Et comment peux-tu en être si sûre ? continua Michaël.

Nina ne répondit pas. Ils atteignirent la porte d'un restaurant. Dans cet état d'esprit quelque peu ébranlé, ils entrèrent chez Niko, qui les accueillit avec sa chaleur habituelle. Bondé, ce commerce convivial offrait un menu gréco-italien dans un décor enchanteur typiquement grec. Le bleu et le blanc étaient au rendez-vous sur les murs et les nappes. La vaisselle rouge contrastait joliment avec cette ambiance azuréenne qui donnait envie de goûter à toutes les phases du menu.

- Comment ça va aujourd'hui ? entonna-t-il.

Nina connaissait Niko depuis des siècles. Ils s'étaient rencontrés à l'université en littérature. Elle avait versé vers les lettres et lui, les versait dans ses soupes. Ils riaient régulièrement de cette blague désuète qui leur rappelait leurs bonnes années d'études.

Nina, Clara et Michaël se rendaient vers l'alcôve habituelle. Une voiture bleu marine se garait en face de l'établissement et deux hommes, de ce poste d'observation ambulant, les repérèrent au centre du restaurant. Le conducteur suggéra à son accolyte :

- Va donc t'assurer qu'ils sortiront par la même porte.

À l'intérieur, les trois amis s'adonnaient au plaisir de la table. Avec Niko, il était difficile de faire autrement. Épicurien professionnel, il transmettait l'art de manger à sa clientèle fidèle.

- Émincé de veau pour ma belle, termina-t-il.

- Et toi, Niko, tu crois à ça, l'âme sœur ? lui lança Michaël, curieux de sa réponse.

- Moi, mon âme sœur, elle est ici, fit-il en attrapant Nina par les épaules.

- C'est vrai que je te suis plutôt fidèle, hein, Niko ?

Après quelques rires, les trois trinquèrent au bon vin.

- À toi, Niko ! envoya Clara.

- Allez ! Mangez bien ! fit-il en sortant de l'alcôve.

- Mesdames, j'ai une question pour vous.

- Vas-y, Michaël, nous sommes tout ouïe, fit Nina.

- L'âme sœur, si je comprends bien, serait une personne de qui on a été amoureux dans une autre vie ?

- Ma foi, oui, répondit Clara.

- Simplet mais relativement correct, s'amusa Nina.

- Bon. Qu'est-ce qui est simplet dans mon énoncé ? interrogea Michaël.

- La formulation, dit Nina. Si tu dis une personne de qui on a été amoureux dans une autre vie, tu pourrais à chaque vie tomber amoureux de quelqu'un et penser alors qu'elle serait ton âme sœur dans cette vie.

- Autrement dit, je pourrais rencontrer toutes ces âmes aujourd'hui et dire : elles sont toutes mes âmes sœurs.

- Voilà. Ce qui serait tout à fait faux, énonça Nina. Nous ne pouvons avoir qu'une âme sœur.

- Tu y crois vraiment ? Je veux dire, tu crois vraiment à toute cette histoire ? répliqua Michaël.

- Non ! fit Nina. Je n'y crois pas du tout ! Je te relate un fait, Michaël, un simple fait.

Michaël éclata de rire. Cette cascade emporta dans sa chute le gloussement de Clara. Nina les regardait, sourire en coin. Elle but une gorgée de vin.

- Ah ! Cette tête que tu as Nina, fit Michaël, tu es impayable ! Impayable… À la tienne !

Il prit son verre et trinqua. Les deux femmes levèrent leur verre en souriant.

- Je veux bien y croire, moi ! Mais où trouve-t-on les informations ? À la bibliothèque ? blagua Michaël.

- Et puis, comment établir avec certitude, lorsque tu te retrouves devant une personne, qu'elle c'est bien ton âme sœur ? se préoccupa Clara.

- Ah ! Ça ! Il n'y a aucun doute possible ! C'est moi qui vous le dit, affirma Nina.

- Ah bon ! Parce que tu aurais rencontré l'âme sœur ? interrogea Michaël sarcastique.

- Je comprendrais que tu sois sceptique Michaël, mais non sarcastique, rétorqua Nina. Quelque chose te dérange dans ce phénomène ?

- C'est vrai, Mich, c'était du sarcasme, ça, renchérit Clara.

- Bon, bon, bon. D'accord. J'avoue que quelque part, j'aimerais que Clara soit mon âme sœur et que je ne peux ab-so-lu-ment pas en être certain. Et je ne comprends pas pourquoi ni comment toi, Nina, tu peux être aussi affirmative.

- Au fait, c'est qui ? lança Clara.

- Qui quoi ? fit Nina innocemment.

- Allez ! Dis-nous au moins qui c'est, ton âme sœur ! insista Clara.

- Vous ne croyez tout de même pas que je vais vous le dire ! se défendit-elle.

- Mais pourquoi pas ? s'indigna Michaël.

- Il est ici, en même temps que nous ? Dis-nous au moins ça ! supplia Clara.

- Comme tous les Atlantes, laissa tomber Nina énigmatique. C'est tout ce que vous saurez.

- Amusant, tout de même, cette question, non ? observa Michaël.

Clara sourit à son mari qui lui prit la main. Nina appela Niko et lui fit signe d'apporter l'addition.

La scientifique sortit la première de l'établissement, suivie de Michaël. Nina embrassa Niko avant de partir. Michaël prit le temps d'étreindre sa femme.

- Tu es d'accord ? On aura notre laboratoire à la maison de campagne. On y étudiera l'âme sœur, renchérit Clara.

Michaël l'embrassa. Tandis qu'ils se quittaient sur le trottoir, l'homme qui les surveillait à l'intérieur retourna à la voiture. Ils empruntèrent trois directions différentes ; le travail ramenait chacun à ses préoccupations. Clara longea le boulevard Queen Mary et tourna sur une petite rue en repensant à cette conversation inaccoutumée. Elle sourit.

La voiture bleu marine roulait lentement derrière la scientifique. Un troisième homme calé dans la banquette arrière fit signe au chauffeur de s'arrêter. William sortit et marcha d'un pas rapide. Il n'avait pas beaucoup de temps pour mener son opération. Il arriva à côté de Clara, qui sursauta.

- Bonjour ! fit William d'une manière avenante. Vous êtes sans doute Clara Miles ?

Il avait une mine rassurante malgré une certaine froideur naturelle qui n'était pas sans déplaire à Clara. Elle accepta d'écouter ce qu'il avait à dire.

- Mon patron suit vos travaux de près depuis plusieurs années.

- Ah bon ? Et qui est votre patron ?

- Si vous désirez le savoir, il aimerait vous inviter à discuter de votre matrice, de son acquisition.

- Mais elle n'est pas à vendre ! objecta Clara. Et comment savez vous tout ça ?

William écourta d'un geste les questionnements de Clara.

- Nous sommes disposés à vous offrir une somme d'argent que personne n'oserait refuser.

- La matrice n'est pas à vendre, répéta Clara, et de toute manière, nous n'en sommes pas encore à la conclusion.

- Vous savez, étrangement, mon patron travaille depuis longtemps à un appareil similaire au vôtre. Il s'intéresse particulièrement à la boîte noire que vous avez créée.

Clara sentit le danger la frôler. Elle regarda l'homme droit dans les yeux. Comment pouvait-il connaître l'existence de la boîte noire ?

-Qui êtes-vous ? demanda-t-elle avec insistance.

- Moi ? Personne. Mais mon patron aimerait vous acheter votre boîte noire.

- Comment… ? Je ne sais pas de quoi vous parlez, répliqua-t-elle pour clore la discussion.

Elle reprit sa marche.

- Vous avez utilisé de l'argent sale pour la fabriquer ? attaqua William.

Piquée au vif, Clara se retourna brusquement vers l'homme et le gifla. William connaissait bien le personnage. Il en avait déjà avisé le patron : Clara était du genre à se mettre la tête sur le billot plutôt que de subir l'extorsion. Elle connaissait les rouages ténébreux de la science, aussi avait-elle toujours su se protéger.

- Si vous comptez me faire chanter, vous vous êtes trompé de personne !

- Oh là ! On se calme, fit William en lui saisissant le poignet. La vérité vous choque, n'est-ce pas ?

Clara se débattit pour que l'homme lui lâche le poignet. Il serra plus fort et la dévisagea.

- Mais que voulez-vous à la fin ? cracha-t-elle.

- Vous avez fabriqué votre invention avec de l'argent sale. Admettez-le donc !

Clara asséna à William quelques coups de pieds pour se dégager de son emprise. Les deux hommes restés dans la voiture suivaient de loin l'intervention de leur compagnon.

- Peut-être a-t-il décidé de la kidnapper, va savoir.

Les événements se précipitaient. Le chauffeur démarra la voiture et fonça droit devant pour prêter main forte. Or, lorsqu'il parvint près d'eux, Clara venait de se débarrasser de son agresseur d'un coup pied entre les jambes. Pris par surprise, William lâcha sa proie et Clara, libérée d'un coup, trébucha sur le sol. La voiture happa la femme, qui tomba lourdement sur la chaussée et sombra dans l'inconscience. William ouvrit la portière sans attendre et la voiture décampa.

- Imbécile ! Imbécile ! Tu viens de tout faire rater ! Oh !

Frustré, il se prit la tête et frappa son coude sur la fenêtre.

*

Clara gisait dans un lit d'hôpital. Michaël, assis avec Annie, leur fille, veillait au chevet de sa femme. Un enchevêtrement de tubes ornait le corps de la scientifique et empêchait son mari et sa fille de l'embrasser au gré de leurs élans intérieurs. Des larmes silencieuses coulaient sur les joues d'Annie. Au-delà de ces équipements d'hôpital, une chose rendait sa mère plus inaccessible encore : le coma. Seul un électroencéphalogramme, qui s'amusait à dessiner des courbes, attestait de la vie encore présente dans le corps de Clara. Ces ondes mécaniques étaient tout ce qu'elle parvenait à exprimer. Le chirurgien entra.

- Vous êtes le mari de madame Miles ? demanda-t-il à Michaël.

- Oui. Je suis Michaël Lemire. Voici notre fille, Annie.

- Je suis le docteur Jaenson. L'opération a été très délicate. Mais tout va bien. Il y avait fracture et anoxie légère – manque d'oxygène dans le cerveau.

En voyant l'expression défaite de Michaël et d'Annie, il poursuivit son compte rendu avec des mots choisis, en expliquant à quel point il était satisfait d'avoir pu réduire les dommages au minimum et qu'il n'y avait plus rien à craindre.

- Va-t-elle reprendre conscience bientôt ? interrogea Michaël.

- Je… Avec un traumatisme crânien, c'est difficile à dire. Nous ne pouvons nous prononcer trop vite. Vous comprenez ? dit le docteur calmement.

- Maman va revenir à la maison bientôt, hein, papa ?

- Oui, ma chérie, rassura-t-il.

Nina entra comme un léger mistral dans la pièce blanche et sobre. Ses émotions se traduisaient toujours par de civiles extravagances. Elle avait dans les mains une valise verte de grandeur moyenne, mais qui semblait pleine à craquer. Elle demanda à Annie de l'aider à disposer les effets de sa mère de manière avenante, pour qu'elle puisse se sentir chez elle et guérir plus vite. Annie sourit, contente de savoir qu'elle pouvait enfin faire quelque chose pour sa mère. Le sentiment d'impuissance avait été insoutenable pour la petite fille de neuf ans.

- J'ai pris ce que je pensais nécessaire, expliquait Nina. Peut-être pourra-t-on la distraire un peu ?

- Je vous laisse avec votre famille, conclut le docteur Jaenson.

Tous le saluèrent aimablement.

- Annie, ne t'inquiète pas pour ta mère, c'est une survivante, lui dit Nina. Et, en attendant, c'est moi qui vais t'aider pour tes leçons, d'accord ?

Nina posa la valise sur une chaise et l'ouvrit. Elle en sortit une photo sur laquelle figurait Clara, Annie, Michaël, et la mère de Clara.

- Pourquoi as-tu apporté autant de choses ? l'interrogea Michaël intrigué.

- Pour qu'elle sache que nous sommes là, et qu'elle doit rester avec nous encore.

Nina sortit encore plusieurs objets : un miroir indien, une brosse avec un manche de marbre ciselé, une petite trousse de toilette marquée d'un dessin représentant une pyramide dorée. Elle fit apparaître, comme d'une boîte à surprise, un livre d'Homère, orné d'une reliure ancienne qu'affectionnait particulièrement Clara et laissa d'autres affaires au fond de la valise.

- Là ! fit-elle. Allons, Michaël. Nous devons aller chercher ta belle-mère à l'aéroport.

Nina fit un tour d'horizon de la pièce et, satisfaite, sourit. Elle alla vers Clara, se pencha et lui murmura quelques mots. Michaël, qui l'observait, finit par demander à Nina si Clara l'entendait vraiment. La science n'avait toujours pas réussi à démontrer la véracité de ce phénomène. Nina lui jura que oui et lui manifesta son étonnement : un psychiatre devrait trouver plus que normal de parler à un comateux, non ?

- Écoute, Nina, répondit Michaël, en ce moment, je ne sais pas trop que penser.

Annie, que cette bonne nouvelle venait plutôt de rassurer, se dirigea vers sa mère et lui souffla quelques mots, à travers ses larmes. Nina la prit par les épaules et tous trois quittèrent la pièce en silence. Le temps pressait.

Clara reposait inconsciente dans la chambre calme. Il n'y avait qu'un seul lit et une seule fenêtre qui laissait passer le vent. Les murs étaient blancs et les accessoires bien propres.

Nina revint en catastrophe. Une infirmière, que la romancière salua, s'affairait déjà autour de Clara.

- J'allais presque l'oublier ! lança Nina en souriant à l'infirmière.

Elle fouilla dans la valise et en saisit une petite boîte à bijoux, l'ouvrit et en sortit une émeraude montée en bague.

- Je n'ai jamais su d'où elle tient cette bague atlante. Et je n'en ai jamais vu d'autres, laissa-t-elle tomber.

Frappée d'incompréhension, l'infirmière observa Nina se déplacer vers l'alitée et lui enfiler la bague qui scintilla.

- Vous allez lui laissez cette bague, s'il vous plait.

- Mais…

- Je vous en prie, c'est son porte-bonheur, inventa Nina.

L'infirmière haussa les sourcils et finit par sourire, incrédule et somme toute, indifférente. La romancière la remercia et s'en fut.

*

Ian Jaenson se trouvait dans son laboratoire privé aux teintes bleutées. Dans la pièce, la lumière d'une tranchante froideur définissait le puissant et subtil impact du cristal. Avec son équipe, Ian fabriquait des prismes qui favoriseraient la résorption des désordres corporels. Ces études menées depuis de nombreuses années commençaient à confirmer les intuitions du docteur. Il passa de l'autre côté, dans un entrepôt de cristaux et de diamants.

- Richard, dit le docteur Jaenson à son assistant, peux-tu me fabriquer un sceau de David ?

- Une autre étoile de cristal, mon oncle ? Tout de suite !

Le docteur examinait un diamant dans une lunette, tandis que son assistant installait sur une plaque photonique une de ces pierres précieuses qu'il coupa au rayon laser. Richard prit un bocal de verre débordant de beaux petits morceaux de diamants et un autre de pièces de cristal. Il en choisit quelques morceaux qu'il colla avec de la poudre de diamant constituée en glu. Puis, il s'appliqua à former une étoile de David avec un nombre égal de diamants et de cristaux sur une base carrée constituée de cristaux. Richard était un perfectionniste. Ian l'avait engagé pour ses qualités remarquables et non parce qu'il était son neveu. Le technicien considéra son travail avec attention. Après quelques minutes, il le jugea digne d'utilisation.

Richard sourit et plongea doucement sa main dans le bocal de cristaux en flocons. Il saupoudra l'étoile et souffla les poussières restées dans ses mains sur le docteur Jaenson.

- Pour toi, mon oncle ! fit-il en riant.

- La touche magique ! répondit le docteur en balayant les fines poussières avec le dos de sa main.

- Tu as l'air préoccupé, Ian, fit son neveu.

- C'est cette patiente… C'est bizarre. On sait que les comateux admettent pouvoir contacter le corridor menant vers la mort ; lumière diffuse, impression de légèreté…

- Elle est en *EMI**? interrompit Richard.

- Je ne sais pas ! Cette patiente me donne l'impression de toucher à la vie plutôt qu'à la mort, laissa-t-il flotter. Enfin, s'il y a une différence…

- Tu es troublé, mon oncle !

Ian considéra Richard, songeur.

*

Note : tous les mots qui apparaissent en italiques sont expliqués dans le lexique.

Une voix posée sortait des haut-parleurs de l'aéroport. Annie s'accrochait au bras de son père comme à une bouée. La foule grouillait dans une ronde organisée que dispersait aussitôt le va-et-vient incessant des arrivées et des départs. Un petit garçon tenait un ballon de bienvenue. Annie en voulut un aussi mais son père le lui refusa. Une femme d'un certain âge, bien mise, apparut sur le seuil des portes d'arrivée. Annie ravala sa moue de déception et courut vers sa grand-mère. Elles retrouvèrent Michaël, qui embrassa sa belle-mère.

Géraldine prit des nouvelles de sa fille. Michaël, encore sous le choc, ne pouvait dissimuler son inquiétude. Perdre un être cher imprime une douleur profonde, mais perdre le contact avec quelqu'un alors qu'il est toujours là, à côté de soi... Comment mesurer cette impuissance troublante qui tantôt s'exprimait à travers l'exaspération tantôt par la culpabilité, mais qui laissait en soi une marque frôlant l'amertume ? C'est lorsqu'il se tut que sa belle-mère saisit le mieux la gravité de la situation.

*

L'infirmière en chef aidait un stagiaire à tester les réflexes de Clara alors qu'une préposée entrait pour placer de nouvelles couvertures à côté du lit. Ian arriva avec un bloc-notes et un objet brillant dans les mains. Il regarda longuement Clara sans mot dire. Le visage de la malade était sans expression. Le docteur tendit à Pénélope, son infirmière, un petit casque de métal souple et une planche qu'il tenait dans sa main.

- Je dois quitter l'hôpital, lui dit-il. Tout va bien ici ?

L'infirmière lui fit un signe d'approbation.

- Vous voulez que j'installe cette étoile de David ? demanda-t-elle au docteur.

- Vous me connaissez, Pénélope, je suis toujours à la recherche de candidats réceptifs à ma médecine ! Je crois que nous avons un cas, ici. Tenez, fit le docteur en lui tendant la planchette et le casque.

L'infirmière prit la planche faite d'un composite de mica qu'elle installa à trois mètres du pied du lit. Un pentacle ornait finement la surface. Pénélope brancha un câble dans l'ordinateur et un fil électrique dans le mur , saisit le casque et le fixa sur la tête de Clara. À l'intérieur de cette coiffe de métal était gravée une étoile de David, faite de diamants et de cristaux. Activée par magnétisme, du casque à la grande plaque, une autre étoile de cristal tournait, fixée à l'extérieur de la coiffe. L'ensemble magnifiait les activités électro-magnétiques du cerveau de la patiente et l'ordinateur recueillait les données sur la progression synaptique. Selon le docteur, cet appareil agissait comme un stimulateur propice au rétablissement des neurotransmetteurs.

Ian fit promettre à l'infirmière de surveiller le cas de Clara. Pénélope était une employée loyale et travaillait depuis longtemps avec le docteur Jaenson. Elle lui faisait confiance et savait, pour en avoir déjà témoigné, que ses méthodes, considérées comme excentriques par ses pairs, pouvaient accélérer le rétablissement naturel de la personne traitée.

- Demain, nous lui ferons une autre *IRM*.

Pénélope acquiesça. Elle dut fermer la fenêtre à cause d'un vent irritant. Le docteur s'approcha de Clara, souleva sa paupière et examina sa pupille. Toujours dilatée. Il prit sa main dans la sienne et l'observa encore longuement.

Le prisme agissait-il ? Sur le visage de sa patiente, Ian vit apparaître une onde incessante de couleurs surnaturelles, générée par la réflexion de l'étoile sur le casque et par le panneau au pied du lit. Le pouls de Clara se calma. Ian était satisfait. Il quitta la chambre en même temps que l'infirmière.

Clara entendait des voix quasi inaudibles venues d'un autre temps. La lumière ondulait dans toutes les directions et une vibration plus aiguë stabilisa les couleurs du prisme en une blancheur éclatante. L'étoile de David, qui se mouvait en une rotation ultra-rapide, engendrait un rayon qui frappa Clara au centre de la tête. Cette lumière pénétra sa conscience comme des filaments de lait et explosa en une danse de flocons de neige qui fondirent. Un vent léger chatouilla la fenêtre, produisant l'effet d'un chœur dans les oreilles de Clara. Petit à petit, la neige fondue prit la forme d'une méduse d'ADN qui tournoyait dans une éprouvette. Un son clair de plus en plus strident jaillissait de l'étoile. Enfin, une lumière aveuglante émana de la méduse. Les sons cristallins se confondirent aux voix, celles-ci se définirent en personnages et la lumière se figea en paysages. Clara baignait dans cette lumière qui lui révéla de brefs épisodes du long chemin qu'avait parcouru son âme.

Les images défilaient, d'abord floues et en noir et blanc, puis surgirent des couleurs. Enfin, Clara parvint à distinguer clairement la scène.

FACULTÉ DIVINE

Je veux le séduire,
mais je lis la peur dans ses yeux.
Pourquoi ne me voit-il pas ?

Nadartari

Une jeune fille se tenait debout, les yeux fermés, tout près d'une statue représentant Maât, la déesse égyptienne. Elle portait une robe écrue qui se fondait dans le grès des murs. Attentive, elle écoutait la cérémonie qui allait pourvoir son père, Imhotep, de la force des dieux et attendait le signal de son entrée ; elle se perdit pour un instant dans les odeurs de la myrrhe qui fumait dans la chambre sainte. Comme Nadartari égarait son esprit dans ces nuées ambres et flottait avec elles, un *claquoir* accompagné d'une harpe et d'un ensemble de luths ramenèrent son attention. Elle regarda sa mère qui se tenait, debout, les yeux fermés, au fond du sanctuaire. Renpet-Nefret était vêtue d'un fourreau ocre et ornée de parures d'or et de turquoises. Elle ouvrit ses yeux noirs enduits de khol et sourit à sa fille.

Djoser implorait. Il parlait directement à Rê, le dieu-soleil. C'était le privilège du roi. Il était entouré d'une cohorte de prêtres et de scribes s'affairant à leurs papyrus tandis que les musiciens tissaient une âme sacrée à la chambre. Nadartari serra dans ses doigts le collier avec *l'œil d'Horus* qu'elle allait remettre à son père. Elle pria Horus de la pourvoir un jour de la vision d'Imhotep. Cet être d'exception était à la fois le scribe du roi, grand vizir, médecin et architecte. Imhotep fut désigné naturellement pour construire le tombeau de Djoser. L'architecte se prêtait humblement à la cérémonie de rituels invoquant la main secourable des dieux qui l'aideraient à terminer à temps ce grand chantier. Le roi se retourna vers une immense statue de Rê et s'inclina. Un long moment de méditation s'écoula avant qu'il ne se relève.

Il fit signe à Nadartari de s'approcher jusqu'au cercle formé par les prêtres autour d'Imhotep et d'attendre le moment venu. Djoser s'avança dans le cercle vers l'architecte et mit sa main sur sa tête.

- Imhotep, très haut scribe de Maât, grand architecte de Djoser, tu seras bientôt couronné de succès dans ta fonction, si tu agis selon Maât.

Un immense trône d'or entouré de grandes statues s'imposait dans la chambre sainte. Il avait été placé au milieu de la salle pour la cérémonie. Djoser en gravit les marches et prit, dans sa main droite, le sceptre des dieux, le *ouas* qui octroyait le pouvoir de Ptah. Il tenait ce long manche – dont le signe *djed* évoquait la force de la colonne vertébrale et au bout duquel la *croix ankh*, assurait de la vie éternelle. Cette puissance des dieux, Djoser la fournissait à Imhotep.

- Ô Rê, seigneur de Maât ! Ô Rê, qui vit de Maât ! Ô Rê, qui exulte en pensant à Maât ! Je suis venu vers toi. Je t'apporte Maât. Tu vis d'elle. Tu jubiles en pensant à elle.

La statue de Maât semblait répondre aux paroles du roi. Son visage de sable inspirait l'autorité. Le roi brandissait son sceptre de toutes ses forces, comme si cette intensité allait lui permettre d'être mieux exaucé. Nadartari demeurait coite, attentive aux moindres gestes du rituel. Elle attendait toujours le signal du roi. Imhotep, agenouillé, imprégna de sa voix un calme profond dans le sanctuaire.

- Je ferai de mon mieux pour que les travaux soient terminés à temps, ô Djoser, mon roi.

À son cou, Imhotep arborait un collier constitué d'une pyramide en relief, parsemée de hiéroglyphes qu'il avait esquissés lui-même. Le roi donna enfin le signal à Nadartari. Elle entra dans le cercle que les prêtres ouvrirent pour elle et avança vers son père pour lui passer au cou le collier de la bienveillance. Elle laissa aller le collier d'Horus, qui s'imbriqua dans la pointe de la pyramide du pendentif qu'Imhotep portait déjà. L'un dans l'autre, ils tintèrent. Le roi, les yeux fermés, continuait ses invocations de sa voix éraillée et grave.

- Rê ! Je t'ai fait offrande de Maât, que tu aimes, car je sais que tu en vis. Elle est aussi mon pain et je me nourris de sa rosée.

Nadartari s'inclina.

- Père, devait-elle dire simplement.

Il prit les mains de sa fille et les embrassa. Elle lui sourit et s'éloigna tranquillement pour regagner sa place. Le cercle se referma. Imhotep se leva recueilli et imposa sa magnifique présence à la prestigieuse assistance.

- Mon cœur porte *l'œil Oudjat*, je fais offrande de Maât.

Un vent enfla dans le fonds de la pièce. L'obscurité croissait, augmentant la part de mystère qui habitait ce sanctuaire. Les solennités touchaient à leur fin. Chacun sortit de la chambre laissant derrière lui la promesse des dieux faite aux hommes : exaucer l'architecte.

Sur le chemin du retour, Nadartari, porteuse des secrets de la cérémonie pressait ses parents de répondre à ses nombreuses questions.

- Qu'est l'essence de Maât ? Est-ce que j'en suis constituée aussi ? Pourquoi les dieux évoquent-ils la peur et la soumission ? Pourquoi leurs secrets restent-ils accessibles seulement à certains privilégiés ?

- Il en va des dieux comme des torrents : leur puissance les rend insaisissables, lui fit observer sa mère. Celui qui cherche à suivre leur courant doit apprendre à y plonger sans se noyer. Je te conseille de te tenir à l'écart car ta jeunesse t'emporterait. Allez, occupons-nous plutôt de préparer ton mariage.

*

De nombreux hommes roulaient sur billes de bois d'énormes pierres vers la pyramide à degré. Déjà, la forme escalier qui se dessinait sur son dos se distinguait clairement. Une musique de percussions accompagnait les travaux et encourageait paysans et esclaves à rythmer le pas. Ils étaient des centaines. Un point d'eau leur permettait de s'abreuver pour pallier les effets de la chaleur torride. Un portrait de Maât gravé en relief sur le panneau indicateur du puits exhortait la déesse à pourvoir le site. Une file de travailleurs attendait pour boire tandis qu'Imhotep discutait des plans de construction. Sa fille arriva sous sa tente.

- Père, tu m'as fait appeler, dit-elle.

Imhotep se dirigea vers un panier d'offrandes tandis qu'un groupe d'artisans munis de stylets et de coffres emplis d'argiles colorées l'attendaient.

- Va, ma fille, va porter ces offrandes pour ton père. Fais vite ! Le temple va bientôt fermer…

- Qu'est-ce que tu graves avec les scribes dans la tombe de Djoser ?

- Lorsque nous passons dans l'au-delà, il y a de nombreux dédales grouillants de bêtes mauvaises. Il faut expliquer à l'âme les manières de s'en prémunir dans les labyrinthes de la mort.

- Pourquoi faire ?

- Pour s'assurer qu'elle ne se perdra pas et qu'elle arrivera effectivement au bout du voyage. Nous avons tous besoin de guide. Tiens, fit Imhotep, en lui passant le panier. Allez, maintenant, file.

Nadartari se sentit comblée par cet entretien. Elle apprécia la bonté de son père, toujours attentif aux questions et aux souffrances des autres. Elle en remercia le ciel et se promit qu'un jour, elle connaîtrait en détail les embûches de l'au-delà.

*

Nadartari portait le panier d'offrandes de son père. Elle marchait vers le temple à la lueur du crépuscule. Parvenue au lieu sacré, elle constata que la porte était verrouillée. Elle lui donna un coup de pied, s'enfuit et poursuivit sa route en pensant aux préparatifs de son éventuel mariage. Parfois ce rituel lui procurait de l'ennui, parfois de l'exaltation. Ce qui la faisait rêver pour l'heure : avoir accès au coffre magique, là où sa mère rangeait ses produits de beauté.

Ces pensées vagabondes menèrent Nadartari dans le champ de papyrus tout près du chantier. Elle coupa une branche qu'elle se mit à mâchouiller d'un air ravi. La jeune fille chevauchait deux âges, ce qui lui octroyait enfin le droit de poser des questions sérieuses mais aussi la confortait encore dans le règne de l'innocence.

Un homme vint vers elle. C'était un paysan étranger qui connaissait la famille.

- Thot est bon. Il nous amène une étoile du crépuscule avant le coucher. Ton père nous a guéris d'un mal. Tu lui diras merci.

- Ton travail est dur, paysan. Tu serais moins malade si tu étais scribe.

Le paysan éclata d'un rire pur qui animait tous ses muscles fins et fermes. Il était vêtu d'une jupette blanche et une coiffe de lin lui tenait les cheveux.

- Ma famille a tout fait, poursuivit le paysan, pour me convaincre de devenir scribe. Ils ont voulu me décourager du rude labeur des terres, des récoltes insuffisantes et des maîtres qui maltraitent les paysans.

- Et pourquoi es-tu devenu paysan malgré ce sombre portrait ?

- Le grain.

- Le grain ?

- Oui. Quand je touche à ce grain, j'ai l'impression de toucher directement à Maât, sans l'intermédiaire d'un prêtre. C'est moi le scribe ici, dans ces champs, conclut-il souriant. Tiens.

Il donna à Nadartari une poignée de grain qu'elle accepta avec joie avant de reprendre sa cadence le cœur aérien. Nadartari et le paysan se jetèrent un regard rieur. La jeune fille poursuivit sa route. Dans son esprit léger fourmillait de grandes questions.

*

Le soleil était à son zénith. Nadartari marchait dans les rues de Memphis. Vêtue d'une courte robe en lin, blanche et légère, elle avançait allègrement et se mêlait à la tempétueuse activité diurne.

Des cris parvenaient du marché ; ici, un homme suppliait son veau de se mettre au pas, là, un autre s'acharnait sur la confection d'un bas relief.

Cette fois, Nadartari avait voulu se rendre très tôt au temple pour y faire ses offrandes. Les épaules larges, les hanches étroites et la taille élevée, elle étendait ses muscles fins et longs à chaque pas avec insouciance. Parvenue à côté d'une imposante colonne au bord de la porte du temple, elle déposa son panier derrière une femme qui attendait, comme elle.

La file était plutôt longue. Hommes, femmes et enfants portaient des urnes ou des sacs de lin avec de la nourriture, des objets, tout ce qu'ils pouvaient trouver à sacrifier. C'était leur monnaie d'échange contre un vœu. Des oies et des chèvres couraient dans la rangée. Un homme rattrapa son oie et entra dans le temple.

Comme si chaque grain de sable traversait difficilement l'étroit goulot du sablier, le temps défiait la patience des pauvres gens. D'autres personnes s'étaient ajoutées à la longue file derrière Nadartari. Certains bavardaient entre eux de la pluie et du beau temps et riaient à pleines dents au soleil. D'autres rêvassaient devant les massives colonnes du temple. Nadartari demeurait égale à elle-même, de moral léger. Elle n'avait pas de soucis. Sauf peut-être celui de se préparer au mariage.

Elle arriva dans le temple où d'immenses colonnes imposaient d'emblée la soumission aux porteurs d'offrandes. Les murs couverts de hiéroglyphes évoquaient l'omniprésence des dieux et leurs dures exigences envers les paysans et tous ceux qui voulaient se voir exaucés. Plusieurs fidèles traînaient encore face à l'autel où le prêtre Séméseth les accueillait. Il inscrivait leurs vœux sur du papyrus, puis il prenait les offrandes pour les déposer sur l'autel. Les objets ainsi alignés étaient ramassés par un autre prêtre, Athon, qui les amenait dans le magasin du temple, derrière l'autel. Le magasin était bondé de statuettes de dieux empilées les unes sur les autres ; il y avait des objets décoratifs, des animaux, des bijoux. Tous seraient vendus.

Son tour venu, Nadartari s'approcha de l'autel mais, un léger contretemps se produisit. Le prêtre Séméseth quitta la pièce pour se diriger vers le magasin. À l'intérieur, il expliqua à Athon qu'il avait un malaise et qu'il préférait continuer de travailler dans le magasin. Il poussa, doucement mais avec insistance, le prêtre Athon vers l'autel et lui fit signe d'aller recueillir les offrandes. Séméseth se retira à l'arrière de l'autel dans le magasin du temple et se mit à empiler les offrandes nouvellement arrivées. Il prit plusieurs objets de valeur tels certains bijoux et statuettes et les déposa dans une jarre qu'il dissimula avec soin derrière une colonne près de la porte. Il saisit une autre jarre dans laquelle il fourra quelques ustensiles sans intérêt.

Nadartari avança vers le prêtre Athon avec ses offrandes. Il vint vers elle pour l'aider. La fille du vizir fronça les sourcils. Elle croyait reconnaître ce prêtre officiant et ce souvenir lui était doux. Athon observa Nadartari en la regardant du coin de l'œil. Ce jeu dura quelques secondes avant qu'il n'esquisse finalement un timide sourire tout en vidant le panier. La jeune fille regarda le prêtre disposer ses offrandes sur l'autel. Séméseth apparut dans le cadre de porte et observa la scène avec un sourire narquois.

- Hum ! Hum ! fit-il simplement.

Nadartari leva la tête vers Séméseth et prit le temps de déposer une statuette en bois sur l'autel.

- Tu es la fille du vizir et grand architecte Imhotep ? lança Séméseth.

- Oui, c'est exact, répondit poliment Nadartari.

- N'es-tu pas promise au fils du roi ? interrogea-t-il.

Nadartari baissa les yeux. Athon posa un regard de reproche sur Séméseth qui lui sourit, satisfait de son effet, en s'approchant de l'autel.

- Allez, ne reste pas là. Va t'occuper des autres offrandes, jeta Séméseth au jeune prêtre. Je prendrai particulièrement soin de celles-ci, ô fille du vizir !

La jeune fille sentit son visage bouillir et ses joues se resserrer en un rouge teinté d'irritation sévère. Nadartari et Athon se jetèrent un dernier regard avant qu'elle ne quitte le temple. D'autres personnes affluaient pour les offrandes.

*

Imhotep observait l'allure générale du chantier en marchant lentement. Les travailleurs transportaient inlassablement les pierres massives. Des hommes attendaient pour boire au puits. L'architecte s'arrêta net et se retourna, car son conseiller le mandait sous l'abri pour y vérifier les plans. Il le rejoint.

- On n'y parviendra pas. Impossible, avisa le conseiller terrifié.

- Nous ne pourrons pas monter les pierres jusqu'au sommet avant la pleine lune. À moins de les tailler, renchérit un ouvrier inquiet.

- Les meilleurs ouvriers de l'Égypte sont ici, poursuivit le conseiller. Mais ils….

- Je la vois cette pyramide ! interrompit Imhotep. Je la vois ! Et elle est totalement achevée. Débrouillez-vous !

Les esclaves et travailleurs suaient et s'éreintaient. L'heure de manger sonna. Les hommes soulagés s'acheminèrent par petits groupes vers les zones ombragées du chantier pour y trouver un moment de paix et refaire leurs forces. Imhotep préférait voir les hommes se reposer dans la journée plutôt que de les épuiser.

*

Renpet-Nefret ouvrit un coffret de bois peint de triangles rouges et blancs. Nadartari écarquilla les yeux et voulut embrasser tous les flacons réunis. Devant son regard émerveillé s'exhibait le trésor autour duquel sa mère avait créé tant de mystères.

- Je te l'offre, lui annonça sa mère.

La jeune fille enlaça sa mère. La chambre de ses parents lui apparut soudain moins énigmatique.

- Je l'emporterai dans ma tombe, c'est certain ! s'exclama Nadartari enchantée. C'est mon premier trésor.

Sa mère lui sourit. Elle ouvrit un vase contenant une lotion pour la peau. Puis elle fit de même avec les onguents et autres pommades d'entretien corporel. Nadartari fourrait son nez dans chaque urne et imbibait son doigt de ces mixtures généreuses, les étalait, les malaxait et les sentait au creux de sa paume.

Renpet-Nefret sortit un autre coffre débordant de coiffures. Elle empoigna une perruque faite de vrais cheveux noir de jais et la mit sur sa tête. Pur charme égyptien. Les cheveux et la frange taillés très droits donnaient caractère et raffinement à l'épouse d'Imhotep. Nadartari contempla sa mère avec ravissement, admiration et envie.

- Toi aussi, tu seras une belle épouse. Je vais te montrer.

La jeune fille se laissa soigner la peau et les cheveux par sa mère qui lui enseignait tous les principes d'une beauté entretenue par les herbes, dont son père était plutôt spécialiste. Une fois la peau et les cheveux bien propres, elle lui épila les sourcils et, prit un pinceau pour lui appliquer du fard et de la poudre sur le visage. La dernière touche, le khol que Nadartari connaissait déjà pour ses vertus protectrices, et que sa mère appliqua avec un stylet.

- Le khol revêt aussi le mystère de la séduction. Il relève le regard et l'embellit. Tu apprendras à en user sans excès, avec raffinement. Essaie l'autre œil.

Elle lui passa le khol et Nadartari s'exécuta, un peu maladroite. Elle sourit à sa mère qui hocha la tête. Enfin, Renpet-Nefret saisit un flacon de parfum et en aspergea doucement sa fille qui, chatouillée par les vapeurs, se prit à rire. Elle enleva sa perruque pour la mettre sur la tête de sa fille. Après l'avoir bien ajustée, elle tendit un miroir à Nadartari ; elle ne se reconnaissait pas. Tandis que Renpet replaçait sa propre chevelure avec un peigne en os orné d'un motif, sa fille devint grave.

- Je sais ce que tu ressens, lui dit gentiment sa mère.

- Non, ce n'est pas ça, s'empressa de dire Nadartari. Je... Où se trouve le tombeau de mon père ?

Renpet-Nefret éclata d'un rire d'étonnement.

- Je te prépare au mariage et tu me parles d'une tombe !

L'épouse d'Imohtep prit un air sérieux et, comme sa fille l'avait espéré, elle se mit à parler.

- Ton père n'aura pas besoin d'un tombeau contrairement au roi Djoser.

- Mais comment va-t-il faire pour traverser les dédales de la mort et comment son corps va-t-il pouvoir survivre s'il n'est pas momifié ?

- Il sera transporté tout de suite sur la barque de Rê. Tout deviendra clair pour lui lorsqu'il l'écrira pour Djoser dans sa tombe.

Nadartari éprouva de la reconnaissance. Sa mère la jugeait sans doute apte à recevoir ces révélations.

- Nous sommes responsables, continua sa mère, de perpétuer l'enseignement d'Imhotep. Tu es née parmi nous et non parmi les crocodiles. Mais il te faudra bien apprendre à te battre contre eux, sans les tuer.

- Tuer les crocodiles ?

Sa mère laissa la question en suspens. Il ne servait à rien de brusquer l'enfant. Un grand silence enroba l'atmosphère. Les effluves fruités qui sortaient des flacons encore ouverts habillaient le vide. Cette plénitude d'odeurs réconfortait Nadartari qui entrevoyait son avenir avec moins de légèreté depuis quelques instants. Elle sentit un nuage peser sur sa poitrine et eut le réflexe d'inspirer profondément.

- Je vais aller porter d'autres offrandes. Père en a bien besoin, fit-elle.

- Ah ! Mais non ! Pas avec la perruque !

Elles rirent et se turent aussitôt, se dévisageant d'un regard chargé de sentiments mitigés.

*

Nadartari attendait en file, avec beaucoup plus d'impatience qu'à l'habitude. Elle replaça ses cheveux. Puis elle prit dans ses mains les grains de blé que le paysan lui avait donnés. Elle se mit à les égréner pour passer le temps. Les semences devenaient chaudes et douces dans sa main. Nadartari sourit à l'idée de revoir Athon dans le temple. Lorsqu'elle l'aperçut au loin qui parlait à une femme, son cœur se mit à palpiter. Le prêtre la vit aussi et lui fit un large sourire. Nadartari pressa les grains dans sa main pour contenir une nervosité qu'elle découvrait. Elle se prit à séparer en deux cet amas porte-bonheur. Elle en offrirait une part et garderait l'autre pour ses prières.

La jeune fille s'approcha d'Athon qui prit les objets dans sa corbeille. Il les plaça sur l'autel un à un. Elle observait ses gestes. Il était délicat avec toute chose, avait les mains longues et le visage fin, le teint coloré et les muscles déliés. Lorsqu'il eut terminé, elle lui tendit son poing fermé. Il déploya sa main sous celle de Nadartari et attendit.

- Cette offrande est pour moi, déclara-t-elle fièrement.

Elle laissa tomber les grains en cascade sous le regard amusé d'Athon.

- C'est doux et chaud, dit-il.

Sous la pression persistante des gens qui attendaient leur tour, Athon déposa les grains sur l'autel et rendit le panier vide à Nadartari ; elle lui lança un regard charmeur qui la surprit elle-même. Était-ce déjà le fruit des leçons de sa mère ?

*

Nadartari arriva en courant dans la maison.

- D'où viens-tu, ma fille ? gronda Imhotep.

- Pardon Père, j'étais allée offrir… je… je crois que c'est nécessaire d'y aller plus souvent, non ? Il y avait tellement de monde ! exagéra-t-elle.

Imhotep sourit à sa fille.

- Ah ! Tu es bonne pour ton père.

- Et après ? demanda sa mère.

- Après ? fit sa fille béate. Je me suis égarée.

- Maintenant, va dormir, ordonna doucement sa mère.

Nadartari obéit, heureuse de se sortir si aisément de ce petit mensonge, et quitta la pièce où les dernières lueurs du soleil s'échouaient. Renpet attendit un moment avant d'aborder son époux avec une question légèrement embarrassante.

- Notre fille…, chuchota sa femme. Elle est amoureuse.

- Comment le peut-elle ? défendit Imhotep. Elle n'a pas encore vu le fils du roi.

- Ah ! Ah ! Je te le dis, par Isis, son cœur est déjà pris ! insista sa femme sous le regard décontenancé du vizir.

Imhotep fronça les sourcils, perplexe.

*

La journée avait été pénible pour Imhotep. Il avait pressenti le pire et préférait ne pas voir le triste tableau se décolorer sous ses yeux. L'architecte profita des demandes pressantes d'une femme pour aller voir un malade. Lorsqu'il revint, avant la fin du jour de travail, les ouvriers désespéraient toujours de terminer les travaux avant la pleine lune et craignaient pour leur sort. Certains osaient rêver pouvoir abandonner le chantier pour un autre maître ! L'ascendant puissant de l'architecte et du roi sur ces travailleurs brisait leur espoir de sortir de cette impasse.

Imhotep avait de tout autres préoccupations. Il voyait bien le désistement des dieux et s'en inquiétait âprement. Aussi, avait-il accru ses prières et fait multiplier ses offrandes. Sa fille avait tellement bien compris qu'elle passait son temps au temple !

Imhotep revenait en marchant d'un pas lourd. Son conseiller fidèle, qui l'attendait impatiemment, vint à sa rencontre.

- Ils passeront la nuit ici, fit son homme de confiance.

- Non! Qu'ils partent, tous !

- Que vas-tu faire, Imhotep ?

- Prier. De toutes mes forces, fit-il en levant les yeux au ciel en quête d'une réponse.

Le conseiller le regarda incrédule. Mais l'architecte resta de bronze et lui fit signe de partir. Son homme fidèle s'inclina devant son maître, jeta un dernier regard sur la tombe inachevée et ordonna à tous de quitter les lieux. Au bout d'un moment, le chantier fut totalement désert. Imhotep resta seul devant la pyramide et s'agenouilla. Il traça par terre la figure d'un homme coiffé d'une calotte, emmailloté dans un vêtement épousant ses formes ; il le dessina blottissant contre lui un sceptre serti de parures hétéroclites sur lequel il écrivit le nom de Ptah. Imhotep acheva de tracer son dessin et regarda le ciel en implorant. Le soleil lui caressait faiblement le visage. Il était doux et rassurant.

- Ptah ! Seigneur de Memphis, époux de Sekhmet et père de Néfertoum ! Ptah ! Créateur du cosmos, de l'univers et des planètes et protecteur des artisans. Tous les jours, j'envoie ma fille te faire offrandes et sacrifices. Je m'en remets à toi pour que tu coordonnes les travaux de ma pyramide avec le soleil, les étoiles et la lune. Jusqu'à maintenant, tu m'as toujours aidé à parachever au bon moment, mais maintenant, que fais-tu ? Je suis fatigué et il me reste une nuit, dit-il en reprenant son souffle. Je t'offre ce que j'ai de plus précieux.

Il fixa le Ptah gravé dans le sable, droit dans les yeux. Imhotep brisa la chaîne qui tenait l'amulette de Maât à son cou et les déposa brutalement sur le dessin de sable en faisant vibrer sa parole.

- Je te donne ma vie !

*

Nadartari avait été surprise par le visage fermé de son père. Elle se mit à craindre pour lui. Pourquoi lui avait-il remis l'amulette de Maât ? Elle attendit en ligne à la porte du temple parmi la multitude d'hommes, de femmes et d'enfants venus sacrifier aux dieux. Le temple était sur le point de fermer. Nadartari était presque parvenue à la porte. Elle décida de céder sa place à quelqu'un d'autre et de se mettre à la fin de la file.

Lorsqu'enfin elle entra dans le temple, l'autel était désert. Elle entendit des gémissements qui provenaient du magasin. Elle hésita un instant et s'élança derrière l'autel, prête à tout. Mais le spectacle dont elle fut témoin la surprit et la désola. Athon était accroupi dans le magasin, noyé par ses larmes et totalement dévasté. Il invoquait de toute son âme, terrifié par les événements.

- Maât ! Ô Maât ! Fille de Rê, ô Maât ! Équilibre de l'univers, de la justice et de la vérité. Comment pourrais-je remplacer toutes ces of-frandes ? Combien de malheureux ne seront pas exaucés ? Comment pourrons-nous manger, si tu ne nous donnes pas de récoltes ?

- Athon ! Que s'est-il passé ? intervint enfin Nadartari.

Le magasin était sens dessus dessous. Athon sursauta et sortit à demi de sa torpeur.

- Ah ! C'est toi... Il est parti avec toutes les offrandes.

- Qui « il » ? demanda Nadartari.

- C'est Séméseth... C'est ma faute aussi, se blâma Athon. Il y a des jours que je le trouve bizarre, qu'il fait les choses différemment.

- Mais ça ne peut pas être de ta faute. Tu ne peux pas être responsable de toutes les offrandes perdues.

- Le temple est ruiné. Ce temple est mort ! Maât va partir. Elle va le quitter, s'écria-t-il en regardant tout autour de lui.

Athon se leva, horrifié. Il se prit la tête en tournant sur lui-même. Il regardait autour de lui et dans ses yeux, la jeune fille lisait un tourment profond et inconsolable.

- Maât était partout dans les urnes, les statues, les amulettes. Maintenant, elle n'est nulle part. Tu ne sens pas ?

- Non, fit Nadartari, qui resserra le reste de ses grains de blé dans sa main gauche.

- La colère de Ptah et d'Osiris va pleuvoir sur moi, sur Memphis entière ! Nous n'aurons pas de récolte ! Et je crains pour la pyramide de ton père, conclut Athon.

Du pan de sa robe, Nadartari sortit l'amulette de son père. Elle la tendit doucement à Athon.

- Regarde, fit-elle. Cette amulette, c'est le don le plus précieux que tu ne transmettras jamais à un dieu.

Athon recula comme si Nadartari avait été un démon.

- Je ne suis qu'intercepteur. Je n'ai jamais parlé directement à Rê.

- Il n'est jamais trop tard. Et puis, c'est une situation grave, et le temps presse ! insista gentiment Nadartari.

Athon la regarda perplexe et hésitant. Il fondait de peur. Nadartari aurait donné n'importe quoi pour que le prêtre ne s'effondre pas en cet instant crucial. Elle désirait qu'il trouve la force d'affronter le regard d'un dieu, malgré l'insignifiance de son grade. La jeune fille vibrait de volonté pour lui et connaissait d'instinct tous les arguments utiles qui pourraient convaincre les dieux. Elle voulait les mettre dans la bouche d'Athon.

- Présente-toi devant Rê. Dis-lui que cette amulette est un don d'Imhotep, le très puissant vizir de Memphis. Fais-le. Fais-le tout de suite, car ce soir est la pleine lune et mon père a besoin des dieux pour terminer son œuvre.

- Mais je ne suis ni roi ni vizir.

- Mais tu es prêtre ! Tu es le grand prêtre Athon.

- Je suis un prêtre dans ce temple, je ne suis pas le prêtre du pharaon. Je n'ai encore jamais offert à Rê.

Nadartari s'approcha d'Athon. Elle prit sa main et l'ouvrit pour y déposer l'amulette de son père. Puis, elle lui referma la main en tenant fermement son poing fermé.

- Cette amulette vient de mon vénérable père. Et toi, tu as besoin d'une offrande puissante pour pourvoir le peuple. Personne n'y verra rien. Tu dois sauver Memphis. Tu le peux, Athon. Fais-le !

Il ouvrit sa main tremblante pour examiner l'amulette et en mesurer le pouvoir. Alors, il sentit une ferveur filer dans ses veines. Il regarda la pyramide avec le relief de la déesse Maât qui figurait sur le pendentif. Nadartari le prit par la main et l'entraîna vers le sanctuaire où se trouvait la statue imposante de Rê. Athon s'agenouilla devant le Dieu et se mit à frémir. Il baissa la tête et tenta de se recueillir. Puis se sentant plus calme, il releva à nouveau la tête. Rê restait écrasant !

- Maât est venue pour être près de toi, fit-il en se remettant à trembler de tout son corps. Maât est présente…, continua-t-il d'une voix éteinte.

Il regarda Nadartari pour se donner du courage et se mit à parler plus fort comme pour se convaincre de sa force intérieure et pour accroître sa crédibilité auprès des dieux.

- Rêêê !!! Maât est présente partout où tu vas de telle sorte que tu es pourvu de Maât. Je sais que tu en vis. Maât est aussi mon pain et je me nourris de sa rosée…

Athon s'interrompit, considéra Nadartari et, définitivement brisé, s'effondra sur les dalles du plancher de la chambre sacrée. Nadartari se rua sur lui, l'enlaça et espéra encore pouvoir lui transmettre le courage de se sentir à la hauteur de son rôle de rédempteur. Il fallait sauver Memphis et la pyramide devait être achevée ! Nadartari prit l'amulette entremêlée dans les doigts d'Athon. Il desserra la main, sentant l'intention derrière le geste de Nadartari. La jeune fille prit le collier et se dirigea vers la géante statue de Rê. Elle le regarda droit dans les yeux. Empreinte d'une sorte de rage intérieure et se mit à respirer très fort. Elle supplia depuis ses entrailles, de toute son autorité et son corps parla à Rê.

- C'est à celui qui a créé Maât que Maât est offerte. Ô Rê, verse Maât dans mon cœur afin que je la transmette à ton Ka. Je sais bien que tu vis d'elle, c'est toi qui a créé son corps.

*

Imhotep se tenait debout face à sa pyramide inachevée. La lune lui caressait le dos et lui oppressait la poitrine tout à la fois, car elle marquait l'urgence. Elle serait pleine au cours de la nuit. Imhotep alluma sa torche et prit le rouleau de papyrus. Il avança vers l'entrée de la pyramide, marcha sur le seuil de la porte, se tourna vers l'astre de nuit et lui lança un dernier regard.

- Exauce-moi !

Il disparut dans la pyramide. Imhotep amorça une descente dans le ventre de sa créature. Il descendait les marches avec précaution jusqu'à ce qu'il parvienne à la chambre où serait un jour déposée la dépouille du roi. Là, il s'agenouilla et déposa le papyrus. Il planta la torche dans la terre. Après une interminable inspiration, il se recueillit longuement.

Ensuite, il décrocha de son cou l'œil d'Horus et le déposa par terre. Il prit le temps de s'asseoir. À la lueur de la torche, il considéra les hiéroglyphes peints sur les murs par ses artistes et son esprit finit par communier avec les dieux. Pourquoi avait-on cru que le corps devait faire le voyage vers la mort avec l'âme ? Imhotep se sentit confus. Jamais une pensée ne l'avait mis dans un tel état.

Toutes ses croyances furent ébranlées l'espace d'un soupir. Il éprouva même un serrement à la poitrine. Il prit quelques bonnes inspirations pour se calmer. L'architecte comprit que l'âme, après avoir réussi à affronter ce voyage périlleux peuplé de féroces créatures et couvert de torrents bouillants, devenait assez forte pour supporter la lumière de l'esprit et traverser vers l'autre monde. Imhotep venait de comprendre comment il allait lui-même quitter ce monde. Il sentit soudain une présence aux côtés de lui. Une ombre très perceptible. Il souhaitait ardemment connaître l'identité de cet hôte singulier. Peut-être pouvait-il l'aider à terminer son œuvre à temps ?

Imhotep traça une pyramide dans le sable. Il examina le croquis et saisit son œil d'Horus. Dès qu'il l'enfonça dans le haut de la pyramide, la lumière se transforma au creux de la pièce chargée de pulsations nouvelles. Il déroula son papyrus et commença à écrire. Une goutte sur le centre de son front luisait à la lumière de la torche. Imhotep s'ouvrait à la nuit des temps. Il parlait avec les immortels. L'architecte s'agenouilla et pria. Maintenant qu'il avait établi un contact tangible nourri d'une puissante lumière, il réclama un miracle.

Enfin, il s'endormit sur le plancher près du futur sarcophage. Une lumière surgit dans la pièce et, une vibration sourde d'où émanait la voix multipliée de centaines d'hommes retentit. La pyramide résonnait de musique et la matière communiait avec l'esprit des grands architectes du cosmos.

*

Sur l'autel de la chambre sacrée gisait l'amulette d'Imhotep. Athon et Nadartari, les yeux fermés, agenouillés l'un à côté de l'autre, terminaient leurs prières. Leur cœur à l'unisson se mit à battre plus fort, comme un rythme irrégulier de percussion. Cette musique les sortit de leur méditation. Ils ouvrirent les yeux presque en même temps. En face de Rê, tous deux se trouvèrent si près l'un de l'autre qu'ils pouvaient entendre leur respiration. À la lueur des torches, les deux visages se tournèrent l'un vers l'autre. Ils s'offrirent un sourire de tendresse. On entendit leur souffle changer de rythme. La musique de ce vent personnel augurait une tempête imminente. Dehors, l'agitation se mêlait aux percussions de leur cœur, au rythme neuf de leur souffle. Nadartari sentit le désir s'emparer de sa chair. Athon voulait s'abandonner à la beauté de Nadartari.

Figés par l'immensité de leur désir, ils restaient là à s'admirer tandis que leur âme s'enchevêtrait. La musique de leur cœur devint soudain plus claire. Les percussions plus rythmées endiablaient leur aura d'une soif palpable et irrésistible. Nadartari passa sa main sur le visage d'Athon, sur sa poitrine. La musique se fit plus intense. Athon répondit par une caresse dans le cou de Nadartari. Affolé, survolté, il ne la quittait pas des yeux comme pour y trouver apaisement.

Comme une bruine rafraîchissante, leurs lèvres communièrent pour apaiser la braise. Ils s'embrassèrent pendant de longues secondes tandis que la statue de Rê les regardait sans pitié. Soudain, un bruit de tonnerre très puissant déchira l'atmosphère. Athon, littéralement secoué, se sépara violemment de Nadartari et roula sur le plancher. Il regarda la jeune fille avec révulsion.

- C'est la colère de Rê ! s'écria-t-il.

Il s'agenouilla devant Rê et s'inclina en position de vénération. C'est tout ce qu'il put trouver à faire. Nadartari regarda autour d'elle. Elle s'aperçut qu'elle avait été piégée par le temps. Son père devait s'inquiéter de cette absence.

- Il fait déjà nuit ! Athon, je dois partir !

Athon priait de tout son corps devant Rê, paniqué beaucoup plus pour lui-même que pour le sort de Memphis. Les voix d'hommes retentirent comme un écho dans le sanctuaire. Athon réalisa soudain qu'il se trouvait dans la chambre sacrée. Seuls les privilégiés pouvaient y pénétrer ! se dit-il confondu de honte. La voix des hommes martelait ses tempes. Il devait agir, s'enfuir. Mais ses jambes ne le supportaient plus. Il rampa jusqu'à la porte où il put enfin atteindre le magasin. Là, il sombra, épuisé, jusqu'au lendemain.

Les voix d'hommes se modulèrent. Nadartari courait à travers le magasin et parvint à l'autel où étaient encore étalées quelques offrandes non pillées. Puis elle atteint enfin la porte de sortie du temple. Dans la nuit noire, elle rencontra le torrent de la pluie et désespérait de se rendre chez elle. De nature insouciante, Nadartari avait toujours eu confiance en la vie. Mais cette nuit-là, elle connut la peur. Et elle n'apprécia guère cette sensation dans son ventre. Pire encore lui semblait ce nuage rôdeur qui dansait au-dessus de sa tête. Jamais elle n'avait couru si vite jusque chez elle.

Parvenue au seuil de sa maison, elle tira le verrou, entra et ferma la porte violemment. Les voix d'hommes qui l'avaient accompagnée jusque là se turent enfin.

- Père ?

Sa mère se tenait dans le noir. Elle était anxieuse.

- Où étais-tu ? demanda-t-elle à sa fille.

Nadartari sursauta. Elle avoua tout à sa mère. Son amour pour Athon, ce désir qu'elle avait éprouvé, les charmes qu'elle avait exploités. Elle se sentait si confuse et honteuse, qu'elle éclata en sanglots. Sa mère comprenait ce tourment de jeune fille. Elle sourit en pensant que rien de tragique n'était advenu.

*

Imhotep se réveilla brusquement. Il prit le papyrus, sur lequel une succession d'informations faisaient parler des énigmes. Imhotep voyait du brouillard. Il creusa un trou sous le tombeau pour y enfouir le papyrus. Il ne savait plus s'il avait rêvé ou s'il baignait encore dans un songe. Mais il déposa le papyrus et l'œil d'Horus dans le trou, qui devait avoir deux mètres de profondeur et replaça la tombe par-dessus. Il ne savait pas pourquoi il devait faire tout cela. Mais il devait le faire. L'architecte regarda la pièce éclaboussée des halos de la torche. Tout était en ordre. Avant de sortir de la pyramide, il se dirigea vers la statue de Rê et pria.

*

Le lendemain matin, lorsque Nadartari arriva sur le chantier, elle n'en crut pas ses yeux. Les dernières pierres que personne n'avait pu poser jusqu'ici s'offraient là pour rendre toute la splendeur de l'achèvement. Elle aperçut enfin son père prosterné devant la pyramide.

- Rê ! Ô Rê ! Tu nous a entendus ! s'écria-t-elle.

La ville se réveillait tranquillement.

*

Imhotep avait vu l'ombre de Ptah. C'est ainsi que le roi Djoser le nomma Ptah-Imhotep. Nadartari avait entrevu son futur fiancé, fils du roi. Sans savoir pourquoi, elle avait fui à toutes jambes. À la maison, elle s'était préparée pour aller faire des offrandes.

Elégamment vêtue d'une robe fourreau nacrée et brodée, le regard mûri par les connaissances nouvelles des derniers jours, elle portait une corbeille sur sa tête et un petit vase d'offrandes. Elle arriva à l'autel où Athon l'accueillit. Elle perçut immédiatement qu'une force avait pris racine dans son regard brun foncé. Athon n'était plus le même.

- Je suis venue offrir à Hathor. Pour toi…, fit Nadartari en regardant les alentours.

- Ça ne sert à rien, répliqua-t-il sèchement. Je suis comblé.

- Ah oui ?

- On a retrouvé le pilleur et on m'a chargé de son poste. Je suis comblé, répéta-t-il.

Nadartari se sentit triste.

- Est-ce que tu crois aux miracles ? lui demanda-t-elle soudain.

- Tu poses cette question à cause de ton père ? fit Athon.

- Non, parce que je veux savoir, toi, ce que tu en penses.

- Je crois que les hommes ont besoin des dieux pour ça, dit-il simplement.

- Et pour l'amour, crois-tu que c'est la même chose ?

- Alors, c'est pour tous les dieux votre offrande ? interrompit une paysanne qui attendait son tour. Il faudrait choisir, tout de même !

- L'amour ? continua Athon. Tu veux dire la douceur, la légèreté ?

- Oui.

- Peut-il exister dans le cœur des hommes ? interrogea-t-il pour lui-même.

- Le sens-tu présentement ?

- Quand je fais mon travail, je le sens toujours.

- Ah, fit Nadartari.

Elle rassembla rapidement ses affaires et voulut partir. Athon la retint par le poignet.

- Tu vas te marier bientôt. Ce qui s'est passé dans la chambre sacrée n'était pas un songe. Mais il y a plus important que nous.

- Ah oui ? Et ça, tu en es bien certain ?

Athon soutint le regard glacé de Nadartari. Il se sentit blessé par cette question et il perçut aussi la peine de la jeune fille. Mais il comprit que cette donatrice acharnée des derniers jours allait compter pour longtemps dans son cœur. Il finit par lui sourire.

- Au-delà de tout doute… Je penserai souvent à toi.

Nadartari baissa la tête. Athon la laissa partir en la regardant tristement s'éloigner.

Dehors, un homme criait sur la place publique. Nadartari ne l'entendait pas. Ce discours encore inaudible s'infiltrait dans son corps comme une note de douleur. Elle se retrouva au cœur de la place publique. C'est alors que les paroles claires de l'homme éventrèrent tous ses rêves.

- Le vizir. Ptah ! Ptah-Imhotep ! criait-il à bout de souffle et scié par l'émotion.

Nadartari s'arrêta et regarda l'homme. Il plongea ses yeux rougis par la peine dans les yeux contrariés de la jeune fille.

- Ptah l'a pris.

Nadartari tomba à genoux par terre. L'anéantissement fut complet dans son cœur. Elle se lança du sable sur le corps tandis que le soleil éclairait de tous ses rayons, au loin, la pointe de la pyramide à degré.

L'OCCASION D'ALAIN

Alain ferma son téléphone cellulaire et s'achemina vers le département, le regard dans le vide. Michaël venait de lui apprendre la nouvelle tragique. C'était la première fois de sa vie qu'il avait à affronter une situation de ce genre. Comment annoncer cette nouvelle à l'équipe ? Il se sentait à la fois ébranlé par le malheur de Clara et ravi par ce coup de dés.

Il se dirigea vers le laboratoire et posa son pouce sur la plaquette optique qui décoda ses empreintes digitales. La porte s'ouvrit. Il croisa Olivier, un autre assistant de Clara, récemment embauché par son équipe. Le directeur le regarda droit dans les yeux. Le jeune s'en inquiéta.

- Je dois vous parler à tous, déclama Alain.

- À toute l'équipe ? fit Olivier. Rien de grave, j'espère ?

- Je vais voir Raphaëlle. Allez me chercher les autres.

- Bien, docteur.

Alain poursuivit son chemin vers le labo. Il s'arrêta et contempla le travail colossal qui avait été abattu ici. Clara Miles avait une vision lucide des affaires de la science, un flair époustouflant, doublé d'une intelligence pratique qui avaient maintes fois confronté le docteur à ses limites. Aujourd'hui, il admirait ce triomphal progrès d'une science nouvelle qui avait vu le jour dans son département.

Mais ainsi allait la vie. Certains étaient faits pour travailler, d'autres pour récolter. Il était parmi les privilégiés, pensa-t-il. Alain réprima un sourire. Il frappa dans la vitre et Raphaëlle se retourna vers le docteur. Elle lui offrit un magnifique sourire. Des yeux sans malices, pensa le docteur. Dès le premier contact, on savait que Raphaëlle ne pouvait faire de mal à une mouche. Alain, qui avait pourtant le cœur solide, se vit quelque peu dépourvu devant la candeur de cette jeune femme qui avait assisté Clara, avec une patience d'ange, pendant trois ans. Elle n'avait aucune idée du drame qui venait de se tisser dans son quotidien.

*

Chez Niko. Michaël se gara juste en face de l'établissement où il devait retrouver Nina de toute urgence. Avant d'entrer dans le restaurant, il laissa passer une dame à qui il tint la porte . À l'intérieur, il sonda les particules colorées de la foule, en quête de l'amie de sa femme. Nina attendait, assise dans son alcôve particulière. Niko vint servir l'apéritif à son amie.

- Avec les compliments de la maison, fit-il solennellement.

- Tu n'as pas un petit poème avec ça ? blagua Nina dont les yeux trahissaient la préoccupation.

- Tu vas, Nina ? Il me semble que ton regard a oublié son étoile du midi dans la salle de bain.

- Comme tu parles, Niko ! Tu as vraiment raté ta vocation, tu sais ?

Niko regarda Nina tendrement. Il l'aimait beaucoup et se sentait triste de ne pouvoir rien faire pour raviver cette petite flamme au fond de ses yeux. Nina se décida toutefois à livrer quelques faits.

- Ma bonne amie, Clara.

- Oui, oui !

- Elle est à l'hôpital, dans le coma.

- Oh ! Je suis vraiment désolé, Nina. Si je puis faire quelque chose…

Nina lui fit signe qu'il n'y pouvait rien et lui sourit. Michaël arriva à ce moment.

- Justement voilà Michaël.

- Je suis vraiment attristé par la nouvelle, lui adressa Niko poliment.

- Bonjour, Niko, lui dit simplement Michaël.

- Nik, tu crois qu'on va pouvoir fermer la porte de l'alcôve ?

- N'importe quoi pour toi, Ninella ! fit-il en lui envoyant un clin d'œil fraternel.

Niko ferma la porte coulissante. Nina se replaça sur son fauteuil tandis que Michaël s'installa en face d'elle. Ils étaient entourés par la foule. Deux murs pleins enserraient le dos de l'alcôve tandis que la façade de verre offrait une vue d'ensemble sur le restaurant. En cette période de morosité, Nina appréciait la chaleur de l'endroit.

- Michaël, commença Nina sans tarder, nous devons agir tout de suite.

- À propos de quoi ? demanda-t-il un peu méfiant.

- La matrice artificielle. Elle n'est pas brevetée.

- Oui, je sais. Et alors ?

- Alors ? Mais une part de cette invention appartient à Clara !

- C'est très clair pour moi.

- Justement, pour toi, pas pour les tribunaux ! Que crois-tu que le docteur Mathieu va faire ?

- Mais le docteur Mathieu est le directeur.

- Il est le directeur, sans doute, mais il donne l'impression d'être aussi l'inventeur de cette machine.

- Nina, je trouve que tu présumes trop.

Le restaurateur frappa et entra avec un autre apéritif.

- Vous êtes prêts à commander ?

- Euh… non, désolés, Niko, répondit Nina.

Niko leur fit signe de prendre leur temps et sortit discrètement.

- Je n'ai qu'à aller demander à Alain quand il compte procéder à la signature du brevet et je signerai l'entente pour Clara, c'est tout, simplifia Michaël.

- Et qui te dit que le docteur Mathieu va vouloir s'entendre avec toi ?

- Encore une de tes intuitions, Nina ? Dis donc, ça te vient comme des montées de lait !

Nina se sentit froissée tandis que Michaël trouvait qu'elle s'occupait des affaires de Clara avec trop de précipitation. Il se ravisa toutefois.

- Excuse-moi, Nina, c'est...

- Ce que j'essaie de te dire, c'est que le docteur Mathieu va sauter sur l'occasion pour prendre la matrice à son compte. Je l'ai entendu au téléphone. Même avant l'accident, il y pensait, déclama-t-elle. Il faut faire quelque chose !

Une gorgée passa de travers et Michaël s'étouffa ; Nina concluait trop rapidement à la fraude.

- D'abord qu'est-ce qui te fait croire qu'Alain est si malhonnête ?

- Mais je ne sais pas, moi ! Cet homme salivait à l'idée de faire une conférence, alors que Clara et Raphaëlle n'avaient aucun recul face au phénomène qu'elles venaient d'observer – et ne me regarde pas comme si j'étais une illuminée, j'étais là !

- Mais rien ne prouve encore qu'il a l'intention de s'approprier les droits de Clara, fit Michaël.

- Puisque je te dis que j'ai entendu le docteur ! insista-t-elle. Il a parlé du pourcentage sur la matrice avec, euh, je crois, avec un conseiller.

- Nina, tu sais ce que j'aime chez toi ?

- Vas-y mon chéri, épanche-toi.

- C'est que tu es romancière, lança Michaël encore secoué par les événements. Mais c'est aussi ce que je n'aime pas, particulièrement en ce moment.

- Quoi ? Tu m'insultes en plus ! J'essaie de protéger les arrières de ta femme et toi, tu t'assois sur tes lauriers ! Bravo ! Je suis peut-être imaginative, mais j'ai le sens de la justice, tout de même. Bon, allez, mangeons. On n'en parle plus. Que veux-tu, une salade, du poulet ? Ou bien as-tu apporté une de tes petites pilules-repas insipides et sans vie ?

Michaël prit la main de Nina. Il faisait une moue triste, celle qui attendrissait les femmes.

- Écoute, je m'excuse, Nina. Je crois simplement que tu vois le mal là où il n'est pas. Tu n'as pas beaucoup confiance dans les hommes, n'est-ce pas ?

- Ça y est ! Le psychiatre va s'occuper de mon cas, lança-t-elle exacerbée. Non, Michaël, ce ne sont pas les hommes que je crains, c'est leur état de conscience dont je me protège, fit-elle en lui plantant l'un de ses regards froids, droits dans les yeux. Les hommes aussi bien que les femmes. Tu comprends ?

Michaël affronta ce regard. Il admirait Nina. Elle, comme personne, savait redresser les choses, sans douter, sans émotions, simplement placidement. Elle finit par lui retourner un sourire mitigé. Nina et Michaël n'étaient pas des amis à proprement parler. Leur relation avait plutôt été provoquée par l'amitié entre Clara et Nina. Mais la romancière et le psychiatre pouvaient se reconnaître mutuellement de très grandes qualités.

*

Une dizaine de personnes se trouvait autour d'une table de confé-rence. Le sentiment d'urgence se lisait jusque sur les murs. Tandis que le docteur Mathieu débitait sans mesure les détails des opérations pour les semaines à venir, Raphaëlle se demandait intérieurement pourquoi il fallait tant précipiter les choses.

- Olivier, exposa Alain, vous remplacerez Clara pour ses classes, mais aussi dans la poursuite des travaux de la matrice.

Le jeune assistant avait été un élève surdoué. Diplômé en bio-physique, il avait fait à peu près les mêmes études que Clara. Son curriculum avait impressionné la chercheuse. De surcroît, il avait beaucoup de patience et pouvait s'acharner longtemps sur un problè-me. Et, pour son jeune âge, il avait tout de même quelques cordes de plus à son arc, dont la génétique et l'électronique moléculaire ; ces diplômes demeuraient toutefois nébuleux aux yeux du docteur.

Raphaëlle se souvint soudain d'un soir où Clara avait mis en doute certaines compétences d'Olivier. Assurément, il était un bon exé-cutant, méticuleux et responsable, mais souvent distrait. Clara s'était fâchée parce que, à plusieurs reprises, il avait dû refaire des tests coûteux. Dans l'émotion, elle avait lancé tout de go à Olivier, devant tout le monde, le genre d'insulte qu'il est difficile de pardonner.

- Être né riche, ça ne rachète pas la distraction !

À partir de ce jour, il avait pris ses distances. Clara avait beaucoup regretté cet esclandre. Elle était son professeur, son mentor, elle n'avait pas donné un bon exemple. Or cette phrase martelait la tête de Raphaëlle depuis le début de la réunion. Elle en prenait maintenant conscience et devint plus attentive au déroulement des événements. Olivier Vandam, pensa-t-elle, en profitera pour se faire une place sans égard pour les autres !

Très dévouée à Clara, Raphaëlle la considérait comme une complice qui l'aidait à ouvrir son esprit sur l'inexplicable. Aussi, allait-elle noter tout ce qu'elle entendrait en ces instants cruciaux et peut-être même entamer une liste noire.

Une légère tension s'accrocha à l'atmosphère. Olivier regarda Raphaëlle. Elle lui sourit hypocritement. Il lui retourna la réplique de cette fausse expression. Soudain se forma en elle la pensée désastreuse qu'elle pouvait perdre son poste. Elle se ravisa et revint rapidement à la conversation en se promettant de sauver tout ce qui pouvait l'être.

- Je ne… Que comptez-vous donc faire du développement de la matrice artificielle ? J'espère que nous allons poursuivre le plan de Clara, le temps qu'elle récupère.

- Raphaëlle, vous ne semblez pas saisir la gravité de la situation, répondit le docteur Mathieu. Clara est dans un coma profond. Le docteur a très peu d'espoir pour elle.

- Qui vous a dit ça ? demanda Raphaëlle effrayée.

- Son mari, répondit Alain.

Cette courte phrase fit bondir le cœur de la chimiste. C'était donc la vérité vraie ? Alain vit son air déconfit et tenta de la rassurer devant tout le monde.

- Nous devons étudier la nécessité de poursuivre. Je sais que Clara avait d'autres ambitions pour sa matrice. Mais, Raphaëlle, soyez assurée que nous tenterons de vous localiser ailleurs, si nous devions en arriver là.

- Mais vous n'allez pas tout laisser tomber !

Alain regarda ses papiers. Il se demandait s'il devait déjà divulguer cette information. Mais voyant l'état émotif dans lequel Raphaëlle se trouvait, il jugea plus sage de la rassurer que de l'avoir sur les bras avec des questions irrationnelles. En pesant bien le poids engageant de ses mots, il s'adressa à Raphaëlle, mais aussi aux autres membres occasionnels de l'équipe.

- Nous étudions la possibilité de donner le mandat à Olivier de poursuivre. Mais ce n'est vraiment pas certain.

Un soupir de soulagement se fit sentir dans la salle. La chimiste, apaisée, sentit qu'elle pouvait se décontracter, mais quelque chose se coinça dans ses épaules. Elle n'aimait pas l'esprit précipité de cette rencontre, et puis, Olivier à la place de Clara, elle n'osait même pas l'envisager.

- Vous êtes certain de ne pas aller trop vite ? Je veux dire, qui nous dit que Clara ne reviendra pas à elle bientôt ? osa Raphaëlle spontanément.

- Je vous l'ai déjà dit, rétorqua Alain impatient, le docteur a été formel sur son état. Il n'y a que peu d'espoir. Nous ne pouvons pas attendre.

Raphaëlle rentra dans sa bulle. Elle croisa le regard d'Olivier qui lui fit une moue d'impuissance. Que veux-tu qu'on fasse ? avait-il l'air de lui dire. Bien sûr, il avait si bien tiré son épingle du jeu, que lui restait-il à dire, lui ? Fils de riche, pensa Raphaëlle. Elle lui fit un sourire résigné.

*

Ian consultait les films qu'il avait pris la veille. Le cerveau de Clara avait montré, çà et là, les traces de faible hémorragie et d'œdème léger.

Initialement, le test de Glasgow présentait un résultat de onze sur quinze. Rien d'alarmant. Carole venait d'installer Clara sur la table de résonance magnétique. Elle fit entrer le corps de la patiente à l'intérieur du tunnel en prenant soin de ne pas déplacer les tubes. Elle lui passa un moule de plastique sur le crâne. Vingt-quatre heures plus tôt, ils avaient fait cet examen. Qu'allait-il en résulter aujourd'hui ?

La technicienne sortit de la chambre de résonance.

- On fait une injection, docteur ?

- Oui.

Carole retourna dans la pièce et y installa l'injecteur de gadolinéum, plaça une couverture de coton mince sur la patiente et jeta un coup d'œil vers le visage de Clara. Tout semblait en ordre. Enfin, elle ressortit de la chambre avec une petite boîte de métal, qui allait sans relâche mesurer le pouls et la tension de Clara. Elle la brancha au mur tandis qu'à l'ordinateur, Johanne commença la prise d'images. Les graisses ne présentaient rien d'anormal et les liquides affichaient à l'écran une lumière habituelle. On entendait un bruit plutôt sonore tout à fait usuel en provenance de la chambre magnétique. La technicienne fit plusieurs coupes que le docteur tirait du développeur de film à mesure que les négatifs en sortaient.

Au bout d'environ vingt minutes, Ian se trouva devant une série d'images dont l'une lui semblait plutôt insolite. Il demeura fixé devant ce film durant plusieurs minutes. Carole lui passa les autres films qui sortaient du développeur.

- Y a-t-il autre chose que je puisse faire ?

- Hm ? Euh, non, je vous remercie, Carole.

Elle lorgna du côté de Johanne en quête d'une explication partielle devant la réaction du docteur.

- Y a-t-il un problème, docteur ? demanda carrément Johanne.

- Non, pas techniquement, répondit-il. C'est plutôt une zone qui me pose problème. Regardez, là. Au niveau de la pinéale, voyez-vous cette lumière ? On dirait une chaleur soudaine, ou l'accroissement d'activité de la glande.

- J'appelle le docteur Lapointe ? dit Carole en composant le numéro.

Ian ne dit rien. La technicienne attendit et raccrocha.

- Il n'y a personne.

Le docteur prit les films et les rangea dans une enveloppe.

- Bon. Vous pouvez me ramener la patiente dans sa chambre, enjoignit Ian. Je vais réfléchir à tout ça.

Le docteur monta plusieurs étages. Il se retrouva dans son aile où il se rendit à son bureau. À peine installé devant les films, quelqu'un frappa à sa porte.

- Entrez, dit-il.

Richard, son neveu, entra dans la pièce avec enthousiasme.

- Écoute-moi ça, mon oncle ! Euh… tu as une minute ?

Ian lui sourit.

- Quelle invention as-tu dénichée, cette fois-ci ? lança-t-il.

- C'est tout simplement génial ! renchérit Richard. Écoute : des chercheurs sont parvenus à focaliser les aires cérébrales du mensonge à partir d'image par résonance magnétique. Qu'est-ce que tu en penses ?

- Amusant, en effet, fit Ian. Tiens, pendant que tu es là. Regarde.

Ian pointa les films de Clara qu'il avait déposés sur le tableau lumineux.

- Ça, c'était hier, et celui-ci aujourd'hui, indiqua Ian à son neveu.

- Mais … qu'est-ce que cette tache de lumière ? questionna immédiatement Richard.

- C'est à ça que je réfléchis. À part une légère hémorragie, la patiente ne présente aucune lésion. L'œdème s'est résorbé assez rapidement et les fonctions cérébrales sont plutôt en ordre. Reste le choc, le traumatisme psychologique. Et puis cette zone qui présente un soudain changement.

- Il y a des répercussions sur l'activité cérébrale ? s'intéressa Richard.

- Aucune pour l'instant. Nous ne savons pas depuis combien de temps cette zone s'est ravivée. Et si ça démontre que le taux d'oxygène se normalise ou bien…

- Serait-ce ton invention qui favorise, comme nous le souhaitons, la transmission synaptique ? s'enhardit Richard.

- Ça signifierait que les tonalités vibratoires de l'étoile compenseraient pour le manque de glutamate ? Mais alors pourquoi ne reprendrait-elle pas conscience ? Je vais la faire mettre sous observation, renchérit Ian.

*

Une femme se tenait dans un coin niché de l'immeuble. Raphaëlle sortit de l'édifice. Il faisait sombre. Les nuages couvraient le ciel de leur faux coton. La chimiste eut le réflexe de regarder si elle avait bien son parapluie sur elle. Elle ralentit le pas et s'immobilisa pour fouiller dans son sac. La dame qui la suivait silencieusement fut surprise par cet arrêt et la heurta violemment. Raphaëlle se retourna brusquement, échaudée par son après-midi ; elle crut qu'on l'attaquait. La femme portait un imperméable clair, un fichu sur la tête et des verres fumés épais. Pourtant il n'y avait pas l'ombre d'un rayon de soleil ! Raphaëlle étouffa soudain un cri.

- Oh ! Nina ! Je croyais que nous devions nous rencontrer à l'intérieur. Je ne vous attendais plus.

- Excusez-moi, lança vivement Nina. Je vous attendais ici… Avez-vous toujours du temps ?

- Bien, peut-être pourrions-nous nous rendre chez moi ? suggéra Raphaëlle.

Les deux femmes se dirigeaient vers la voiture de Raphaëlle.

- Je vous remercie d'avoir accepté de me rencontrer, Raphaëlle, s'inclina Nina élégamment.

Raphaëlle se tourna pour voir le visage de Nina. Elle lui fit signe de monter dans sa voiture et déverrouilla les portières d'un coup de pouce sur son démarreur à distance. Elle sentait bien que quelque chose se tramait. Avant d'entrer, Nina jeta un regard vers l'université. Elle aperçut un homme qui lançait une cigarette sur le trottoir en la fixant au loin. Elle monta dans la voiture en marche. Raphaëlle regarda Nina et lui sourit gentiment.

- J'ai eu une dure journée aujourd'hui.

- Je comprends, fit Nina en posant un regard vers la fenêtre arrière.

Raphaëlle roulait doucement. La pluie se mit à carillonner sur le toit de la voiture bleu ciel. Après un bon moment, elle s'arrêta à un feu rouge.

- Dites-moi, il faut absolument que je sache : comment va Clara ? Est-ce qu'elle va s'en sortir ? Le docteur Mathieu semblait désespérer pour elle.

- Clara est dans un coma profond. Mais personne ne nous a découragés sur ses chances de revenir parmi nous.

- Dieu soit loué ! lâcha Raphaëlle visiblement soulagée. J'étais si inquiète. Je me sens tellement seule pour défendre ce projet maintenant que…

Raphaëlle s'aperçut de ce qu'elle était en train de dire. Elle s'interrompit.

- Excusez-moi. L'émotion de savoir que Clara va revenir, dit-elle plus froidement.

La chimiste gara sa voiture et invita Nina à monter chez elle. Elles gravirent les escaliers jusqu'au deuxième étage d'un joli immeuble en copropriété. La végétation luxuriante contrastait, au plaisir de Raphaëlle, avec le béton de son édifice de travail.

Quelques minutes plus tard, Nina était confortablement assise devant une tasse de café. Raphaëlle lui racontait les derniers événements de la journée. Les deux femmes tentaient tant bien que mal d'évaluer la situation pour la sauvegarde de la matrice et des droits de Clara.

- Croyez-vous qu'Alain cherche à s'approprier l'invention ?

- Je ne sais plus... Parfois, il me semble que le docteur Mathieu conspire un plan contre les intérêts de Clara et de l'invention, tantôt je me dis que je suis trop sensible, que l'accident de Clara me fait perdre la tête et que je m'en fais pour rien.

- Mais il vous a bien dit qu'il pourrait vous changer d'équipe s'il en voyait la nécessité, non ?

- Oui, c'est vrai.

- Pourquoi se débarrasserait-il de vous ? Vous connaissez le dossier mieux que personne ! Ça ne ressemble-t-il pas, pour vous, à un aveu déguisé de s'emparer des recherches de Clara ?

- Je peux le supposer, mais je ne peux pas l'affirmer, alors, où ça nous mène-t-il ? fit Raphaëlle fatiguée.

- Est-ce que vous connaissez le pourcentage accordé à Clara par l'université ?

- Non, mais je suis certaine qu'elle avait une part sur la commercialisation dans la préentente, elle m'en avait glissé un mot.

- Avez-vous accès à cette entente ?

- Je ne sais pas, il faudrait voir.

Nina regarda au plafond. Elle avait l'impression de mener un interrogatoire en règle à la jeune femme. Raphaëlle sentait que le docteur Mathieu cherchait à se départir d'elle et doutait qu'il la relocaliserait, comme promis. Peut-être qu'elle pouvait sauver la matrice et, du coup, son emploi ?

- Comme Clara n'est plus là, avez-vous le sentiment qu'en vous mettant à l'écart, le docteur Mathieu pourra de fait s'assurer la propriété de l'invention sans témoin gênant ?

- Je ne sais pas pourquoi, mais oui.

- Raphaëlle, fit Nina en s'approchant d'elle, je crois que nous avons le devoir de contrarier cet acte ignoble.

- Mais comment ?

- J'ai besoin de tous les plans et devis de la matrice et du contrat que Clara aurait signé avec l'université.

La chimiste devint soudain plus rêveuse.

- J'ai travaillé beaucoup sur ce projet, raconta-t-elle, mais ce n'est rien à côté de la persévérance de Clara. Jamais je ne l'ai vue se décourager. Quelle force prodigieuse ! Chaque échec allait devenir un succès, chaque succès allait devenir une étape. Chère Clara.

Raphaëlle sentit des larmes monter et ses joues s'échauffèrent. Elle sortit de ses songes et sourit à Nina.

- Alors je peux compter sur vous ?

- Je crois pouvoir obtenir ces renseignements.

Nina termina sa tasse de café et regarda l'heure. Raphaëlle se gratta la tête. Elle brûlait de savoir ce qu'avait bien pu dire Nina à Clara, lors de « l'apparition ».

- Nina ? Je peux vous poser une question ? hésita-t-elle.

- Allez-y, très chère ! s'exclama Nina.

- Lorsque nous avons vu le voile ambré descendre vers l'embryon, qu'est-ce que vous pensiez ?

- Ah ! Mon point de vue n'est pas important, voyons !

- Il l'est pour moi ! fit Raphaëlle en souriant. Nous avons bel et bien vu une forme plus ou moins organisée, perçue par l'ordinateur comme un champ magnétique vital, non ?

- Je ne sais pas quoi penser de tout ça.

- Je ne vous crois pas, lança Raphaëlle, étonnée par sa propre audace. Je sais que vous avez dit quelque chose à Clara, que vous n'étiez pas d'accord avec nos conclusions. Ça m'intrigue beaucoup, fit-elle heureuse d'être allée au bout de sa pensée.

- Si nous reparlions de tout ça à un moment plus judicieux, vous ne m'en voudrez pas trop ? Concentrons plutôt nos efforts sur les droits de la matrice.

La rencontre s'acheva sur ces paroles de complicité naissante entre Raphaëlle et Nina. La romancière prit son sac à main et tira sa révérence. Elle descendit prudemment les escaliers en colimaçon. La pluie les rendait glissants. Arrivée sur le parvis, elle héla un taxi.

*

Alain conduisait sa Jaguar. Il faisait nuit. Il emprunta une allée jonchée d'une haie d'immenses cerisiers. Un immeuble blanc de trois étages, isolé par un terrain appréciable, se dressait sous les nuages bas. C'était son laboratoire privé, là il exécutait la majeure partie de ses affaires sérieuses, comme il les appelait. Il éteignit le doux moteur de sa voiture, pressa l'un des boutons de son porte-clés qui ouvrit le coffre arrière, en sortit une valise et gagna le laboratoire.

Le docteur Mathieu avait perdu sa femme six ans auparavant. Il n'avait pas d'enfants. Depuis lors, il s'était entièrement dévoué à la science et aux affaires attenantes. Pour l'heure, il n'y avait qu'une seule femme dans sa vie : sa domestique. Elle avait un certain âge, ne posait jamais de questions et ne faisait que son travail. Une perle pour le docteur. La seconde en importance, après son conseiller.

Après avoir désactivé les divers systèmes de sécurité, il entra dans son laboratoire, dévala les escaliers pour se rendre au sous-sol et gagna directement le coffre-fort pour y déposer certaines pièces et des papiers importants. Il garda l'essentiel dans sa valise pour une tâche de première heure. Alain referma le coffre-fort, satisfait. Il refit le trajet à l'envers et passa par le deuxième étage où se trouvait le laboratoire à proprement parler et poursuivit vers le troisième où plusieurs chambres offraient un gîte.

Le docteur pénétra dans son bureau privé, juste à côté de sa chambre. Il alluma la cafetière. La domestique lui préparait toujours une portion de café avant de quitter, au cas. Le docteur posa sa valise sur la table de travail et déballa le tout. Il inspira profondément en regardant droit devant lui. Son regard traversa la fenêtre ; dehors, un lac immense stagnait au clair de lune. Un décor enchanteur. Les cliquetis de la cafetière chantaient l'ardeur du travail. Alain se versait une tasse lorsque son conseiller sonna. Il interrompit son geste, descendit lui ouvrir et l'invita au troisième étage. Ils allaient procéder à l'annulation du pourcentage de la préentente avec Clara. L'occasion plus que parfaite s'était présentée : ils profitaient du coma de la chercheuse et des dernières mises à jour pour l'écarter définitivement de ce projet !

*

La tenture rouge flottait lourdement répandant au passage son parfum de poussière. La fenêtre entrouverte déversait quelques bouffées d'air. Les voitures maculaient la rue de leurs noires vapeurs. Dans ce vibrant ronflement, William demeurait concentré. Il dessinait un plan détaillé du laboratoire de l'université.

Stewart avait réussi à lui faire une présentation plutôt réaliste des lieux où il avait étudié pendant deux mois. William reprit l'enveloppe que l'étudiant lui avait fait parvenir, en ressortit les indications écrites à la main et se mit à réfléchir à la meilleure option possible. Il s'accouda sur la table et pressa ses doigts sur son front. De l'autre main, il balançait son crayon d'où sortait un rythme qu'il accompagna avec son pied. Enfin, il effectua un tracé sur le plan, en prenant soin de calculer chaque seconde que le temps lui arracherait pour parachever son circuit.

*

Nina se berçait au clair de lune. La brise s'insinuait sur sa peau. La romancière observait du haut de son balcon citadin les flots réfrénés de la nuit. Amante inconditionnelle de la paix, ces heures où la ville dormait la comblaient. Elle ne pensait à rien et laissait la brunante chaude et humide enrober sa chair comme une mélodie languissante. Une longue question vint pourtant se glisser dans cette sérénité sans nom. Quel était le but de la matrice artificielle, en vérité ?

L'ÂME SOEUR

À LA RECHERCHE D'UNE MYSTÉRIEUSE PUISSANCE

Celui qui m'aime est un faible.
Je me tourne vers un homme plus grand que nature qui ne m'aime pas.
La déception ne cesse de tromper mon cœur.

Saïda

Le croisement de Sothis, autrement appelée Sirius, avec le soleil, au bout de soixante-dix jours d'absence, correspondait à la crue du Nil. Peu avant le lever du soleil, Sothis émergea des ténèbres et n'en finissait plus de coquetterie pour attirer l'astre du jour. Un paysan ravi la regardait renaître. Où allait-elle pendant qu'elle disparaissait du ciel ? Pouvait-elle tout de même entendre nos prières ? L'étoile brillait de tout son éclat dans le ciel. Elle pénétra sans entrave dans la petite fenêtre du temple et illumina la statue de Néfertari tandis que celle de Ramsès II se laissait adorer par un rayon du soleil levant. Le pharaon aimait à se voir représenté dans ses temples avec sa suite.

Au dehors, la ville s'activait. Les gens se dirigeaient vers le Nil qui se gonflait pour marquer l'abondance. Le paysan jeta un dernier regard sur Sothis et accourut vers le fleuve.

- La crue est commencée ! s'écria-t-il.

Une foule nombreuse s'animait devant le fleuve épanoui. Des enfants y plongeaient plaisamment et une pluie de figurines féminines s'abattait dans les eaux qui engendraient le fertile limon de la nouvelle année. Les gens lançaient ces statuettes pour féconder le fleuve qu'ils croyaient en rut. Cette boue riche et grasse allait-elle produire la richesse des paysans en ces temps particuliers ? La question était dans tous les cœurs.

Depuis l'arrivée de la lignée ramsesside, une nouvelle époque sothiaque s'était implantée et faisait rêver d'abondance. La joie se traduisait partout dans le village. Partout ? Deux jeunes femmes marchaient ensemble en bavardant sur la place publique, portant une urne sur leur tête. Élizabeth regardait le corps menu de Saïda ; elle avait la mine basse.

Cette jeune fille qu'elle avait été dans un lointain passé avait déployé toutes ses énergies à s'imaginer qu'un homme d'une autre race pouvait l'aimer. Elle voulait tant y croire qu'elle était prête à mettre sa vie en danger pour s'assurer qu'elle ne survivrait pas, si son amoureux devait mourir.

Les deux cousines avaient été élevées ensemble depuis leur plus tendre enfance et se connaissaient jusque dans les moindres mauvais plis de leur tunique. Elles cherchaient à se sortir de leur condition en se trouvant un mari. Qui allait convoler la première ? Saïda avait toujours proclamé que sa cousine allait se marier avant elle. Mais elle venait de perdre son pari. Ainsi Élizabeth, sérieuse et rassurante, svelte, aux cheveux d'ébène, cherchait toujours l'amour, tandis que Saïda, déterminée et vive d'esprit, s'apprêtait à plonger dans ses affres. Toutefois un obstacle majeur menaçait son inclination nouvelle : son amoureux était non seulement Égyptien, mais aussi et surtout, le conducteur de Pharaon.

Malgré sa foi dans le pharaon, Saïda se sentait soudain trahie par le destin. Son bel amoureux, qui avait promis de l'épouser, allait partir dans quelques jours pour livrer bataille à Kadesh.

- Il va revenir, ton conducteur de char ! l'encouragea Éli.

- Est-ce qu'on ne revient jamais d'une guerre ? désespérait Saïda.

- Il t'a promis de t'épouser à son retour, alors, attends-le, c'est tout.

Élizabeth prit sa cousine par les épaules et lui sourit. Tout le monde se poussait pour aller vers les eaux. La joie résonnait dans les cœurs de la ville tandis que Saïda cherchait un espoir auquel se raccrocher.

*

Trois bâtiments distincts reposaient sur la terre de Siméon : sa maison, petite mais propre, sa grange et sa plus grande fierté : son écurie. Au dehors, des paysans travaillaient aux champs. Élizabeth les regardait œuvrer tout près de la maison pendant que, dans un panier d'osier large et plat, elle vannait sans relâche le grain d'épeautre. Siméon et deux autres hommes de la même tribu finissaient d'engranger les récoltes de l'année. Maigres. Ils entendirent le troupeau se lamenter. Siméon sortit de la grange et approcha de la maison, l'air renfrogné. Élizabeth se leva pour lui céder le passage vers la porte.

- Ne t'en fais pas, Siméon, l'encouragea-t-elle. Mon père a vécu ça plusieurs fois.

- Si ces sauterelles n'avaient pas gâté ma récolte, je ne m'en serais pas si mal sorti. Et alors…

- Alors quoi ? questionna Élizabeth en cessant son vannage.

- Rien.

- Tu crois, renchérit-elle devinant Siméon, que ça changera quelque chose au fait que Saïda n'entend pas l'amour que tu as pour elle ? Tu sais bien, elle n'en a que pour le conducteur de char de Sa Majesté.

- Et pourquoi ne souhaite-t-elle pas rester dans le clan, comme les autres ? pesta-t-il.

- Nombre d'entre nous recherchent une vie moins servile chez les Égyptiens. Pourquoi Saïda ne trouverait-elle pas la chance de se libérer ?

- On ne quitte pas son clan pour une question aussi irrationnelle. La vie est bien trop ardue. Toi, tu ne cherches pas à… Et puis, c'est une question de destinée. Je sais, moi, que Saïda est faite pour rester avec nous.

Siméon possédait sa terre depuis trois ans. Il avait fait le vœu intérieur de la partager avec Saïda. Élizabeth se remit à vanner en se demandant si elle devait dire tout haut le fond de sa pensée. Depuis des mois, Siméon courtisait Saïda sans même qu'elle ne s'aperçoive des efforts du pauvre homme.

- Tu dis ça parce que tu es jaloux, s'entendit dire Élizabeth en resserrant les mains sur son panier.

Un brouhaha venant de la porte de la maison demeurée ouverte interrompit leur conversation. Siméon lança un regard dur à Élizabeth, qui savait qu'elle venait de toucher un point sensible.

Le cousin de Siméon, Isaché, sortit de la maison avec les agents du temple qui venaient comptabiliser la récolte. Siméon prit un boisseau de blé tombé par terre pour le ranger.

- Il ne restera pas grand chose pour votre clan cette année, conclut un agent.

- Ce n'est pas la peine de nous le rappeler, se renfrogna Siméon.

Isaché et Élizabeth s'échangèrent des regards inquiets.

- Hé ! dit un autre agent. On lui prend le tout ?

- Siméon a voulu dire : on va s'arranger entre nous, comme on le fait toujours avec les faibles récoltes, intervint Élizabeth.

L'un des agents fit signe aux autres d'aller à la grange pour comptabiliser.

- Et puis, encouragea Isaché en tapant son cousin, il y a le poisson gratuit, les concombres et les pastèques. On va pouvoir tenir.

Siméon suivit les agents. Avant d'entrer dans la grange, il tourna la tête et vit au loin celle qu'il aimait depuis toujours. Saïda lui faisait toujours le même effet : son cœur se resserra. En revanche, elle se plaisait à détester Siméon. D'aussi loin qu'elle pouvait se souvenir, la jeune fille avait toujours éprouvé un certain contentement à ridiculiser le pauvre cousin d'Isaché. Si bien qu'un jour Éli lui demanda :

- Mais pourquoi t'acharnes-tu donc sur lui ?

- Je ne sais pas, avait avoué Saïda. C'est plus fort que moi.

Saïda entra sur les terres de Siméon qui la salua de la main. Elle lui répondit brièvement. Il retrouva les agents à l'intérieur qui, sans ménagement aucun, prélevaient déjà les parts revenant à l'État de Ramsès.

En voyant arriver sa cousine, Élizabeth se leva pour aller à sa rencontre. Saïda poursuivit son chemin jusqu'au troupeau de chevaux qui paissaient.

- J'ai besoin d'un cheval, fit Saïda, péremptoire.

- Pour quoi faire ? demanda Éli.

Elle amena Saïda vers la maison. Siméon n'aimait pas voir les gens approcher le troupeau royal.

- Siméon attend toujours que tu lui tresses des paniers. Tu devrais être plus raisonnable.

- Écoute, je dois partir et il me faut une bête. Est-ce que tu ne peux pas m'arranger quelque chose avec Siméon ? poursuivit audacieusement Saïda.

- Quoi ? Tu lèves à peine les yeux sur lui, il te paye pour un travail que tu ne fais qu'à moitié et tu voudrais en plus que je lui demande un cheval pour toi ?

Saïda sourcilla. Elle ne comprenait pas pourquoi sa cousine refusait de l'aider.

- J'espérais trouver en toi une complice, au lieu de ça, tu me fermes la porte ! Mon plus grand rêve est en train de s'effondrer. Menna part pour une guerre qui m'effraie déjà.

Élizabeth qui regrettait déjà ses reproches s'excusa auprès de sa cousine.

- Excuse-moi, Saïda. C'est vrai que je devrais t'aider. Pourquoi as-tu besoin d'un cheval ?

- Je veux partir avec Menna.

- Mais c'est de la folie !

- Je l'aime !

- Tu ne peux pas !

- Si. Et je le ferai. Je ne le laisserai pas partir sans moi.

- Mais qu'iras-tu faire au milieu d'un champ de bataille ? insista Éli.

- Je veillerai sur lui.

- Ce n'est pas raisonnable, Saïda. Et s'il mourait…

Saïda regarda le sol et dessina des arabesques dans la terre avec le bout du pied.

- Il ne mourra pas, je prierai pour lui! cria-t-elle subitement.

- Et si tu mourais ?

- Ce n'est pas important.

- Ce le serait pour moi, fit Éli tendrement.

Saïda tourna son visage vers celui de son amie. Elle fit une moue.

- Alors c'est dommage, annonça-t-elle froidement. Je dois partir et j'aurai besoin de ce cheval dans trois jours.

- Ai-je le choix ? demanda Éli affectée.

- Dis à Siméon que je reviendrai avec ses paniers demain, se contenta-t-elle de dire.

Saïda repartit vers la ville sous le regard éploré d'Élizabeth.

- Comment vais-je pouvoir convaincre Siméon de lui laisser emprunter un de ces précieux chevaux ?

*

Siméon travaillait dehors à exercer les chevaux qui recevaient un dressage de première classe. Il n'en était pas peu fier. Isaché revenait de l'écurie d'où sortaient les derniers étalons. Il s'avança vers Siméon les yeux baissés et le front plissé. Il semblait vivement préoccupé. En le voyant, son cousin l'interpella.

- Tu aurais les cornes du taureau que tu ne me semblerais pas plus dangereux ! cria Siméon en riant.

- Cousin, il y a dans le troupeau un cheval en moins et j'ai beau recompter, je ne le trouve pas.

- Il te faudrait la balance de vérité d'Anubis ! railla Siméon.

Les deux hommes immobilisèrent la trentaine de bêtes pour les recompter. Elles se plantaient là, fougueuses. Les cousins s'acquittèrent de leur tâche et les mêmes conclusions s'imposèrent. Siméon demeura grave. Ses chevaux d'élite étaient dressés pour l'armée de Pharaon, une seule bête valait son poids d'or.

- Avons-nous seulement le temps de le retrouver ? fit Isaché.

- Je sais que la défense du roi trouvera le support des dieux, d'où que viennent les dangers. Mais nous devons faire en sorte, dit Siméon, que les quatre points cardinaux soient célébrés.

- Nous avons jusqu'à ce soir, conclut Isaché.

*

Dans le noir du jour naissant, Menna écoutait Saïda pleurnicher alors qu'il se concentrait aux préparatifs minutieux de la guerre. Tandis qu'il attelait le char de Sa Majesté et vérifiait ses brides, Saïda l'étourdissait avec ses angoisses.

- Je mourrai si tu ne revenais pas, déplorait-elle.

L'aurige se déplaça pour éprouver chaque roue du Victoire-dans-Thèbes, le char de Pharaon, Ramsès roi d'Égypte. Il examina les sabots des chevaux.

- Bon, finit-il par dire.

Il s'approcha de Saïda et lui prit le bras.

- Quand je reviendrai, nous discuterons de tout ça, fit-il en l'embrassant.

Il lui sourit et voulut quitter promptement l'écurie.

- Je t'en supplie ! continuait Saïda. Ne pars pas !

Elle s'agrippa à la manche de Menna qui la dégagea avec force. Lorsqu'il vit Saïda vaciller, il se radoucit.

- Allons, Saïda, tu as très mal choisi ton moment. À mon retour, fit-il en tentant de contrôler son irritation, nous nous reverrons. Par Isis, je t'en conjure, relève-toi !

Il aida Saïda à se relever et rencontra son regard de dépit. Il la regarda tristement et l'embrassa.

- Rê veillera sur toi, fit-il plus affablement.

Et il détala aussi vite que le lièvre, laissant à peine le temps à Saïda de lui dire au revoir et de s'assurer de l'essentiel.

- Tu vas m'épouser, cria-t-elle, à ton retour ?

*

Menna entra dans le palais. Pharaon se dressait comme l'aigle sur sa proie. L'aurige s'arrêta net devant cette majesté et s'agenouilla face contre terre.

- Ces Hittites n'oseront plus jamais défier le fils de Rê ! fit Ramsès. Je le promets. Mon char est-il paré pour chasser les intrus, Menna ?

- Plus que prêt ! Ô grand roi ! Nous attendons le bon vouloir de Pharaon.

Un peu plus tard, les quatre troupes du roi passèrent devant le Temple et se dispersèrent selon les stratégies établies par le roi.

Enlacées dans l'aurore, les deux femmes se disaient adieu. Élizabeth fit ses recommandations à son amie et craignait le pire.

- S'il fallait qu'il t'arrive quelque chose de fatal, je ne me pardonnerais jamais de t'avoir aidée. Je pleurerais tout le reste de ma vie.

- Allons, Élizabeth. Prie pour moi !

- Tous les dieux, je te le jure ! lança Élizabeth.

Une foule de soldats armés, en char ou à pied, suivait le roi. Alertes, les hommes étaient prêts à affronter leurs ennemis hittites. Menna, au premier rang, dirigeait fièrement le char de Sa Majesté. Il éprouvait toujours un immense privilège doublé d'une sincère humilité à servir le plus grand pharaon d'Égypte. Un regard incisif, une dextérité implacable, un corps agile et une force nerveuse, telles étaient les qualités du conducteur. Le fils de Rê lui fit signe d'accélérer la cadence.

Menna fouetta légèrement les chevaux avec dignité. Ramsès rayonnait à ses côtés. Jeune et beau seigneur, le pharaon au cœur vaillant menait ses troupes vers un règne grandissant du Double-Pays. Le don de vie lui avait été octroyé pour des temps indéfinis. La puissance de ses bras s'offrait comme une muraille de soldats. Archer adroit, stratège surprenant, sa poitrine se gonflait de courage devant l'ennemi. Il était comme l'étoile qui guide ses hommes dans un souci de protection constant vis-à-vis de chacun, des légions et mercenaires jusqu'aux fantassins. Plus de vingt-mille hommes étaient en marche vers le nord.

Saïda les suivait à distance. Sur son étalon royal, elle aurait pu battre de vitesse les soldats de Ramsès. Sauf Pharaon lui-même, admit-elle avec une déférence craintive pour les forces de ce demi-dieu. Le vent souffla le voile bleu sur son visage. À la manière d'un targui, elle s'était revêtue d'un turban et d'un burnous pour éviter d'attirer les regards. Un sac de provisions reposait sur la monture. De temps en temps, Saïda piquait des morceaux de pain et des dattes. Elle avait pris l'habitude de s'abreuver d'eau après le passage de Ramsès et de ses hommes dans les oasis. Le jour criait son ardeur au fond de sa poitrine, pleine de ses désirs.

*

Le drapeau avec la tête de l'aigle bicéphale flottait dans l'air. L'armée des Hittites se tenait immobile, scrutant le danger. Ils étaient des milliers et des milliers prêts à combattre comme une invasion de sauterelles. Recouvrant collines et vallées au nord-ouest de Kadesh, cette formidable multitude était déterminée à assombrir et même éteindre la faste lumière dispensée pour Pharaon. Connaissant l'imprévisibilité de son adversaire, Mouwatalli ordonna une ruse.

- Les mages avaient raison, fit-il à son bras droit. La meilleure tactique est de duper Pharaon.

Il donna des instructions à deux soldats tandis qu'ils changeaient de vêtements pour se déguiser en bédouins shasou. Émissaires secrets de Mouwatalli, ils devaient faire croire à Pharaon que le roi hittite se trouvait très loin, près d'Alep.

- Toi, fit le chef hittite, tu dis à Ramsès que vous êtes poursuivis par nous, les Hittites, et que nous arriverons par la falaise, par le sud.

*

Les deux Hittites rencontrèrent l'armée de Ramsès. Mais leur subterfuge fut vite éventé. Les soldats du roi les firent prisonniers. Soumis à la torture, ils avouèrent tout et plus. Les Égyptiens installèrent le camp sur la rive Oronte et en moins de temps que le lion ne consomme sa proie, Ramsès fit tenir un pressant conseil sous sa tente. Il fut convenu d'alerter les troupes de Rê et d'Amon, à l'ouest et au nord, pour obtenir du renfort. Seulement, le messager fut capturé par les Hittites qui fonçaient déjà sur leur camp. Cette attaque surprise fit avorter les manœuvres de Ramsès.

- Trahison ! hurla Pharaon.

Le roi se leva d'un bond, se para pour le combat à la vitesse de la foudre et monta dans le Victoire-dans-Thèbes, seul, prêt à combattre devant l'éternel. Il ordonna à Menna de sauter dans le char avec lui. Le conducteur fit claquer le fouet et dirigea les chevaux vers l'armée ennemie.

Saïda se trouvait à l'extérieur du campement. Elle n'avait plus qu'un seul morceau de pain à se mettre sous la dent. Au creux de sa cachette, l'amoureuse continuait de veiller sur celui qu'elle allait épouser. Soudain, les échos du silence l'interpellèrent.

- Quelle étrange quiétude, se dit-elle.

Elle regarda les alentours. Un va-et-vient suspect la fit sortir de sa tanière. Elle attendit quelques minutes pour cerner la nature de l'action et vit le char doré du roi s'avancer à vive allure.

- Où vont-ils ? fit-elle en bondissant hors des rochers.

Elle se précipita vers son cheval, sauta d'un bond sur son dos et, intriguée, les suivit de loin. La bonne fortune lui avait prêté un cheval infatigable ! pensa-t-elle. Ils parvinrent finalement à l'orée des lignes ennemies qu'un épais nuage de poussière dissimulait.

Le plus courageux des hommes de la Haute-Égypte se trouvait là devant les troupes hittites, seul, avec son aurige prêt au combat. À la vue de cette infinie masse humaine, Ramsès douta un instant. Tandis qu'il entrevoyait la perte de l'Égypte avec horreur, il fonça sur la meute de soldats. Enfin, mesurant le défi, il conclut que seul un dieu pourrait l'aider. Il invoqua Amon tout en gardant son attention rivée au combat. Il put se recueillir quelques secondes, pendant que Menna se démenait habilement entre les rangs ennemis. Le char que maniait adroitement son aurige, appartenait à la grande écurie de Ousermaâtrê-Setepenrê, aimé d'Amon. Cette catégorie d'élite avait complètement bouleversé la tactique militaire en campagne. C'était pour Ramsès la nouvelle arme de choc.

À la vue de l'innombrable quantité d'assaillants qui les encerclaient, Menna se sentit blêmir. Pris d'une très grande frayeur, sa poitrine se dégonfla et son cœur faiblit. Ramsès se retourna vers Menna et vit qu'il défaillait.

- Affermis ton cœur, aurige ! lui cria Ramsès.

Il se retourna vers l'ennemi.

- Vous croyez pouvoir quelque chose contre moi ? C'est de la folie ! Vous ne connaissez pas les secrets de ma toute-puissance ! Même devant des millions d'entre vous, je ne connais pas la peur et je fonce tel le faucon sur sa proie !

Les parois juchées du char stoppaient les coups de lances et de flèches provenant de l'opposant. Les roues avaient craqué sous la frénésie de la vitesse. Le cuir échauffé était en lambeaux. Et tandis que Menna exultait, grisé par l'euphorie du combat, il fut sournoisement frappé d'un coup d'épée qui s'enfonça dans son flanc. Le roi, occupé au combat, remarqua soudain que son homme de confiance était en train de passer par-dessus bord. Il tenta de l'attraper, mais on l'attaqua de tout côté et son aurige tomba sur le sol tandis que le char continuait d'avancer péniblement dans la meute de plus en plus dense des Hittites.

Un cri déchira l'atmosphère. C'était Saïda. La jeune fille s'était réfugiée derrière les rochers de la falaise qui longeait le champ de bataille. Elle observait les silhouettes agitées qui essayaient de sauver leur vie. Elle surveillait avec un intérêt soutenu le char de Pharaon, en si mauvaise posture. Son cri se perdit dans le paysage alors qu'impuissante, elle apprenait à vivre avec la fatalité. Menna chutait hors du char de Sa Majesté. Le cœur de Saïda ne fit qu'un tour. Son destin prometteur se terminait là, tragiquement, comme elle l'avait pressenti. Vibrante de douleur, elle leva les yeux sur le champ de bataille et regarda Pharaon, seul, dressé devant la multitude hittite. Comme les ennemis doivent se réjouir, pensa-t-elle. Au moment où la traversait cette pensée, Saïda vit Pharaon lever la tête vers le ciel et crier. Elle l'aperçut invoquer les dieux et su dès lors qu'ils allaient exaucer ce puissant.

Les nuages sombres et rapides enveloppaient le timide soleil de l'aube. La noirceur baigna le champ de bataille. Un vent se leva. Un étrange bourdonnement retentit dans l'atmosphère. Attentif au moindre signe de renfort divin, Ramsès sonda le ciel alors que son cœur à nouveau se chargeait de puissance, de lumière et de forces cosmiques. Cette fois, il baissa la tête et son regard porta sur la foule innombrable qu'il allait devoir affronter.

Menna, laissé pour mort, rouvrit les yeux, et, quoique très affaibli pour avoir perdu bonne quantité de sang, il put être témoin de la scène qui transporta le plus son âme depuis toutes ces années au service du roi.

Dans le ciel, au milieu des nuages, des barques divines volaient. De ces vaisseaux étranges émanait une lumière aveuglante. Seul Pharaon réussissait à la regarder sans fermer les yeux. Menna admirait son roi. Celui-ci inclina la tête et ouvrit les bras pour remercier son père.

La lumière entoura le Victoire-dans-Thèbes. Terrifiés, les chevaux dressèrent leurs pattes de devant vers le ciel et hennirent, mais Pharaon, retenu par une ceinture, maintint fermement son attelage. L'éclat rejaillit autour de Ramsès, qui remit sa coiffe en place; le cobra qui l'ornait rampa jusqu'à son front. Ce reptile doré aux écailles hostiles semblait gonflé d'un venin menaçant l'ennemi. Avec ardeur, le roi fit claquer le fouet sur ses chevaux. Le char fit un tour sur lui-même, tandis que Ramsès lançait des flèches à la vitesse de l'éclair. Rien ni personne ne put résister à cette force venue du ciel. Pharaon s'élança droit sur l'armée hittite bandant ses muscles, aiguisant son regard, tandis qu'un halo de lumière divine lui servait de bouclier. Ceux qui étaient au front s'enfuirent sans demander leur reste. Ramsès combattit tel un demi-dieu. Sa gestuelle gracieuse éblouit ses ennemis au point qu'ils en perdirent l'élan du combat. Ils restaient là, immobiles, envoûtés par les danses conjuguées de la lumière et de Pharaon, attendant presque le coup fatal que le grand roi d'Égypte assénait à ses opposants, sans exception.

- Voyez, fit un soldat hittite, dès que l'on s'approche pour l'abattre, notre corps se fige, notre main faiblit, incapable de répliquer, ni même de saisir une flèche. Dès qu'il s'avance vers nous, une force mystérieuse nous paralyse !

Et on vit la terre se soulever en un immense nuage de terreur. Les armes de l'ennemi dansaient au rythme effréné de la peur et les boucliers scandaient le désespoir de vaincre. Cette bataille irréelle se conclut rapidement et la particularité du combat laissait un goût de torpeur dans le palais. Les Hittites tentaient de frapper, mais demeuraient presque statufiés. Étaient-il simplement paralysés de surprise ? Certains murmuraient que le pharaon n'était pas un homme, mais Soutekh à la grande vaillance, Baal lui-même. Pharaon fonçait sans relâche sur les soldats interdits par la peur, hypnotisés par les puissants rayons de lumière émis par la barque. Ramsès sentait le serpent de sa coiffe jusque sur son front, bien vivant, qui terrassait l'ennemi avec lui. Le massacre fut grandiose. Et comme s'il eut reçu le signal de la victoire, il arrêta son bras vengeur et scruta la silhouette ennemie qui se tenait devant l'aube. Jaugeant de sa part de triomphe, il fut étonné d'apercevoir cette marée d'hommes étendus à ses pieds. Le roi hittite s'était depuis un bon moment retranché avec une partie de son armée sur la ligne d'horizon, dans laquelle il se fondit. Bientôt, Pharaon n'aperçut plus qu'elle.

Le roi, fils de Rê, aimé d'Amon, remercia son père infiniment et descendit de son char. Au milieu des corps ennemis, il chercha son aurige et aperçut un frêle personnage voilé, terrassé par la peur ; Saïda, les yeux hagards, tenait dans ses bras celui qui aurait été son mari. Pharaon inclina la tête et eut une pensée pour son valeureux conducteur de char. Il s'approcha pour parler à Menna, qui respirait avec peine et mit sa main sur sa tête.

- Menna ! Grand protecteur du Double-Pays ! Nous n'avons jamais glorifié que des rois, mais pour toi, mon lion courageux, je n'hésiterai pas à rendre éternel ce triomphe digne d'un seigneur.

Menna cligna des yeux et fixa son roi du regard. Il cherchait à exprimer sa joie. Ramsès mit sa main sur le cœur de son brave conducteur et soutenait son regard. Le roi éprouvait une immense reconnaissance envers ses sujets courageux. Ce fut la plus belle récompense de toute la vie du conducteur de char de Sa Majesté. Alors, il put fermer les yeux et partir en paix.

Saïda, qui sanglotait en silence, enveloppa l'homme qui avait combattu pour le plus puissant des rois. Devenue totalement sourde aux complaintes des hommes, elle n'entendit pas Pharaon lui demander son nom ; il avait été surpris par cette voix douce et n'en avait rien dit. Elle ne put retenir le souvenir de lui avoir parlé.

Malgré sa léthargie, Saïda fut envahie par la quiétude mortelle de l'atmosphère. Elle détacha les yeux de cet amour qui n'était plus et contempla la triste scène. Les ténèbres s'emparèrent alors de son entendement ; Saïda se leva avec peine et dévala des oasis de chair morte.

*

Élizabeth était assise à table avec Siméon et d'autres paysans. Ils terminaient de manger leur pain et de boire leur bière. Les moutons paissaient dans l'enclos, les enfants dormaient à poings fermés, la noirceur enrobait de son voile le labeur d'une autre journée.

Le cousin de Siméon fut le premier à partir. Les autres le suivirent. Un jour nouveau exigerait encore toute la fougue de leurs membres pour que la vie continue de s'épanouir tel que la Loi le voulait. Siméon sirotait sa bière, le regard aussi vide que le cœur. Élizabeth s'inquiétait de lui. Depuis que Saïda était partie, il n'était guère le même.

- Tiens, fit-elle, en lui passant du pain.

Siméon repoussa de sa main le panier qu'elle lui offrait.

- Siméon, il y a des jours que tu ne manges plus.

- Sers-moi plutôt à boire, railla-t-il sarcastique.

Il n'y avait plus de bière. Élizabeth lui servit alors du vin et s'en versa aussi un verre. Siméon pensa à sa mauvaise récolte, au départ précipité et insensé de Saïda. Il lui semblait que les dieux ne s'acharnaient que sur lui cette année. Sa misère était-elle le signe qu'il devait renoncer à cette vie familiale dont Saïda aurait été la digne épouse ? Élizabeth remplit à nouveau le verre de Siméon. Le temps filait, le vin s'épuisait et la lune balayait la lucidité du jour. Si bien que sous l'effet des vapeurs du vin, le paysan éclata d'exaspération.

- Toutes ces belles paroles des Anciens : rester dans le clan. Que de rêves ! Saïda ne veut pas de moi ? Soit ! Eh bien, j'épouserai une femme hittite !

- Siméon, tu ne penses pas ce que tu dis ! répliqua Élizabeth.

- Abraham a dit : la bénédiction divine s'attachera à Isaac et non à Ismaël. Où est ma bénédiction ? Mes terres m'ont trahi et je n'ai pas de femme qui enfanterait de fils pour continuer de garder le chemin du Seigneur. Et puis, fit-il après un bref raisonnement, Abraham n'a-t-il pas choisi une épouse hors du clan pour…

- C'est assez ! Siméon, tout ça va s'arranger. Ce ne sont pas quelques concubines qui… Je suis désolée.

Siméon se calma. Éli gorgea leur coupe une nouvelle fois. Grisés par l'alcool, ils changeaient rapidement d'humeur.

- Moi, je suis du clan pour rester, formula Élizabeth sous les ardeurs du vin, jusqu'à ce que nos treize tribus retrouvent, ensemble, la liberté.

Élizabeth se leva pour trinquer à cette cause poignante mais ses jambes, affaiblies par un cépage bien mûri, la contraignirent à s'enfoncer à nouveau sur sa chaise. Siméon sourit. Il leva son verre à Élizabeth.

- Douze, lâcha-t-il enfin.

Élizabeth fronça les sourcils.

- Douze quoi ?

- Tribus. Tu as dit treize.

- J'ai dit treize, moi ?

Elle rit à gorge déployée en renversant la tête. Siméon lui passa son verre dans le cou en riant à son tour. Elle frissonna et perçut dans ce geste un désir naissant. Ses yeux pétillaient d'amour.

- Tu as bien réussi à me faire rire, Éli. À notre liberté, largua-t-il.

L'atmosphère se fit plus feutrée. Siméon se détendait et enfin, daignait se laisser charmer. Élizabeth le regarda dans les yeux, satisfaite.

La porte s'ouvrit. Dans l'embrasure apparut à Éli le fantôme d'une mauvaise nouvelle : Saïda. Sa cousine, qu'elle n'avait pas entendue, regardait la scène. Elle avait l'air défait. Le visage d'Élizabeth devint vert écailleux. Un venin parcourut son corps entier avant qu'elle ne se compose un sourire surfait. Insensible à l'expression composite d'Éli, Siméon fut plutôt intrigué par son regard fixe. Il finit par se retourner et vit à son tour, tel un ange dans l'ombre des cieux, sa bien-aimée. Il se leva rudement.

- Où est mon cheval ? l'apostropha-t-il sans même prendre le temps de réfléchir.

Saïda eut tout juste la force de répondre à cet assaut surprenant.

- Quoi ? J'ai vu l'horreur sous mes yeux, des têtes arrachées, des membres détachés des corps, des hommes à l'agonie, du sang presque houleux comme la mer et voilà l'accueil ?

- Où étais-tu ? continua Siméon sur un ton de reproche. Avec ce Menna, hein ? Pourquoi m'as-tu volé mon cheval ?

- Je ne t'ai rien volé, défendit Saïda.

- Siméon, intervint Éli, je…

- Tais-toi. Tu es sa complice !

- Éli, je croyais que tu lui avais demandé, fit Saïda légèrement confuse.

Élizabeth baissa la tête.

- C'est ma faute, fit-elle. Siméon, il est vrai que Saïda voulait que je te demande un cheval. Mais j'étais certaine que tu lui refuserais.

- Mais bien sûr que j'aurais refusé ! Il nous faut des années pour préparer un seul de ces chevaux pour qu'il soit à la hauteur des exigences du roi. Et toi, lança-t-il à Saïda, tu m'en as pris un comme s'il s'agissait d'un vulgaire mulet ?

- Je suis désolée, balbutia-t-elle. Je ne savais pas que…

- Je sais que tu t'en moques ! Comme tu te fiches bien de ma personne ! Et de tout ce que je fais pour toi. Et moi, je n'en peux plus d'essayer de te faire comprendre !

Il frappa sur la table. Les verres de vin s'entrechoquèrent, roulèrent sur le sol et éclatèrent.

- Quoi, Siméon, qu'essaies-tu de me faire comprendre ? interrogea candidement Saïda.

Élizabeth devait intervenir dans son propre intérêt. Elle venait à peine de soutirer un soupçon d'attention à Siméon et n'allait pas le perdre à nouveau ! Elle se leva pour ramasser les verres cassés et demanda à sa cousine de l'aider.

- Allons, oublions cet incident, fit Éli. Il est tard et vous êtes tous les deux très fatigués. Saïda, tu devrais aller te reposer. Tu dois être très éprouvée.

À sa surprise, Saïda ne broncha pas. Elle plongea plutôt dans une torpeur qui l'attirait vers le passé. Les yeux de sa cousine qui fixaient le vide inquiétèrent Éli.

- Saïda ? Qu'y a-t-il ?

Elle sondait un étrange sentiment à l'intérieur d'elle-même. Elle ne pouvait s'empêcher de penser à un épisode anodin de son enfance.

Siméon et elle parcouraient les champs de blé et jouaient aux amoureux. Ils devaient avoir huit ans. Sans s'en apercevoir, ils avaient longé le Nil, loin des terres de leur clan. Saïda avait alors rêvé d'un baiser, comme ses parents pouvaient le faire. Elle avait fait part de ce vœu à Siméon, intimidé par cette demande. Un serpent s'était faufilé entre leurs jambes. Saïda avait crié et espéré que Siméon le chasse.

Elle fut si déçue de le voir fuir vers leurs terres ! Le serpent s'était enroulé autour de ses jambes. Après s'être débattue pendant des secondes qui lui parurent éternelles contre cet ennemi tenace, elle avait trouvé un bâton avec lequel elle put l'assommer. Saïda en fut quitte pour quelques écorchures, mais celle qui demeura à l'intérieur s'approfondit au fil des ans.

Saïda considéra Siméon avec mépris. Il n'était guère plus fort aujourd'hui qu'autrefois. Elle pensa à son Menna, solide comme le roc, vif comme le faucon. La jeune femme ne put s'empêcher de verser quelques larmes de rage et se jura que personne n'allait combler l'absence de cet homme courageux.

Siméon se rassit, par désespoir, ne sachant plus comment récupérer la situation. Il venait de déverser toute sa haine sur la personne de qui il désirait le plus se faire aimer. Élizabeth à ses pieds terminait de balayer le reste d'éclats.

*

Quelques mois passèrent. Saïda entretenait sa blessure au cœur tandis qu'Éli s'inquiétait du sort de sa tribu, et plus particulièrement de celui de Siméon. Les deux jeunes femmes marchaient dans les rues et passèrent en face du Temple des millions d'années dont la beauté éclatait chaque jour davantage. Quelle splendeur ! L'orgueil de l'Égypte, avec tous ses temples, ses monolithes et ses statues, était à son comble.

- Je me demande qui peut être ce roi pour les Juifs ? jeta Élizabeth.

Un seul homme avait fini par devenir un obstacle obscurcissant la gloire de Pharaon : Moïse. Comment un autre peuple pouvait-il prétendre parler à ses dieux ? Pourquoi Moïse aurait-il reçu les honneurs d'un dieu ? Pourquoi avait-il acquis ce privilège d'une connaissance défiant l'imagination du commun des mortels ?

- Quelle drôle d'idée, répondit simplement Saïda.

Le Nil était gorgé d'une foule bigarrée qui se lavait, jouait, faisait des corvées. Des paysans plantaient des semences pour la nouvelle année. Les champs fourmillaient de cultivateurs réjouis et la ville débordait de joie.

- Il paraît que c'est un nouveau dieu.

- Nous en avons déjà des tonnes. N'est-ce pas assez ? rétorqua Saïda, encore désabusée par le torrent de sa peine.

- Je te dis simplement ce que j'ai entendu.

Elles continuèrent de marcher en silence. De la rue où elles se trouvaient, sur une haute colline, on pouvait apercevoir le Nil dans toute sa splendeur. Ces eaux représentaient le jeu gagnant d'une loterie naturelle qui permettait au Double-Pays de vibrer de toute sa puissance. Le Nil et Ramsès ensemble menaient à son zénith le plein rayonnement de cette civilisation. Les deux jeunes femmes apercevaient, du haut de la colline, les Égyptiens s'activer fièrement dans les eaux miraculeuses de ce fleuve-dieu.

- Tu crois que Moïse a vraiment parlé à ce dieu ? demanda Saïda à Élizabeth.

- Pourquoi en douterais-je ? se ranima Élizabeth, heureuse que Saïda s'intéresse enfin à quelque chose. Notre pharaon parle aussi à ses dieux.

- Et ce dieu, il peut ramener mon prince à la vie ?

Élizabeth ne répondit pas. Elle se tourna vers Saïda, la prit par les épaules et la regarda sans rien dire. Saïda comprit qu'il était temps pour elle de passer à autre chose. Elle fit un signe de la tête à Élizabeth, qui répondit par un sourire.

- Ne restons pas là, se contenta simplement d'ajouter Élizabeth. Je dois aller porter des paniers à Siméon.

- Alors, il va t'épouser ou non ? lança Saïda.

Élizabeth rougit et feignit de ne pas avoir entendu la question. Elle marchait d'un pas rapide devant son amie et la quitta sur le chemin en la saluant.

*

Siméon finit par comprendre que Saïda ne tarirait jamais d'amour pour la mémoire du conducteur de char. Saïda, lasse des querelles incessantes entre eux, s'était décidée à travailler sur les nouvelles terres d'Isaché. Elle venait porter une commande de paniers. Ils étaient seuls dans la cuisine.

- Je crois que je n'étais pas à la hauteur de tes espérances, lança Siméon à Saïda.

Leur cœur aujourd'hui plus vrai leur permettait de se parler plus franchement.

- C'est exact, lui répondit-elle. Je suis contente que tu l'aies remarqué.

- Est-ce que Menna était vraiment à la hauteur, lui ?

- Encore plus ! s'enflamma-t-elle.

Siméon pinça les lèvres, désappointé.

- Jamais je ne pourrai me mesurer à tous les Menna du monde, admit-il. Mais ne peux-tu pas me reconnaître des qualités ? osa-t-il timidement. Tu aurais voulu me voir monter sur des bêtes et galoper contre le vent, armé jusqu'aux dents pour établir ma vaillance ?

Saïda approuva l'image d'un sourire.

- Mais je ne suis pas ça. Moi, fit Siméon en se redressant, je suis l'éleveur des étalons de Sa Majesté. Sans nos bêtes, le roi n'est rien ! osa-t-il.

La jeune fille sourcilla devant cette réalité qu'elle n'avait jamais entrevue, mais aussi devant la fraîche audace de celui qui l'avait si souvent déçue. Elle exprima un élan d'admiration. Siméon scintilla de bonheur. Il put enfin la regarder dans les yeux sans honte et sut dès lors qu'il venait de reconquérir une partie de son cœur.

Lorsqu'Éli arriva avec une corbeille de grains, Siméon lui ouvrit les bras. Elle se débarrassa de son panier et se laissa enrober par son nouvel époux. Saïda éprouva une peine soudaine pour être passée à côté de celui qui l'avait le plus aimée sur cette terre. Mais elle ne parvenait toujours pas à fermer cette plaie encore vive en son cœur, car il y avait pire que d'être aimée par un homme qu'elle ne pouvait plus marier : avoir vu celui qu'elle admirait le plus périr sous ses yeux. Menna ! songea-t-elle envahie de douleur. Rien que le souvenir de sa puissance se plaquait dans sa poitrine comme un mur qui l'isolait de son clan.

*

Moïse marchait dans le désert à la tête d'une foule immense d'esclaves juifs qui fuyaient l'Égypte pour aller vers la Terre Promise. Saïda, aux côtés d'Élizabeth, regardait la marmaille de son amie, qui s'agitait.

Elle entreprit de calmer les plus turbulents parmi les arrière-petits-enfants. Saïda avait fini par gagner son pari : Éli s'était mariée avant elle et ses huit enfants lui avaient donné une vingtaine de petits-enfants. Siméon prit sa femme par les épaules ; elle était fatiguée de marcher, entassée dans la masse humaine qui se déplaçait lentement vers un idéal auquel elle croyait ardemment. Lorsque ses jambes faiblissaient, elle repensait au but.

- La Terre Promise nous attend, dit Saïda doucement à l'un des enfants d'Élizabeth.

- C'est quoi la Terre Promise ? interrogea-t-il.

- C'est un refuge, un paradis où toutes nos tribus seront enfin assises ensemble. C'est là où toutes les blessures pourront être guéries, fit Saïda.

- C'est quoi une blessure ?

- Un but qui ne se réalise pas, interrompit Élizabeth en prenant Saïda par l'épaule.

Élizabeth revit le souvenir de leur jeunesse. Elle repensa à son amie dont le cœur avait été capturé par le conducteur de char de Sa Majesté.

- C'était une fabulation, ton conducteur de char, non ? se hasarda Élizabeth.

- Que veux-tu dire ?

- Il ne t'a jamais demandée en mariage, n'est-ce pas ?

Saïda réfléchit et replongea dans sa blessure. Elle-même ne pouvait plus affirmer sans l'ombre d'un doute la promesse à laquelle elle avait pourtant cru.

- Et alors, pourquoi m'as-tu laissée risquer ma vie pour une fabulation ? fit Saïda avec une cruelle logique.

Élizabeth ne put que baisser les yeux. Elle savait qu'elle aimait Siméon et que Saïda ne voulait pas de lui. Alors…

- J'ai poussé le destin pour savoir, laissa-t-elle tomber.

- Pour savoir quoi ? fit Saïda intriguée.

- Si Siméon pouvait t'oublier et daigner enfin me considérer.

Surprise par cette confidence, Saïda se mit à rire aux éclats. Élizabeth se sentit soulagée par cette franche conversation. Depuis si longtemps, elle l'avait en travers de la gorge.

- Écoutez, fit le vieux Siméon, on entend la mer.

Moïse songeait aux milliers d'esclaves qui le suivaient dans cette libération folle. Il doutait, comme il avait douté du dieu qui lui avait dicté les tables. Comment allait-il parvenir à exécuter les commandements de cette voix ? Aujourd'hui, il n'entendait que l'écho de la sienne qui criait et suppliait Yahvé de revenir pour offrir à ses frères une preuve tangible de Sa présence.

- Dieu ! cria-t-il. Ne me laisse pas seul dans cette aventure. Nous formerons une nation, celle dont tu as besoin pour guider l'humanité entière.

Le temps devint orageux. La foudre parcourut les cieux et Moïse sonda les nuages en quête d'une présence divine. Comment allait-il mener ces pauvres gens vers la Terre Promise alors que les eaux de la mer, désignées comme le mur d'une prison exceptionnelle, s'agitaient devant eux ?

Le berger contempla le ciel. Il ne voyait aucune issue possible pour son peuple. Le désespoir et l'impuissance narguaient son esprit comme un envahisseur. Ensuite lui vint une colère qui lui donna l'élan d'une parole. Sa voix se perdit dans le vent et le tonnerre l'avalait. Saïda essayait de deviner avec qui il parlait. Seul devant la mer, il brandit son bâton en rugissant jusqu'à ce qu'enfin le ciel se mit à craquer. C'est alors qu'une barque divine apparut. Saïda leva les yeux au ciel et vit cette manifestation, celle-là même qui avait multiplié les forces de Ramsès à Kadesh. À la vue de ce miracle, elle donna un coup de coude à Élizabeth.

- Regarde, Éli, regarde ! Cette barque ! C'est exactement ce vaisseau que Pharaon a appelé et qui est venu ! lança Saïda stupéfiée.

- Mais ! Tu avais réellement vu cette barque ?

- Ce n'était pas une fabulation, lança-t-elle complice.

Un éclair plongea dans les eaux profondes et ouvrit un étroit sentier au milieu d'elles. Saïda sentit un vent sur sa tête et une lumière transperça son regard. Transportée par les rayons de la barque, il lui semblait entrer en contact avec une force surhumaine. Elle pensa à Ramsès, puis à Menna.

Moïse ordonna à la foule de courir dans la mer et de suivre le chemin tracé pour son peuple, enfin promu à la liberté. Éli essayait de protéger son clan et resserra tous et chacun dans la masse. Au passage Moïse lança un regard vers les Égyptiens, à l'horizon.

Ramsès regardait les Juifs fuir au loin. Il aperçut aussi, dans le ciel, la barque divine qui vomissait ses flammes.

- Il nous a volé le secret de la Fraternité des Serpents, fit-il avec rage. Jamais je ne pourrai lui pardonner !

Saïda se retrouva aux côtés de Siméon dont les yeux ne pouvaient plus se détacher de la barque. Il exultait.

- Regardez, s'écria-t-il, on dirait la colère de Rê !

Saïda reçut cette phrase comme un orage électrique dans son cœur. Saisie, elle pâlit et s'affaissa sur le sol ; les gens devaient la contourner pour poursuivre leur marche. Sourde au présent, elle fut expédiée dans une zone étrange ; il lui semblait traverser une brume grouillante comme l'eau d'un marécage. Elle se confondit et comprit que son âme portait un autre nom : Nadartari.

Elle embrassait un jeune homme pendant de longues secondes tandis que la statue de Rê les regardait sans pitié. Un bruit de tonnerre très puissant déchira l'atmosphère. Athon, littéralement secoué, se sépara violemment de Nadartari et roula sur le plancher. Il regarda la jeune fille avec révulsion. Combien Saïda avait été déçue par ce jeune homme qu'elle aimait !

- C'est la colère de Rê ! cria encore Siméon qui se retourna vers Saïda.

Il s'approcha de la cousine de sa femme qui entrouvrit les yeux. Dès qu'elle le vit se pencher sur son corps, Saïda comprit que, toute sa vie, elle avait délibérément refusé de l'aimer. Son cœur se mit à palpiter. Mais cette chaleur au fond de sa poitrine, jamais Menna n'avait pu la lui apporter !

Tandis que le vieux Siméon l'aidait à se relever en lui donnant la main, leurs yeux se rencontrèrent comme dans un temps ancien où l'écho de leur âme s'était déjà confondu. Ainsi ils surent que, depuis toujours, ils étaient faits l'un pour l'autre. La haine causée par la déception expira dans le cœur de Saïda tandis que Siméon sentit les vagues de l'esprit parcourir ses veines. À l'aube de leur vieillesse, ils purent enfin sourire aux revers du destin.

La mer intercéda auprès de ces Juifs qui purent enfin s'abandonner à leur liberté. Seulement un nombre très restreint put gagner la terre ferme, car les eaux s'étaient refermées trop rapidement sur leur corps. À l'exception de Saïda, son clan n'atteignit jamais la Terre Promise.

LA FACE DU MENSONGE

Les oiseaux chantaient au dehors. L'aurore pavoisait chez Clara. Mais Clara n'était pas de ce matin. Les petits animaux du quartier profitaient de son domaine. Le jardin, resplendissant le bonheur, avait comme arrière-plan l'odeur du fleuve. Le soleil illuminait la pointe du toit. Des hirondelles vinrent s'abreuver à la fontaine de style gréco-romain au milieu du terrain d'où serpentaient quelques allées romantiques serties de sculptures étrusques. Après avoir bien bu, les oiseaux épiaient d'un œil curieux la volière dans laquelle leurs frères, à qui on avait pris la liberté, chantaient encore l'allégresse du matin.

La terrasse était accueillante. Bien calée dans une chaise de rotin brun, Géraldine prenait un moment pour elle. La mère de Clara profitait de cette accalmie matinale pour lire sa revue parmi les pots de grès exotiques, les plantes de tous les coins de la planète et les sculptures orientales en pierre de sable. Un cadre de hiéroglyphes gravés dans la pierre était accroché au mur extérieur. Des plantes étaient suspendues çà et là au plafond et aux murs. Géraldine contempla le jardin et se rappela combien Clara avait été touchée depuis son enfance par l'art égyptien. Le soleil disparut derrière les nuages et elle se résigna à rentrer pour préparer le petit-déjeuner.

*

Un soleil timide finissait par transpercer la bruine légère de ce temps incertain. Les cheveux de Raphaëlle bouclaient. Il faisait si humide. Ce matin-là, contrairement à son habitude, elle n'avait pas pris le temps de contredire mère nature en tirant ses cheveux. Elle sillonnait sans état d'âme les corridors monocordes de l'université. Sa montre marquait les sept heures. L'institution était déserte. D'une main elle tenait son café et de l'autre, sa mallette. Parvenue devant la porte de son département, elle déposa sa valise sur le sol et plaqua son pouce sur le lecteur optique. La porte s'ouvrit.

Raphaëlle emprunta immédiatement le corridor menant au labo. Elle posa toutes ses affaires et retroussa ses manches, comme pour se donner du courage. La jeune femme alluma son ordinateur et jeta un œil vers l'imposte où elle aperçut les matrices poursuivant leur évolution. Dès que les fichiers furent ouverts, elle parachuta les informations nécessaires du réseau sur sa carte électronique. Tandis que l'appareil travaillait, elle sortit à la hâte un carton sur lequel était inscrite une adresse électronique. Elle envoya les mêmes informations à Nina. Opération réussie. La chimiste supprima le message électronique qu'elle venait d'envoyer, dégagea sa carte et la rangea dans son soutien gorge. Enfin, elle prit la carte électronique de Clara, copia tous les fichiers à nouveau – histoire de pallier les impondérables – sortit la carte et la rangea précautionneusement dans la poche intérieure de son sarrau. Un seul souci : elle ne put avoir accès au contrat signé par Clara sur ses droits d'invention.

Olivier entra dans la pièce comme la chimiste venait de ranger sa carte. Raphaëlle devint très nerveuse et son visage rougit.

- Eh bien, Raphaëlle, tu aimes vraiment ton boulot !

La chimiste ne sut trop que répondre. Elle bafouilla une sorte d'explication.

- Je … depuis que Clara n'est plus là, je me sens un peu perdue. Je ne sais pas ce que j'ai à faire. Alors, je suis venue très tôt pour retrouver un peu de clarté. Tu sais, lorsqu'il n'y a personne, on dirait que nos idées sont plus claires, non ?

- Ouais, jeta Olivier sans conviction. Tu sais que c'est moi qui serai en charge du projet dorénavant. Alors, voilà, ton problème est réglé. Je suis ta lumière.

Raphaëlle regarda Olivier de travers. Il avait vraiment beaucoup changé depuis que le docteur Mathieu lui avait octroyé cette haute responsabilité. Pour un jeune de son calibre, pensa-t-elle, il y avait vraiment de quoi s'enorgueillir. Allait-il lui marcher sur la tête ? Tandis que la chimiste réfléchissait nerveusement, Olivier se demandait comment il allait dénoncer le geste qu'il avait vu. Du point de vue éthique, Raphaëlle venait de se condamner à la retraite !

- Quoi ? fit Raphaëlle dont le cœur se mit à batailler.

- Donne-moi ta carte électronique. Tu avais une permission pour copier les fichiers ?

- De quoi tu parles ? lança Raphaëlle hébétée.

- Ne joue pas les innocentes, je t'ai vue, insista Olivier. Tu as rangé ta carte dans ton sarrau.

- Mais ce n'est pas vrai ! s'écria la jeune femme.

- Ah ! Non ? Tu veux que je te fouille ou bien tu vas me donner ta carte ? l'affronta Olivier en s'approchant d'elle.

Raphaëlle sentit ses jambes devenir molles. Son visage blêmit et ses mains se mirent à trembler. Elle se trouvait dans une impasse. Que dire ? Quel mensonge inventer ? Elle avait peur d'Olivier et s'aperçut qu'elle venait peut-être de tout perdre. Son corps se mit à chanceler. Mais soudain, la chimiste éprouva un sentiment de liberté qui venait tromper sa peur et fouetter son sang d'une confiance qu'elle ne se connaissait pas.

- Essaie pour voir ! fulmina-t-elle chargée d'adrénaline.

Olivier douta une fraction de seconde durant laquelle leurs yeux amorcèrent un combat sanglant de vérité et de mensonge. Enfin, le jeune chercheur sauta sur Raphaëlle pour fouiller la poche de son sarrau. Elle se mit à hurler.

- Tu es fou ! Tu es fou !

Alain arriva sur les entrefaites.

- Olivier ! Que faites-vous, grand Dieu ! Ce ne sont pas des manières de gentleman ! Voyons, laissez Raphaëlle, ordonna le docteur en tirant le jeune homme par les vêtements.

- Elle a volé des informations ! Elle refuse de l'admettre, dénonça Olivier.

- Comment peux-tu en être si certain ? questionna Alain.

- Je l'ai vue ! Je l'ai vue mettre une carte dans son sarau. Dis-lui donc, lança Olivier à Raphaëlle.

Raphaëlle s'imposa un silence de fer. Elle refusait de céder à la peur au nom de la justice. Clara ne perdrait pas son invention. La jeune femme se rassura à l'idée d'avoir effacé toute trace de ses actions virtuelles, ce qui lui redonna un peu d'aplomb. Elle replaçait ses vêtements et ses cheveux tout en recomposant sa pondération habituelle.

- Je n'ai rien fait, dit-elle plus calme en regardant Alain droit dans les yeux. Si vous n'y voyez pas d'inconvénient, je vais reprendre mon travail.

- Soit, dit Alain.

Il fit signe à Olivier de sortir de la pièce et de le suivre dans son bureau. Raphaëlle s'assit devant son ordinateur. Des roulements de tambour résonnaient à tout rompre dans sa poitrine. Elle mit sa main sur son cœur, pour se calmer. Le personnel arrivait au travail. Elle salua un jeune homme. Enfin, elle prit une longue inspiration et se réconforta en pensant qu'elle venait peut-être d'aider Clara à garder la mainmise sur sa part de la matrice.

De l'autre côté des murs, Olivier se trouvait en face d'Alain qui l'invita à s'asseoir.

- Je préfère rester debout, s'objecta-t-il.

Alain fut surpris, mais n'insista pas.

- Qu'est-ce qui vous a pris, jeune homme ? Votre père serait honteux.

- Ne mêlez pas mon père à mes agissements. Je sais parfaitement ce que j'ai vu, docteur Mathieu.

- Mais dites-moi, bon Dieu, quel motif pousserait une femme aussi discrète que Raphaëlle à un tel dérapage éthique ?

- Son travail, docteur, elle a peur de le perdre, voilà tout.

- Vous l'avez accusée de vol, Olivier, rendez-vous compte !

- Je sais parfaitement ce que j'ai dit et je le maintiens. Pourquoi n'allez-vous pas vérifier son ordinateur ?

Les deux hommes se regardèrent. Alain voulait rendre clair le nouveau rôle de chacun afin de s'assurer le contrôle absolu de la situation. Mais le jeune Olivier devenait un peu zélé dans sa manière de lorgner sur les intérêts de la matrice. Alain n'aimait pas ce sans-gêne. Et s'il prenait au jeune de l'épier lui aussi ?

- Olivier, prévint Alain, ne soyez pas si méfiant.

*

Le chat donna un coup de tête à Annie. La petite se réveilla en sursaut et regarda son réveil. Il marquait neuf heures sept.

- Maman ! Je suis en retard !

Elle courut dans la chambre de ses parents. Le lit était défait, mais elle n'y vit personne. Tristement, elle se souvint de l'absence temporaire de sa mère. Annie se dirigea vers la salle de bain, espérant y trouver son père. Toujours personne. Elle attrapa la rampe au passage et fit une descente en quatrième vitesse. L'escalier en colimaçon se dressait dignement, séparant le corridor par une colonne de lumière ceinte dans des cylindres de verre et de laiton.

- Papa ? Papa ?

Annie sentit l'odeur du petit déjeuner. Une odeur inhabituelle, mais connue. On entendait une voix chantonner au loin : sa grand-mère, rentrée du jardin venait combler le ventre de sa petite.

Annie courut à travers un immense salon paré de divans romains et de tables basses en verre. Un prisme du soleil matinal jaillissait de ces tables et traçait des esquisses lumineuses sur les murs. Le mélange très cristallin d'une modernité presque glacée alliée au style antique créait l'équilibre. Une fois qu'elle eut traversé la pièce, toujours au pas de course, Annie entra dans la cuisine.

- Ah ! Mademoiselle, dit sa grand-mère, justement votre petit déjeuner est servi. Veuillez prendre place.

- Merci, mamie. Où est papa ?

- Au travail. Pourquoi ?

- Je suis en retard !

Nina arriva dans la cuisine sur ces entrefaites. Elle avait entendu la fin de la conversation.

- Tu n'es pas en retard, ma chérie. Tu es en congé. Nous allons voir ta mère aujourd'hui.

Annie ne put retenir ses larmes qui jaillirent sans crier gare. Nina la prit dans ses bras.

- Là. Ne t'inquiète pas. Tout va bien aller.

- Je ne veux pas qu'elle meure, dit Annie en éclatant en sanglots.

- Elle ne va pas mourir.

- Comment le sais-tu ?

- Parce qu'elle a encore beaucoup de choses à faire ici.

Annie leva les yeux vers Nina, mi-convaincue. Elle lui sourit quand même, réconfortée. Sa grand-mère lui sourit à son tour en lui caressant les cheveux.

*

Michaël venait de raccrocher le téléphone. Il se trouvait dans son cabinet. Les journées étaient plutôt difficiles à commencer, ces jours-ci. Il regarda les murs teintés de son bureau qui se mariaient avec un mobilier acajou. Rien ne laissait entrevoir le désarroi de cet homme dans son bureau ordonné. Rien, pas même ce doute qui l'assaillait depuis le matin et qui lui avait martelé le côté gauche du front sans relâche. Les insinuations de Nina le troublaient. Il s'était décidé à téléphoner à Alain pour en avoir le cœur net.

Alain venait de lui assurer qu'il n'avait jamais été question de pourcentage sur la matrice puisque Clara avait été payée bien au-delà des standards des chercheurs. Ils s'en étaient donc tenus à cette entente. Michaël en avait eu le souffle coupé.

- Il ment ! avait-il pensé alors qu'il était encore en ligne avec Alain. Il me ment sans scrupule ! Pourquoi ?

Voilà ce qui l'avait poussé au Bureau des brevets ce matin-là. Une femme appela Michaël qui attendait patiemment pour faire sa requête. Le bureau était passablement agité. Un genre d'inquiétude semblait régner à temps plein dans ce département. Le mari de Clara se leva précipitamment et entra dans le bureau de l'agente.

Elle ferma la porte derrière le psychiatre et lui fit signe de s'asseoir. Michaël se sentit tout à coup accablé par la douleur. Pourquoi agissait-il ainsi ? Pourquoi n'attendait-il pas que Clara soit rétablie et qu'elle règle ses affaires légales ? Tout serait tellement plus normal. Il avait l'impression de jouer dans le dos du docteur Mathieu. La voix de la femme le sortit de sa cogitation.

- Alors que peut-on faire pour vous ?

- Voici : ma femme est…

Des larmes montèrent à ses yeux. L'agente demeura coite de surprise. Elle ouvrit son tiroir et en sortit quelques mouchoirs. Michaël releva la tête et s'excusa.

- Ma femme est dans le coma et, reprit-il, elle est chercheuse. Je voudrais m'assurer que tous ses droits d'inventions sont et seront protégés pendant qu'elle... Vous comprenez ?

- Oui. Je dois d'abord vous poser quelques questions. Êtes-vous en mesure de répondre ?

- Je le crois.

- D'abord travaille-t-elle dans une entreprise ou une université ?

- Une université.

- L'institution en question devrait alors avoir déjà procédé à une entente, non ?

- C'est-à-dire que l'entente devait être refaite suite aux derniers résultats de la recherche de Clara. Et puis...

Michaël repensa à la conversation qu'il venait d'avoir avec Alain. Il lui avait affirmé qu'aucun droit n'avait été négocié avec Clara. Or, Michaël ne parvenait pas à donner raison à Alain : Clara lui avait déjà parlé d'un certain pourcentage sur la commercialisation éventuelle. Il était convaincu qu'Alain lui mentait. Il s'en trouva d'ailleurs fort déçu.

- Et puis, de toute manière, je sais que ma femme devait avoir un pourcentage, rajouta-t-il sûr de lui. Le directeur vient de m'affirmer que non. Il m'a menti ! excéda-t-il enfin.

- Bon, fit la femme qui ne tint pas compte de cet éclat. Pour faire une demande, il nous faudra avoir ces informations par écrit avec schémas ou dessins détaillés des nouveaux résultats. Croyez-vous pouvoir être en mesure de les fournir ?

Michaël regarda au plafond. Il n'avait aucune idée sur la manière d'y parvenir. Il pensa à Nina et se dit qu'elle l'aiderait à trouver une solution à ce problème.

- Oui, je le crois, finit-il par dire.

- Bon, fit la femme, qui en avait vu d'autres, je vous fais une liste. Nous avons besoin de tous ces détails pour poursuivre.

Lorsqu'elle eut terminé, Michaël se leva et lui serra la main. Il allait la rappeler, ce à quoi elle lui répondit que le plus tôt serait le mieux.

*

Dans la chambre d'hôpital, Clara reposait toujours dans le même état, selon les ordinateurs. Une chaude lumière entra dans la pièce et la pénétra de douceur. Le soleil vint frapper l'étoile de David sur le dessus de la tête de la scientifique. Annie se pencha doucement sur sa mère, en prenant bien soin de ne pas déplacer les tuyaux. Son regard fut attiré par la lumière qui émanait de l'étoile de David.

Le son des voix se faisait plus lointain dans l'au-delà où Clara vagabondait. Il demeurait en suspens avec un effet d'écho dans les modulations. La confusion avec le bruit de la chambre d'hôpital et ces rumeurs d'une autre dimension alimentaient le cœur de Clara. L'image de plus en plus distordue, Clara perdait les détails des affrontements au pays du dieu-soleil. Ses oreilles entendaient en simultané les éclats de la guerre et des répliques tonitruantes provenant de la chambre d'hôpital. Elle reposait toujours paisiblement dans son lit.

Annie s'enfonça à nouveau dans sa chaise et bailla d'ennui. Nina faisait la lecture d'Homère à Clara.

- « Ah ! Malheureux que je suis ! Au pays de quels hommes suis-je donc arrivé ? Sont-ils violents et sans justice ou bien sont-ils d'esprit hospitalier et leur cœur garde-t-il la crainte des dieux ? »[1]

- Est-ce que tu crois que ça va marcher, ta technique ? demanda ingénument Annie.

- « Où donc vais-je porter cet amas de richesses ? » Je t'assure Annie, ça stimule ses synapses. Ta mère a toujours aimé Homère.

Pénélope entra dans la chambre, salua Nina et Annie et vérifia l'état de Clara. À ce moment, Michaël entra en trombe dans la chambre avec un bouquet de fleurs magnifiques.

- Papa !

- Ma chérie.

Pénélope tourna la tête et sourit à la vue du bouquet, tout en continuant son travail. Michaël lui renvoya un faible sourire. Il se sentait légèrement poisseux lorsqu'il se présenta devant sa femme. Son corps était encore humide par la sueur de l'impatience et de sa course. Il déposa le bouquet sur la table près des objets qu'avait apportés Nina et s'approcha de Clara.

- Je te croyais au travail, dit Nina inquiète, en allant embrasser Michaël. Quelle mine !

- Je viens de parler à Alain.

Michaël fixa Nina. Il était au désarroi.

- Ne dis rien, fit Nina.

- Je... lui ai pris des fleurs... Je ne sais même pas si elle pourra...

Nina enlaça Michaël. Une tristesse s'imposa dans le regard du psychiatre. Il y avait des moments dans la vie où le silence pouvait galvaniser des états d'âme avec plus de précision que les mots, comme si tout se passait dans une autre dimension, un contact d'esprit à esprit. Annie s'avança, soucieuse, vers son père.

- Tu pleures, papa ?

Michaël essuya une larme qui, insistante, restait accrochée à ses cils. Il s'éloigna délicatement de Nina pour se tourner vers sa fille, en tentant de se composer un air consolant.

- Non, bien, juste un peu, dut répondre honnêtement Michaël.

- Maman ne va pas mourir ?

- Non, ma chérie. Je te le promets, rassura-t-il.

Michaël plongea un regard sincère dans les yeux de sa fille. Nina vit une lumière osciller dans tous les sens sur son visage. Elle en chercha la provenance et aperçut la petite coupole de métal sur le dessus de la tête de Clara. L'étoile de David déployait son scintillement avec certitude. La romancière s'avança vers le sceau et l'examina.

- Dis donc, Michaël, avais-tu remarqué ? fit Nina en fixant l'étoile. As-tu vu ce machin ?

- Oui. Qu'est-ce que c'est ? interrogea Michaël.

- Oh ! fit Pénélope, cherchant à minimiser l'incongruité apparente de la chose. C'est un prisme de cristal et de diamants que le docteur Jaenson a mis au point. En principe, cette ponction vibratoire permet aux neurones de stabiliser le glutamate. Le docteur Jaenson étudie la préservation potentielle de la mémoire à la suite d'un traumatisme crânien.

- Et, ça fonctionne ?

- Il faudrait demander au docteur Jaenson, répondit humblement Pénélope. Justement le voilà !

- Bonjour madame, monsieur. Mademoiselle, dit-il en regardant Annie.

- Docteur. Avez-vous des nouvelles ? pressa Michaël.

- Oui, de meilleures nouvelles, fit Ian, hésitant de parler du phénomène étrange qu'il préférait encore observer et étudier au préalable.

- Dieu soit loué ! s'exclama Michaël en retournant auprès de sa femme.

- Tout est redevenu normal, continua Ian.

- Alors, pourquoi demeure-t-elle inconsciente ? demanda Michaël.

- Nous l'ignorons. Je comptais un peu sur vous pour m'éclairer à ce sujet. Il a dû se produire quelque chose d'important auquel votre femme a fait face. Vous avait-elle relaté un événement particulier ?

- Si tu penses à ce que je pense, commença Nina en regardant Michaël, il a dû se passer quelque chose, non ?

Pénélope termina ses tests avant de sortir. Elle salua les visiteurs au passage. Michaël, échaudé par le mensonge d'Alain, se laissa aller à quelques allégations bien qu'il les jugeait encore non fondées.

- Écoutez, docteur Jaenson, ma femme est chercheuse et… Ce coma semble faire l'affaire de quelques personnes.

- Vous avez fait un rapport de police pour l'accident ? demanda Ian.

- La malchance a voulu qu'aucun des témoins n'ait relevé de détails pertinents, raconta Nina. Il semble qu'une voiture l'a renversée et le chauffeur, apeuré par les conséquences, a pris la fuite. Classique.

- C'était au retour de notre déjeuner. Si je l'avais accompagnée à l'université, tout ça ne serait pas arrivé.

- Ne dites pas ça, monsieur Lemire. On ne peut jamais prévoir ce genre d'incident. Personne n'est à l'abri, insista Ian. Vous disiez que votre femme est une chercheuse ?

- Nous croyons que quelqu'un ou plusieurs personnes pourraient s'intéresser à…, commença Nina.

Michaël lui fit signe de se taire.

- Si Clara pouvait parler, se contenta-t-elle de rajouter.

Ian se mit à marcher dans la pièce. Il s'arrêta devant le corps de sa patiente et se retourna à nouveau vers les visiteurs.

- Je pourrais peut-être arranger quelque chose. Donnez-moi quelques jours. En attendant, monsieur Lemire, ne vous inquiétez pas pour sa santé. C'est une question de temps.

Il s'avança vers la porte pour sortir et salua la famille.

- Parlez-lui, insista Ian en pointant du menton le corps de Clara, c'est important. Elle vous entend, c'est certain.

Michaël sourit au docteur. Il lui serra la main et le regarda partir. Il se sentait en confiance avec lui. Quelque étranges que furent ses techniques, il éprouvait déjà de la reconnaissance pour ce médecin au cœur bienfaisant. Michaël aimait à constater que le monde pouvait encore être bon, malgré ses affres persistantes. Nina avait repris dans ses mains le livre d'Homère et Annie s'était remise à bailler.

- Il y a les batailles humaines et il y a les guerres surhumaines, laissa tomber Nina, en rouvrant le livre. Mais cette puissance plus grande que nature, est-ce Dieu ou Satan ?

Nina reposa le livre et se dirigea vers la fenêtre tandis que Michaël revenait vers le lit de Clara.

- On n'est jamais trop certain de savoir qui domine les puissants de ce monde ! fit Nina un peu sombre.

C'était ninanéen ! C'est ainsi que Michaël qualifiait parfois les discours abscons de Nina.

- Et tu crois qu'Alain s'est rangé du côté de Satan ? fit Michaël qui voulait s'en amuser.

- On ne se range pas du côté de Satan. On l'invoque ; quand on n'en peut plus de souffrir, on le supplie d'alléger notre fardeau ! Et il arrive avec un grand sourire et des solutions miracles.

Michaël ne comprenait pas grand-chose à toutes ces allégories.

- Moi, je ne crois pas à toutes ces grandes puissances, Nina, se justifia-t-il humblement. Je crois à la science de l'homme. Et alors, si Alain a réellement volé Clara, où mettre notre confiance ? conclut Michaël déçu.

Nina laissa la question en suspension dans les airs et brancha son ordinateur portable.

- Nina, j'ai besoin d'aide pour organiser une stratégie de protection des droits d'invention. Il y a trop de données que j'ignore.

La romancière s'approcha de Michaël avec un large sourire.

- J'ai déjà contacté Raphaëlle.

Nina alluma son ordinateur portable. Ravie, elle constata que la chimiste lui avait envoyé les données comme prévu.

- Tu vois ? fit-elle en montrant l'écran à Michaël, j'ai pris un peu d'avance sur toi !

Elle fit un sourire à Michaël qui le lui rendit de bonne grâce.

- Nous avons beaucoup de boulot, fit-elle.

*

William ouvrit l'enveloppe brune sans timbre qu'il avait trouvée dans sa boîte postale. Ce devait être la dernière que Stewart lui faisait parvenir. Il en étala le contenu sur la table. Une photo de la boîte noire, des numéros de code, la carte d'étudiant de Stewart. William la prit dans ses mains et regarda la photo du jeune étudiant qu'il avait payé pour obtenir ces informations. Il reposa la carte sur la table.

Il prit ensuite la lettre qu'avait écrite Stewart à la main.

- La carte est valide jusqu'à vingt-deux heures trente mercredi soir ! lut William. Tout juste deux jours pour valider mes plans…

Il prit la carte d'étudiant à nouveau et regarda la date d'expiration.

- Huit juin, fit-il en regardant sa montre pour s'assurer de la date exacte.

William empoigna son ordinateur portable sur le lit, le déposa sur la table et l'alluma. Pendant que les logiciels s'installaient, il commença à découper la plastification de la carte de Stewart et remplaça la photo par la sienne. Après avoir falsifié cette carte, il retourna à son ordinateur pour débusquer les dernières nouvelles sur celui de Raphaëlle. Depuis que William avait fait installer par Stewart un cheval de Troie sur l'ordinateur de l'assistante, il avait pu suivre à la trace l'évolution de la matrice, mais rien sur la boîte noire. Il décrypta les fichiers que la chimiste aurait pu cacher ou jeter et finit par tomber sur le message envoyé à Nina.

- Qu'est-ce que c'est que cette... Mais elle a envoyé toutes les données de la matrice ? Toutes ! marmonna-t-il en continuant ses recherches.

Il ouvrit fichier après fichier, gardant l'espoir d'y trouver un renseignement au sujet de la boîte noire.

- Rien ! Toujours rien.

Il ferma toutes les fenêtres et abandonna la souris sur son tapis.

- Nina Bel – si c'était cette femme que j'ai vue avec la chimiste ?

Il navigua sur internet pour en apprendre davantage sur cette mystérieuse destinataire. Pourquoi autant de privilèges ? Que voulait-elle faire avec les plans de la matrice ?

William passa sa main dans ses cheveux et les tira vers l'arrière en s'adossant sur l'inconfortable chaise. Il laissa sa main sur le dessus de sa tête et posa ses yeux sur le trottoir qui entrait dans son champ de vision. De l'autre côté de la rue, les passants marchaient vers leur destin. William ne les voyait pas. Il réfléchissait, ou plutôt, il laissait venir.

Ankylosé par plusieurs minutes de quasi immobilité, il se leva enfin et se dirigea vers le placard d'où il sortit une boîte de carton. Il ouvrit le couvercle et en dégagea délicatement un objet étrange fait de plastique mou et rosé. Il revêtit son pouce droit de ce caoutchouc, ouvrit une boîte d'encre sèche, y enfonça le faux pouce et en imprima la marque sur une feuille de papier. Il compara cette empreinte à celles que Stewart lui avait fait parvenir. Parfait. C'était parfait.

Il poursuivit ensuite ses recherches sur la mystérieuse Nina Bel.

*

Une fumée flottait au-dessus des dîneurs dans le restaurant. Les rires fusaient et la rumeur incessante ravissait les oreilles de Niko. Il regarda Nina de loin. Elle était dans l'alcôve avec Michaël et Raphaëlle. Les rideaux étaient tirés, sauf celui de la porte. La romancière croisa le regard de son hôte particulier et lui fit signe d'apporter trois autres consommations. Pour toute réponse, il lui envoya un clin d'œil.

- Je suis tellement soulagé que tu aies accepté de nous aider, Raphaëlle, se réjouit Michaël.

- Oh ! Tu sais, quand Nina m'a téléphonée pour venir ici, j'étais dans un tel état. Jusqu'à la dernière minute, j'ai voulu annuler notre rendez-vous. Mais quelque chose me disait de venir. Et je crois que – ça, fit-elle en montrant les papiers, c'est tout ce qu'il me reste d'utile à faire pour la société. J'ai bien réfléchi et je ne crois pas qu'Alain poursuive les recherches de la matrice ; sans Clara, il ne peut pas continuer.

Les larmes jaillirent de ses yeux. Nina lui mit une main sur l'épaule. Niko entra au même moment, avec deux verres et une tasse. La rumeur du restaurant pénétra dans l'alcôve comme une bouffée d'air tiède. Niko déposa le tout discrètement et sortit sans bruit.

Les plans détaillés de la matrice apparurent sur l'écran de l'ordinateur portable. Raphaëlle leur expliqua avec précision où en étaient les recherches et ce que la nouvelle donne allait changer dans la manière de breveter l'invention.

- Qui sait ? Le docteur Mathieu est peut-être déjà à la recherche d'un client potentiel, le soupçonna Nina.

- Nina ! Il ne peut pas faire ça ! Ce n'est pas sa matrice, rétorqua Michaël.

- Bien sûr qu'il peut le faire, corrigea Raphaëlle. Elle est au nom de l'université, c'est l'institution qui a pris le plus gros risque – et Vandam, le principal investisseur.

- Mais Clara a tout de même droit à son pourcentage, non ? poursuivit Michaël.

- En principe. Mais le docteur Mathieu t'a clairement fait savoir qu'il ne respecterait pas l'entente. Et il a raison d'essayer : Clara n'est pas là pour le contredire, poursuivit Raphaëlle avec la même logique.

- Et tu es certaine qu'en signant ce formulaire au nom de Clara, avec les dernières données, ça protégera ses droits ? demanda Michaël.

- En tout cas, on ne risque rien à essayer ! s'exclama Nina.

- Écoutez, je ne sais pas ce qu'il pourra advenir et rien n'est aussi simple, s'impatienta Raphaëlle. Mais nous n'avons pas le temps de discuter de toutes ces questions. Si vous voulez toujours constituer une demande de brevet en règle, il faut remplir ces papiers le plus rapidement possible. Avant le docteur Mathieu ! Allez, au boulot, poussa Raphaëlle pragmatique.

Tous se concentrèrent pour répondre aux questions du formulaire. Niko était venu les interrompre pour prendre leurs commandes, les servir et nettoyer la table. Il se plaisait parfois à les faire rire. Ces délassements inattendus leur permettaient de prendre une pause. Tout se déroulait rondement.

Les heures avaient fui et le soir surgit à leur grand étonnement. Au seuil de la nuit, ils purent enfin clamer leur satisfaction.

- Avec ça, je souhaite pouvoir rendre justice à Clara, à son génie et à son grand dévouement pour son travail, fit la chimiste émue.

- Raphaëlle, commença Nina, nous ne te remercierons jamais assez pour cette aide.

- Oh ! Mais ce n'est rien. Si vous avez encore besoin de moi, vous connaissez mon numéro ! lança-t-elle heureuse d'avoir pu se rendre utile.

Nina regarda la jeune scientifique. Cette tâche clandestine redorait-elle sa confiance intérieure ? Si oui, pensa Nina, elle avait sans doute besoin de sentir une cause plus grande qu'elle pour rallumer ce feu qu'avait éteint froidement son directeur. Était-ce pour cette raison que, dans ces moments où l'on se sent petit, on s'en remettait à un dieu, un directeur, un collègue arrogant, à une cause, une mission ? Une question se formait dans sa tête. Nina savait qu'elle était adressée à la chimiste.

- Et toi, Raphaëlle, qu'est-ce qui te nourrit dans cette cause ?

Raphaëlle s'était levée pour partir. Elle allait prendre son sac tout simplement lorsqu'elle se sentit bouleversée et interpellée par la question. Des larmes perlèrent aux coins de ses yeux. Elle se mordit la lèvre supérieure pour les court-circuiter.

- Je suppose que si je le savais, je ne serais pas ici en train de me battre pour préserver la dignité de quelqu'un que j'admire.

- La dignité humaine ? Si elle venait du fait de perdre ses illusions ? lança Nina.

- Moi, entonna Raphaëlle, j'ai l'impression d'avoir été réveillée au beau milieu d'un mauvais rêve. C'est vrai, que je perds mes illusions.

- Et ça te permet de préserver aussi la dignité humaine de ton prochain, renchérit Nina.

La chimiste sourit à cette dernière phrase d'où émergeait une vague d'amour. Michaël s'occupait de l'addition de ces dames. Il ne se mêlait pas des affaires de Nina. Elle avait son domaine, lui le sien. Michaël cherchait à consoler l'âme humaine et Nina voulait éveiller l'esprit. Elle disait toujours : « C'est comme ça, c'est vibratoire, il faut parler ! Ça ramone les neurones. » Michaël trouvait que ce raisonnement frisait l'égoïsme.

- Je tiens vraiment à ce que la matrice puisse être achevée, même si Clara ne devait jamais la voir, avoua Raphaëlle encombrée par l'émotion.

- Ce n'est pas ce que tu fais qui compte, c'est comment tu gères ce que tu sais.

- Ce que je sais ?

- Oui. Quand on perd ses illusions, on a appris quelque chose qu'on ignorait avant, mais on ne peut plus échanger qu'avec ceux qui ont aussi retrouvé ce sens profond de leur dignité, une sorte de mise en lumière nouvelle dans la tête.

- Oh ! C'est ce dont Clara me parlait toujours, un genre de lumière qui sait tout. Où avez-vous appris tout ça ? demanda Raphaëlle en regardant Nina et Michaël.

- Moi, je suis tout à fait en dehors de ça, se défendit Michaël sans tarder.

Ils rirent à l'unisson.

*

La lumière qui sait tout plongea dans la tête de Clara et se mit à danser avec elle. Son visage devint rose, comme vivifié par le sang qui tournait plus vite dans son corps. La biophysicienne sentait que depuis ses propres cellules, elle pouvait contacter les intelligences qui combinaient les formes. Elle dansait avec une chaîne d'ADN et revit le liquide précieux dans les fioles de son laboratoire. Le plus grand mystère pour l'homme, plus que la cellule elle-même, ne relevait-il pas de l'intelligence qui l'avait créée ? Qui faisait vibrer sa pulsion de vie ?

Il lui semblait folâtrer dans le tore de son intelligence. Un grain de sable obstrua pourtant cette roue gigantesque dans laquelle elle se sentait tourbillonner. La course de ses questions fut déviée par ce ralentissement étrange. Qui la détournait ainsi du savoir ? Clara s'apercevait que les forces qui animaient l'intelligence pouvaient être contrecarrées par une autre. Comprendre l'intelligence n'était pas tout, encore fallait-il connaître les forces qui en entravaient la grâce.

*

Michaël regardait Clara et pensa à la Belle-au-bois dormant en se demandant s'il allait devoir attendre cent ans pour revoir sa princesse. Il s'approcha d'elle, ironisant à l'idée de poser ce geste. Michaël posa un baiser sur les lèvres de sa belle et se surprit à espérer qu'elle ouvre les paupières. Le mari de Clara attendit en silence et ses yeux, nappés d'une mer salée, trahirent le reflet d'un éternel présent de souffrance. Point de réveil féérique.

*

La roue se remit à tourner dans la tête de sa femme, comme si un intrus démasqué avait du s'enfuir. Clara riait devant sa liberté reconquise et se laissait à nouveau étourdir par cette ronde qui la nourrissait, la chérissait et l'aimait. Ses cheveux bruns se perdirent dans le vent et s'étirèrent avec lui jusqu'à devenir longs, très longs, et plus foncés aussi. Éléna d'Ébène, ainsi l'appelaient ses amis dans cette époque toute glorieuse.

LE BEAU ET LE VRAI N'EXISTENT QUE PAR LE JUSTE

Je suis plus libre que toutes les femmes d'Athènes !
Cela ne m'empêche pas d'aimer cet homme
qui me fait perdre la tête.

Éléna

Éléna marchait en direction du Parthénon. Spartiate dans la trentaine, elle arborait les signes d'une éternelle jeunesse. Svelte et athlétique, ses cheveux ondulés remontés en épi avantageaient son visage légèrement anguleux. Alors qu'elle se rendait allègrement au marché, sa sandale de cuir rouge heurta un objet. Elle se pencha pour ramasser une pièce de monnaie frappée à l'image de la chouette, très recherchée par les négociants. Éléna prit soin de la cacher sous un pan secret de sa robe. Avec une telle pièce, elle pourrait bien partir sur un navire ou se payer une frise à son effigie !

Éléna sourit et pensa à Phidias. Elle aimait ce grand artiste parce qu'il était capable de sentir les choses comme personne et, de surcroît, il savait l'instruire de choses étonnantes. Éléna se demanda si le sculpteur avait déjà éprouvé quelques sentiments pour elle. En fait, elle ne savait même pas s'il préférait les hommes ou les femmes. Elle respira de satisfaction et poursuivit sa route en s'interrogeant sur le message que pouvait présager cette pièce de monnaie.

*

Phidias martelait une plaque grisâtre. Des personnages prenaient forme sous les coups de l'artiste. La frise naissante de la procession des Panathénées dévoilait çà et là des athlètes en pleine action qui lançant le disque, qui courant à perdre haleine, qui bandant un arc. Éléna pouvait rester des heures à contempler son ami. Phidias ne détestait pas sa compagnie. Il lui racontait des histoires merveilleuses sur le maître et les révélations qu'il avait reçues avec ses frères pythagoriciens. Mais il se gardait bien de n'en rien divulguer à son amie. Éléna respectait le silence de l'artiste, malgré sa soif de connaître les secrets des dieux ;

aussi bien laisser quelques zones d'ombre dans ses équations mystiques. Mais en devinant, il lui sembla que Pythagore, par les mathématiques, avait réussi à ouvrir quelques portes du paradis. Quoique hermétiques, ces formules la faisaient rêver de grandeur. Éléna s'imaginait dans la peau d'Aphrodite, d'Athéna-Nikè ou de l'épouse de Zeus ! C'était si exaltant de se sentir parfaite.

- Le soir, avant de nous endormir, poursuivait Phidias, nous devions nous poser trois questions. La première : Quelle faute ai-je commise ?

- Et trouvais-tu toujours quelque chose ?

- Oui.

- Quel est la plus grosse faute que tu aies commise ?

- Tout bien réfléchi, c'est lorsque j'ai eu la tentation de voir notre maître tandis qu'il nous parlait.

- Je ne comprends pas.

- Il se cachait toujours derrière un rideau et personne ne devait le regarder alors qu'il nous transmettait des connaissances.

- Quelle étrange manière d'enseigner ! Et quelles étaient les autres questions ?

- Quel bien ai-je fait ?

- Moi, je trouve que ton art fait particulièrement du bien à nos âmes ! s'exclama Éléna.

Phidias regarda la frise qu'il ciselait et sourit à Éléna. Il appréciait sa fraîcheur et son goût. Il se remit au travail en poursuivant.

- Enfin, on devait se demander : Quel devoir ai-je oublié ?

- Ça t'arrivait souvent ?

- Nous étions tous en apprentissage. Forcément, il était fréquent d'enfreindre les règles. Tu vois, l'une d'elle était : Ne romps pas le pain.

- Vraiment ? s'exclama Éléna en riant. C'est peu pratique de manger de cette manière !

- Non ! La difficulté se situait au niveau métaphysique. Cette règle, disons qu'elle pouvait signifier : ne te sépare pas de tes amis. Il nous fallait rester ensemble, apprendre la fraternité, le pardon. Ensuite on prononçait cette phrase : Je le jure sur Celui qui a révélé à notre âme la divine tétraktys.

- Ça, c'est le nombre divin, fit Éléna fièrement.

- Bien vu !

- Oh ! Phidias ! Je dois partir. Il me faudra encore un prétexte pour mon maître.

Le sculpteur avait la grâce de pouvoir concocter pour Éléna les excuses qu'elle allait délivrer au Phénicien pour son retard. C'était devenu un genre de rituel.

- Tu as rencontré ce vieil homme sur la route. Il cherchait un refuge car son frère, disons…

Phidias fut interrompu lorsque Télésphore passa en face d'eux avec des animaux.

- Disons, Télésphore, fit Phidias en riant. Hé ! Télésphore, c'est un sacrifice pour qui ?

- C'est pour notre récolte, Phidias. Je n'en donnerai que deux. Tu comprends, s'il fallait tout leur donner à ces dieux, on n'aurait plus rien à se mettre sous la dent !

Télésphore était connu pour être radin et misogyne. Éléna aimait spécialement désarçonner les hommes qui ne pensaient pas grand-chose des femmes.

- Dis-moi, Phidias, il doit bien y avoir un secret mathématique derrière la beauté des formes ?

Télésphore la regarda mi-amusé mi-sceptique. Comment, par tous les dieux, une femme pouvait-elle exposer sur les choses de la vie ? Phidias se fit complice de sa compagne.

- Bien sûr, poursuivit-il, tu peux t'en tenir au théorème et comprendre les proportions parfaites dont la beauté naturelle rayonne sur le monde. Mais il y a l'autre monde…

L'autre monde ? Il n'en fallait pas plus pour exalter la curiosité de la jeune esclave. De quoi faire rêver !

- Mais l'autre monde, dis-moi, Phidias, serait-il régi par les nombres ou par les dieux ?

- Quoi ? s'exclama Télésphore.

Il fut choqué de voir qu'un homme encourageait les épanchements philosophiques d'une femme et fournissait du même souffle des munitions intellectuelles que seuls les hommes étaient en droit de détenir.

- Je n'ai jamais vu à Athènes femme aussi peu réservée que toi.

- C'est qu'il n'a jamais fréquenté un gynécée ! murmura-t-elle à Phidias.

- Que fais-tu avec un homme à bavarder comme si tu en étais un. D'où détiens-tu l'impression d'avoir reçu ce privilège ?

- Par Apollon, Télésphore, je t'en prie !

- Laisse, Phidias. Je vais lui dire à ce barbare. Oui, je suis une esclave, je suis une esclave spartiate et fière de l'être ! s'écria Éléna triomphante comme la Pythie assise sur son trépied.

- Tu me déçois, Phidias, fit Télésphore en rassemblant ses animaux. Estime-toi chanceux que Périclès vous ait redonné à vous, les artistes, réputation plus agréable qu'hier.

Éléna souleva un pan de sa robe, laissant entrevoir sa cuisse. Télésphore la regardait tout en rattrapant ses oies. L'homme partit en grommelant. Éléna exhiba sa pièce.

- Qu'est-ce que tu fais avec ça ? s'empressa de demander Phidias, curieux.

- C'est pour la chance ! fit-elle simplement en replaçant la pièce dans son vêtement. Je l'ai trouvée.

- C'est de bon augure, je crois ! lança Phidias.

D'un bond, Éléna se jeta au bas du péristyle du Parthénon et disparut au pas de course en direction du marché. Périclès en sortit avec un homme emmitouflé dans un manteau de lin. Ils aperçurent Phidias caressant sa frise.

Grand stratège discret que tout Athènes avait élu pour la profondeur de ses vues, Périclès avait un ascendant éminent sur l'Acropole et ses environs. Il inspirait confiance, cependant il se méfiait des éloges inconditionnels. Il craignait qu'un jour ses adversaires ne le soupçonnent d'aspirer à la tyrannie. Cette pensée lui causait beaucoup de peine. Pourtant, la puissance d'Athènes n'avait jamais atteint une telle amplitude qu'avec Périclès.

- Continue de rester à l'écart, Périclès, lui conseilla l'homme parlant sous son manteau. Ne parle que dans les grandes occasions pour restreindre tes contacts avec la foule et évite certains sujets.

- Nous devons interrompre la guerre pour les jeux Olympiques. Qu'allons-nous faire avec les prisonniers de Samos ? Que suggères-tu ?

- Attache ces Samiens à des poteaux sur l'agora de Milet, pendant dix jours, finit-il par dire, avec un léger éclat dans la voix. Ils sauront qu'à Athènes, on ne fait pas que du théâtre… La cité me manque, mon ami.

- Anaxagore, chuchota Périclès ému. Je ne t'abandonnerai jamais.

Anaxagore avait été chassé d'Athènes pour impiété. Malgré l'éloignement, il demeurait le conseiller le plus percutant et le plus fidèle de Périclès qui n'avait rien pu faire pour l'aider, malgré ses nombreuses tentatives. Le philosophe, avec sa froideur légendaire, laissait voir qu'il n'était pas affligé par ce fait. Les deux amis parvinrent aux abords de l'un des nombreux chantiers de Phidias. Autant Périclès espérait aider Anaxagore, autant il avait pu donner les moyens à Phidias d'insuffler la perfection sur Athènes. Tout ce que le sculpteur touchait portait la cité à l'apogée de l'art.

- Grand artiste de la cité, nous sommes bénis d'avoir tes œuvres dans tout Athènes ! s'exclama Périclès.

- Tu es bon, Périclès, dit le sculpteur absorbé par un travail délicat.

- C'est magnifique, Phidias ! laissa tomber Anaxagore, sans trop d'émotions.

Phidias s'arrêta net. Il fixa l'homme sous son épaisse étoffe, tâchant de reconnaître sa voix.

- C'est… ? questionna le sculpteur.

- Shshshsh, interrompit Anaxagore.

- Toi ? termina Phidias. C'est vraiment toi ?

Anaxagore s'approcha de l'artiste et lui prit l'épaule fermement. Phidias travaillait une pierre qu'il avait posée sur le sol, pour plus de commodité.

Tandis que les hommes discutaient, deux femmes les examinaient. Elles étaient accompagnées de leurs esclaves qui portaient les marchandises dans des paniers en suivant leurs maîtresses.

- Il paraît que Périclès, dit la première, a pris une esclave pour remplacer sa femme.

- Oui, rétorqua la seconde femme, mais il semble aussi qu'il l'apprécie pour son intelligence.

- Cet homme ? Ah ! Bah ! Il est peut-être un grand homme d'état, mais il a un vice : il les aime toutes. Est-ce vraiment pour leur intelligence ? se moqua la première femme.

Phidias avait délaissé son travail pour s'approcher de ses amis et converser à voix basse.

- Si tu le veux, Périclès, je pourrais te faire rencontrer de jolies dames. Tu pourrais amener tes amis.

- Vu les circonstances, il me semble plus sage d'offrir à cet homme, dit-il en pointant le philosophe, une fête chez moi.

- Chez toi, mon ami ? rétorqua Anaxagore surpris. Tu n'as jamais voulu de ces soirées chez toi.

- Je le fais pour toi, dit Périclès.

- Tu me touches beaucoup, avoua le philosophe.

- Je suis content de te revoir, témoigna Phidias de manière expressive à Anaxagore.

Anaxagore replaça son manteau et Périclès lui fit signe de poursuivre leur chemin, abandonnant le sculpteur à son œuvre.

- Tiens, fit discrètement Périclès, passant une bourse à son ami. Nous avons vendu ton livre et en de nombreux exemplaires ! Tout le monde se l'arrache.

- Alors je me sens moins redevable envers toi, mon ami. Depuis le temps que tu me nourris…

- Tu m'as tellement appris. Ça ne se compte pas en drachmes. Maintenant, je dois partir, continua Périclès. Tu es le bienvenu quand tu veux, mon compagnon de toujours.

- Je ne manquerai pas la fête, même si je dois traverser la tempête.

Les deux hommes se quittèrent.

- Il me fait penser à quelqu'un, continua l'une des deux femmes.

- En tout cas, on dirait qu'il n'est pas à son aise dans Athènes. Il n'a certainement pas achevé son terme.

- Allez viens. Ne restons pas dehors.

- Ah ! conclut la première femme avec lassitude. Si j'avais le droit de parole, je serais pour que les femmes puissent bavarder sur l'agora.

Elles demeurèrent plantées sur la place publique sans mot dire en regardant Anaxagore bifurquer vers le marché.

*

Éléna pénétra dans l'agora. Le marché aux poissons était bondé. À chacun de ses pas, le vent formait des petits vallons dans sa robe flottante, dévoilant ses cuisses appétissantes. Les hommes tournaient la tête comme s'ils avaient rêvé ces délectables appâts. Éléna portait son panier presque vide sur sa tête et se dirigeait ingénument vers l'étal de poissonnier, amusée par ce jeu. Elle savoura ce moment de grande liberté. De fait, il lui parut soudain cocasse qu'une esclave puisse éprouver un tel sentiment puisque la liberté, à la base de la démocratie, était exclusivement réservée aux citoyens ; ni les esclaves ni les *métèques* n'avaient droit à cette grisante impression de puissance individuelle. Certes, elle devait rendre compte à son maître, mais elle savait si bien y faire pour détourner la vérité, qu'il préférait s'évanouir dans les arômes de sa chair. Elle assumait pleinement le prix de sa liberté.

- Des bonnes anguilles du lac Copaïs pour le Phénicien ? s'écria le marchand qui la sortit de son raisonnement.

- Eh ! Certes non ! Il me reprocherait de ne plus avoir de galettes pour le reste de la semaine.

- Alors, ce sera comme d'habitude ? se résigna le marchand, qui cherchait à faire fructifier ses affaires.

- Oui, comme d'habitude, répondit Éléna en souriant.

Des gens de rang élevé traversèrent la rue lentement. Anaxagore entrait dans la foule du marché.

- Des oisifs, observa Éléna. Les vrais citoyens ! Ce sont eux qui devraient travailler. Qu'en penses-tu, marchand ?

- Il y en a beaucoup ces jours-ci. Ils viennent voir les jeux, considéra-t-il.

Le marchand donna son poisson à Éléna qui blaguait avec lui. Elle empoigna son panier et salua le négociant tandis qu'Anaxagore, toujours camouflé, avançait à travers les échoppes. Il remarqua la jeune spartiate qui s'enfonçait dans ce bazar où cordonniers, tisserands, potiers s'affairaient à leurs commandes tout en servant la clientèle. L'esclave mit sa main sur le pan de sa robe pour sentir sa pièce de monnaie. Il faisait une chaleur suffocante qu'une chaude brise accentuait dans les étalages. Anaxagore parvint à la devanture du poissonnier.

- Qui est-ce ? interrogea Anaxagore sous le charme, en offrant une pièce de monnaie au marchand.

- C'est l'esclave du Phénicien Adjasso. Et toi, qui es-tu ?

- Je suis Chronos, railla-t-il. Celui qui fait du temps.

- Alors qui que tu sois, veux-tu du poisson ? tenta le marchand.

Anaxagore était déjà parti à la recherche d'Éléna qui se dirigeait vers le bain public. Il la suivit, parvint au comptoir et scruta le hall. Éléna avait déjà disparu. Anaxagore se tourna vers le contrôleur-propriétaire et mit son doigt sur sa bouche pour lui signifier de ne pas prévenir de sa présence. Il s'approcha du corridor menant au bain des femmes, revint sur ses pas et aborda le propriétaire. Il fit tinter les pièces de monnaie qu'il tenait enfouies dans sa bourse.

Éléna se prélassait dans l'eau. D'autres femmes faisaient de même. Le bain tiède détendait sa peau. Elle ferma ses yeux et se laissa flotter. Pendant de longues minutes elle se laissa bercer par le flux né de sa respiration et se lava en se brossant le plus lentement possible. Les autres femmes bavardaient. La paix qui émanait de ce bain public s'inscrivait dans chaque paroi de ses murs de pierre. Quelques sculptures de déesses réconfortaient les âmes en quête d'un havre. La seule présence de l'eau transportait les esprits dans un monde où les dieux répondaient aux prières de chacun. Dans cette dimension indéchiffrable, Éléna tenta de savoir ce que lui réservait le présage de la monnaie. Aucune divinité n'avait voulu lui souffler la réponse. Était-ce son rang qui leur interdisait de livrer leurs secrets ? Éléna cessa de s'en formaliser et, sans détour, rouvrit les yeux. De nouveau dans la réalité, elle se remémora le prétexte qui excuserait son retard.

Éléna arriva d'un pas pressé dans le hall. Le contrôleur-propriétaire jeta tour à tour un œil au philosophe et à l'esclave. Anaxagore, accoudé au comptoir, aperçut Éléna qui relevait la tête, après avoir replacé sa robe. Ses longs cheveux d'ébène encore mouillés tombaient le long de son dos, laissant des gouttelettes sur le sol. Ils échangèrent un regard doux qui la rendit nerveuse.

- Tu es avec le Phénicien Adjasso ? demanda Anaxagore.

- Comment le sais-tu ? rétorqua la jeune Spartiate qui n'avait rien perdu de sa vivacité.

- Je le sais, c'est tout. Je peux t'accompagner ?

Éléna regarda l'homme dans son manteau et demeura hésitante. Elle considéra le contrôleur, qui lui fit un clin d'œil. L'esclave acquiesça alors à Anaxagore et ils sortirent du bain. Dehors, elle accéléra le pas pour passer sa nervosité. Plutôt athlétique, son besoin de bouger ressortait devant toutes les situations faisant affluer chez elle un surplus d'émotions. Anaxagore, qui marchait au rythme d'Éléna, lui parlait tout en l'observant se déhancher. Elle portait son panier sur le flanc droit et le philosophe, en y plongeant les yeux, entrevit un livre.

- C'est pour ton maître ? demanda-t-il curieux.

- Non, fit-elle sans façon. Pour moi.

- Tu lis ? lui envoya Anaxagore surpris.

- Quel mal ?

- Aucun. C'est plutôt rare pour une femme.

- Pas pour une esclave. Et puis, mon père était un érudit-guerrier.

- Quel Spartiate n'est pas un guerrier ? ajouta-t-il.

- Comment sais-tu que je suis Spartiate ? s'étonna-t-elle.

- On ne voit jamais les cuisses des Athéniennes sur la place publique, avoua-t-il.

L'Acropole était magnifique à cette heure. Le soleil se lassait de sa puissance pour se réfugier dans les nuages suspendus dont la forme enflammait l'imaginaire des enfants. Le ciel rose présageait un moment d'émerveillement. Les rues grouillaient de la rumeur régulière du marchandage. La vie ondoyait son parfum ordinaire et pourtant, la beauté retenait toute l'attention des intelligences de la cité.

- Viens-tu souvent au bain ? continua Anaxagore.

- Tous les jours. Pourquoi ?

Tandis qu'ils marchaient, Anaxagore regarda l'heure sur le cadran solaire public. Il prit le panier d'Éléna, puis il empoigna le corps de la femme et l'appuya rudement contre un mur. Il découvrit son visage et poignarda Éléna de ses yeux limpides. Elle se laissa dévorer de désir, avide, elle aussi. Anaxagore déposa un baiser chaud et brut sur les lèvres de sa déesse incarnée.

- Je t'attends au bain à pareille heure demain, lui dit-il le souffle court.

Éléna, encore abandonnée, approuva doucement de la tête.

- Qui es-tu ? interrogea-t-elle sous l'emprise de ce charme froid.

- Tu le sauras demain, rétorqua-t-il non sans ajouter de mystère à l'aventure.

Anaxagore lui rendit son panier et disparut dans les rues tortueuses et malodorantes de la cité. Éléna demeura là, accotée sur le mur frais de la fin du jour. Elle entendit quelque chose résonner. Elle regarda par terre, là d'où le son avait surgi, et vit sa pièce de monnaie. Elle interpréta alors la signification du présage : un nouveau maître des plus agréables allait-il changer son destin ?

*

Éléna cuisait des galettes dans le four extérieur. Elle en porta une portion à la femme et aux enfants du Phénicien qui mangeaient dans une pièce séparée. L'esclave retourna à son four pour préparer d'autres galettes ; le Phénicien n'allait pas tarder. Éléna rêvassait devant le four. Était-ce un de ces songes si réels qu'il traversait la brume du rêve pour venir se déposer comme une rosée sur l'herbe verte de ses espoirs ? Éléna ne savait que croire, mais elle laissa libre cours aux images féeriques qui déambulaient dans ce monde où elle aimait bien s'absenter. Elle flottait au-dessus de la terre sèche de l'Acropole. L'homme emmitouflé la tenait par la main et ils couraient jusqu'à un temple sans toucher le sol. Des lumières dansaient autour de leur corps. Ils reconnaissaient les dieux protecteurs de la cité. Aphrodite, déesse de l'amour, fit surgir une étincelle en leur cœur. Alors seulement Éléna s'aperçut que ses galettes étaient brûlées. Elle sursauta en étouffant un cri et entendit le Phénicien rentrer. Il devait être huit heures. Adjasso alla se passer de l'eau au visage avant de s'asseoir à table. Éléna déplaça la marmite et en ôta l'empreinte laissée sur la cendre, tel que prescrit par Phidias. Elle servit le repas du soir à son maître.

- Qu'est-ce que c'est que ces galettes ? s'écria Adjasso. Ah ! Tu vas me les payer, ces galettes ! Sais-tu ce qu'il en coûte ? Baal sévira !

Elle lui envoya un regard aguicheur dont le charme ne put que soumettre la chair de cet homme au chantage alléchant.

*

Le lendemain, Éléna se précipita au Parthénon où déjà Phidias martelait en compagnie de ses nombreux assistants. Il salua sa complice qui lui fit signe de venir à l'écart.

- Continuez sans moi, j'en ai pour quelques minutes.

Phidias la mena vers la frise où ils seraient tranquilles. Il poursuivit son ouvrage là où il l'avait laissé la veille. Ne pouvant se contenir davantage, Éléna entreprit de décrire à Phidias sa rencontre avec un mystérieux personnage, sorti tout droit d'une aventure homérique.

- Le connais-tu ? lança-t-elle.

- Oui.

- Qui est-ce ? Il est bien ? pressa Éléna.

- Je ne peux te dire qui il est. Ce sera à lui de décider s'il peut dévoiler son identité.

Éléna déposa son panier sur le sol et s'assit sur une des dalles qui allait un jour faire partie de la frise ; Phidias continuait son oeuvre.

- Cet homme, déclara le sculpteur, n'est pas seulement bien, il est celui par qui Périclès brille aujourd'hui. As-tu déjà entendu parler de l'Intelligence ?

- Les choses de l'esprit ? demanda-t-elle en cherchant à comprendre.

- Non. C'était son surnom ici, répondit Phidias. Pour lui, le monde ne s'est pas formé du hasard ni de la nécessité, c'est une intelligence pure qui a tiré du chaos des substances homogènes.

- Par tous les feux du ciel ! fit Éléna débordante de passion. J'ai rencontré un dieu ! Et la mascarade, c'est une technique de séduction ?

- Devine, fit le sculpteur. Pour quelle raison un homme peut-il bien se cacher ?

- On lui en veut ? Il a fait quelque chose de mal ? Ou...

- Ostracisme, interrompit Phidias.

- Oh ! fit-elle en sortant une poignée de fèves tendres de son panier.

- Mais que fais-tu, Éléna ? Tu ne peux pas manger des fèves, s'exclama vivement Phidias.

- Pourquoi pas ? dit-elle nonchalante.

- Ne mange pas de fèves, ne romps pas le pain, ne te regarde pas dans la glace près d'une lampe, ôtes les traces sous la marmi...

- Les règles ! J'avais oublié.

- Quelle piètre élève, se désola Phidias.

- Mais ce sont des règles bizarres, ne trouves-tu pas ?

- Ne jamais questionner les règles du maître, c'est qu'il en connaît la raison d'être.

- Et si elles n'ont pas de sens pour moi ?

- C'est que tu n'es pas mathématicienne. Tu n'auras pas accès à la connaissance.

- Tout bien réfléchi, Phidias, je préfère encore ma liberté, conclut-elle.

Elle lança une fève à son ami qui se recula avec dédain. Éléna rit de bon cœur.

- Alors, que te veut l'Intelligence ? demanda le sculpteur.

- Qu'on se retrouve au bain ce soir.

- Au bain ? Tu lui plais ! affirma-t-il. Un conseil : ne prend pas comme un mauvais éloge le sourire qu'il n'aura pas à ses lèvres.

- Que veux-tu dire ?

- L'Intelligence ne sourit jamais, par principe. Tous ses élèves se sont toujours efforcés de respecter cette pratique. C'est d'ailleurs pour ça que Périclès n'a jamais tenu salon chez lui, de peur de se prendre à rire.

- Pourquoi vous faut-il toujours des règles bizarres ? laissa tomber l'esclave.

- Eh ! Il te prendra peut-être pour concubine ? conclut Phidias, qui aimait agencer la vie des autres.

*

Aux bains, Éléna se déshabilla et entra le pied dans l'eau pour en tester la température. Elle poursuivit sa plongée dans les délices de Neptune. La peau de son corps nu réagit à la fraîcheur de l'eau, mais elle appréciait pouvoir se départir de la chaleur d'une dure journée. Elle réalisa qu'elle était seule. Alors, elle embrassa tout l'espace en tournant sur elle-même dans le bain. Elle plia les genoux jusqu'à ce que sa tête soit immergée et retint son souffle, le temps que sa poitrine ne puisse plus supporter le manque d'oxygène.

Anaxagore se dirigea promptement vers le contrôleur-propriétaire, sommeillant à son comptoir.

- As-tu fait vider le bain comme je te l'ai demandé hier ? lui souffla Anaxagore.

- Si ta paye est toujours aussi généreuse, je suis prêt à fermer plus souvent ! s'anima le contrôleur-propriétaire.

Toujours emmitouflé dans ses étoffes, Anaxagore entra dans le bain des femmes. Ne pouvant plus retenir son souffle, Éléna sortit la tête de l'eau. Elle aperçut l'Intelligence qui l'observait calmement. N'ayant pour robe que le lit mouvant de l'eau, elle eut le réflexe de se cacher la poitrine en rentrant son corps dans l'eau.

- Comment peux-tu entrer ici ? s'effraya-t-elle en pensant à la prochaine femme qui rentrerait au bain.

- Ça, c'est mon secret. Ne t'inquiète pas, rassura-t-il. À part moi, personne ne viendra.

Éléna se laissait pénétrer du regard. L'homme, silencieux, descendit lentement les marches du bain, en découvrant sa tête. Il ôta sa tunique en rentrant dans l'eau. Éléna fixait son visage. Elle posa finalement ses yeux sur les cercles d'eau ondoyant jusqu'à la statue Athéna-Nikè, aménagée en fontaine fixée sur l'un des murs du bain. L'Intelligence avançait. Les ronds encerclaient les épaules d'Éléna qu'il toucha de ses doigts fins. Il glissa sa main sur le cou et la nuque de l'esclave pour achever son parcours dans un bouquet de tendresse. Éléna ferma les yeux alors que le philosophe embrassait sa chevelure, puis ses joues, puis sa bouche.

Anaxagore était à la fois costaud et long. Ses cheveux courts et frisés s'accordaient avec son petit nez sinueux. La carrure de sa mâchoire soutenait des pommettes saillantes et un regard vif et franc, encastré dans un front qui avait épousé l'intelligence depuis toujours. Ses yeux bruns, clairs et froids semblaient représenter la réplique exacte de son âme. Cet homme inspirait confiance et donnait envie de briller par dignité. Éléna haletait. Sa peau éclatait de bonheur. Les étoiles pétillaient dans ses yeux noisette. De son regard ardent et invitant, elle inspirait à Anaxagore l'appétit de la chair. Il prit un petit récipient d'argile qui traînait sur le bord du bain et le gorgea d'eau à ras bord.

Il lança l'eau sur la statue d'Athéna-Nikè, d'où jaillissaient plusieurs longs jets de l'eau du bain.

- Je lance celle-ci pour toi, Éléna.

Ce geste faisait partie des rituels d'amour lors de soirées organisées. Il s'agissait ni plus ni moins de déclarer son désir pour une personne. Les amants pouvaient, sans trop s'enchevêtrer dans l'émotion, annoncer leurs sentiments et révéler du même souffle l'attrait pour la chair. Anaxagore tendit le petit contenant à Éléna. Elle le considéra avec intérêt et chercha les yeux de l'inconnu. Elle plongea le contenant dans l'eau et en aspergea la statue.

- Je lance celle-ci pour toi, l'Intelligence !

Il s'approcha tandis qu'elle terminait son geste.

- Tu me connais donc ? fit-il étonné.

- Non, mais j'ai un ami qui te connaît bien.

Éléna tourna sa tête vers lui ; il en profita pour lui prendre le visage et s'en rapprocher.

- La fleur de la vertu, chuchota-t-il à son oreille.

Un long baiser sombra en caresses.

*

L'Acropole débordait de festivités. La ferveur religieuse autant que nationaliste flamboyait avec ardeur dans la cité. Le cortège final avançait avec émoi. Derrière les héros du jour défilaient les magistrats, prêtres et représentants des colonies alliées. Après les citoyens venaient les étrangers. Phidias aperçut Éléna qui tentait de se frayer un passage aux côtés de son maître et de sa famille. Les musiciens et les danseurs fermaient le cortège sur des rythmes qui endiablaient la foule en délire. Les cris de joie et d'allégresse fusaient de partout. La procession attisait toujours la ferveur religieuse. Les gens grisés par la fête avançaient dans les rues parfumées de la cité. L'excitation était à son comble alors que le soleil saluait la lune en lui tirant sa révérence.

Périclès se tenait à l'avant avec ses conseillers. Sa concubine Aspasie le suivait. Anaxagore s'était faufilé dans la ville. Il portait son étoffe de lin, mais cette fois s'était revêtu d'un manteau de cuir qui, malgré ses efforts de discrétion, attirait l'attention. En effet, le soleil ardent ne présageait aucun orage. Les deux femmes de la place publique aperçurent à nouveau Anaxagore.

- Dis, l'homme au manteau, c'est lui que nous avons vu hier ? fit l'une.

- Que ne porte-t-il un agneau sur ses épaules, le pauvre ? ricana l'autre. Il fait si beau et si chaud !

La foule se dispersa. Périclès prit ses distances pour éviter que le peuple ne l'interpelle. Étonné, il aperçut son ancien conseiller sous son manteau de pluie. Il regarda le ciel sans nuage et conclut.

- Je crois qu'il va pleuvoir, envoya-t-il à sa concubine.

- C'est une prévision ? se moqua Aspasie.

- Exact, répondit-il en lui montrant discrètement Anaxagore qui s'approchait d'eux.

Le philosophe les salua finement et les rejoignit alors qu'ils s'enfonçaient dans une rue tranquille. Immédiatement les deux hommes se mirent à discuter plusieurs points cruciaux sur les guerres à venir, comme si Anaxagore agissait toujours en libre conseiller. La Grèce regorgeait de forces nouvelles, mais les trois villes principales, Athènes, Spartes et Thèbes, rivalisaient inlassablement. Périclès se demandait parfois si cette division des cités n'allait pas faire courir un jour leur pays à sa perte. L'homme d'État considéra soudain son ami.

- Qu'est-ce qui te rendrait heureux, Anaxagore ?

- Je te l'avoue à toi, mon ami : comme il me tarde de reprendre mon titre de citoyen, fit-il.

- C'est une question de temps, maintenant.

- Nos belles soirées chez Aspasie me manquent.

La concubine de Périclès, sous les couverts d'un commerce, tenait un salon où se réunissait l'élite de la cité. Philosophes, artistes, politiciens, tous fréquentaient cette maison pour l'amour du discours et pour les belles femmes venues de partout semer la beauté dans le cœur des hommes d'esprit et dans leur chair quelques frissons.

- Pourquoi n'inviterais-tu pas ta nouvelle concubine ? chuchota Périclès à Anaxagore.

- Chez vous ? répliqua-t-il surpris.

Les deux intelligences se révélèrent en murmures, d'homme à homme, des choses de l'amour.

- C'est la première fois que je rencontre une femme de qui je ressens l'amour, confia Anaxagore.

- Moi aussi, renchérit le stratège. Je ne savais pas que les femmes avaient des sentiments.

Anaxagore se retourna vers la foule et chercha des yeux sa concubine. Il s'y engouffra à nouveau. Les gens le regardaient d'un air étrange. D'une part parce que son visage caché trahissait l'exil et d'autre part parce que son manteau des jours orageux dérangeait parce qu'inadéquat. Sans égard pour sa couverture singulière, il s'enfonça dans l'abondant flot de chair pour mendier le cœur de cette femme pensante qui ravissait son esprit. Lorsqu'il la trouva, il se dirigea illico vers le maître d'Éléna en préparant sa bourse. Le Phénicien marchait d'un pas pantouflard lorsqu'il fut surpris par l'intervention d'Anaxagore.

- Phénicien ! Je te loue ton esclave pour la soirée, annonça-t-il en lui tendant quelques drachmes.

- Oh ! Non ! Mais tu es fou ! Toute une soirée ?

Anaxagore sortit plus de pièces de sa bourse. Le Phénicien considéra le montant et avec le plus grand sourire, répondit :

- Tu peux la prendre toute la nuit si tu veux. Mais toi, fit-il à Éléna, tu as une longue journée de travail demain !

Soudainement, le ciel prit une humeur orageuse. Les nuages défilèrent rapidement au-dessus de la ville qui plongea radicalement dans le gris. Le tonnerre résonna et engendra la pluie. La foule prit des directions multiples. Anaxagore regardait les gens courir sous la pluie battante. Son manteau de peau d'animal le protégeait, comme prévu. Un homme derrière une arche observait le philosophe dont l'identité était bien cuirassée.

- Comment as-tu su qu'il allait pleuvoir ? demanda Éléna au philosophe.

- Je le sais, c'est tout, se contenta-t-il de dire en la prenant par les épaules.

*

Périclès habitait une maison sobre, mais qui reflétait la qualité de son rang. Aspasie adorait l'architecture et avait insisté pour garnir l'intérieur de quelques colonnes de l'ordre corinthien. Il n'avait pu lui refuser d'exercer son esprit à mater la forme et ne fut pas déçu. Quatre colonnes soutenaient la charpente de son modeste temple aux chapiteaux ornés de feuilles d'acanthe et serti d'une succession de frises doriques. Leur demeure bien plantée dans l'euphorie triomphante de l'art s'ouvrait sur l'Acropole d'Athènes, la belle des belles. Aspasie, splendide comme toujours, habituée à recevoir, accueillit avec chaleur Anaxagore et sa concubine.

- Ici, ce n'est pas interdit de prendre la parole, rassura Aspasie.

- Il faut faire attention tout de même, interrompit Anaxagore. Les autres hommes pourraient…

Les deux femmes croisèrent leur regard.

- Pourraient quoi ? s'exclama Aspasie, en se demandant s'il allait octroyer à sa belle un tel droit.

- Rien, finit-il par dire, vous êtes libres.

Sitôt qu'Anaxagore prit place dans un lit, il cueillit une olive qu'il passa à sa bouche en enjoignant Éléna à se servir. Il la prit par le poignet, la tira doucement vers lui et l'embrassa en laissant un goût salé sur ses lèvres.

- Mais si tu n'as rien à dire d'intelligent, tu nous sers le vin.

- J'aime ton arrogance, lui répondit-elle.

L'orgueil d'Anaxagore en fut flatté. Aspasie tenait une amphore pleine. Éléna offrit son aide et versa le vin pour le mélanger à l'eau dans le cratère. Lorsque le vin fut coupé, elle le servit. Une rumeur montait de l'entrée. Périclès entra dans la pièce avec des convives qui blaguaient sur les derniers jeux en jouant avec les mots. Socrate pénétra le premier avec son air jovial et sa panse épanouie ; il avait la barbe orgueilleuse et frisée comme ses cheveux. Le regard franc, l'ironie leste, il pouvait se faire autant d'ennemis que d'amis.

Anaxagore fut content de voir son ancien élève, Archélaos, devenu enseignant, ami, et amant de Socrate. Il se sentait déjà reconnaissant envers Périclès pour cette soirée qui le retrempait dans cet incomparable bain culturel. Aspasie arriva avec Hérodote à son bras. Ce grand historien digne de ce nom attirait sympathie et confidence. Voyageur et raconteur émérite, il trouvait en tout une occasion d'expliquer le cours des choses. Apparut le tragédien Euripide, aussi élève d'Anaxagore.

- Tiens, une esclave spartiate parmi nous, observa Hérodote en regardant Éléna.

- Je te présente Éléna, fit Anaxagore d'un ton protecteur.

- On présente les esclaves maintenant ? railla Archélaos.

- Archélaos, reprocha Anaxagore doucement.

Les autres invités rirent avec Archélaos tandis qu'Anaxagore sentit un léger malaise chez Éléna. Périclès intervint habilement. Il invita les convives à se coucher sur les divans pour apaiser les esprits. Les teintes neutres des murs de pierre, les poteries de terre, les olives offertes dans les vases et le mobilier écru ne parvinrent pas à solliciter la moindre affabilité. Le vin captivait le palais. En définitive, l'intérêt de cette soirée tenait au piquant de la dialectique. Les hommes ne prêtaient plus attention aux femmes. D'un commun accord, elles servirent à boire en riant.

- Il y a longtemps que tu es à Athènes ? demanda Aspasie à Éléna.

- Aussi longtemps que je puisse me souvenir. J'avais six ans. J'étais orpheline. Et toi ?

Les hommes s'agitaient. Leurs voix portaient comme dans une immense caverne.

- Je suis née ici, dit Aspasie dans le chahut.

- Alors, Socrate, Archélaos, votre complicité ne connaît aucune défaillance ? fit Euripide sans détour. Vous ne vous séparez plus depuis quelque temps.

- Complicité, connivence, harmonie, concert, accord, tout nous ramène toujours au même son, rétorqua Archélaos rieur.

- Ainsi la vie va comme elle se montre. On apprend toujours d'elle en la regardant sous tous ses angles… dit Socrate avec de la suite dans les idées.

- …qui résonnent et se propagent, rajouta Archélaos, entiché de son thème.

- Le son, toujours le son, interligna Périclès.

- Moi, j'entends les chœurs, dit Euripide. Comme quoi, l'angle de vie se montre selon nos intérêts particuliers. Peut-on affirmer que ce que je dis est vraiment ce que je veux savoir ?

- On peut dire cela. C'est toi et toujours rien que toi que tu découvres, lança Socrate.

Anaxagore lança un regard tendre à Éléna, qui le lui rendit tout en gorgeant son verre.

- Alors, entama Socrate, nos vainqueurs des derniers jeux sont-ils plus forts que Zeus ?

- Je crois que la force est plus éprouvée lorsqu'elle fait ressortir l'intelligence que la rapidité du corps, répondit le sage Anaxagore.

- Mais la question de savoir si un homme ou un surhomme peut surpasser un dieu demeure toujours pertinente, fit Euripide.

- D'abord, est-ce que le dieu est un surhomme ou un créateur ? réfuta Hérodote.

- Le dieu qui crée doit être une intelligence, affirma Anaxagore convaincu, alors seulement, je dirais qu'il peut créer.

- C'est dire qu'un homme intelligent est dieu ? rétorqua Socrate.

- On pourrait le dire, continua Anaxagore.

- Alors es-tu en train d'affirmer que dieu peut être l'égal de l'homme ? renchérit Archélaos.

- Seulement si l'homme est capable d'une intelligence aussi poussée que celle d'un dieu, nuança Anaxagore.

- Et comment peut-on mesurer le degré d'intelligence de l'homme ? fit Hérodote souhaitant qu'un des hommes puisse avoir réponse.

- Si Zeus se présente devant toi, Euripide, lui demanda Socrate à brûle-pourpoint, quels sont tes premiers mots ?

- Ceux d'Oreste : « Les dieux ont pour moi des trésors de souffrance. »[2]

- Et pour toi, Anaxagore ? continua Socrate.

- Je le regarde et je me vois, fit-il sans complaisance.

- Moi, je lui demande d'où il vient, enchaîna Hérodote.

- Récapitulons : pour Euripide, dieu est tragédie, pour Anaxagore, il est le reflet de l'homme, pour Hérodote, une source inconnue, pour moi, il serait une onde. Et dieu pourrait-il être à la fois tout cela ? proposa Archélaos.

- S'il était intelligence, il pourrait être tout. Chacun de nous serait une parcelle, un angle de sa vie. Mais personne ne semble ici être égal en intelligence, conclut Socrate.

- Si nous ne sommes pas égaux entre nous, y a-t-il un homme qui est l'égal des dieux ? poussa Hérodote.

La question demeura en suspens. Éléna s'arrêta de verser le vin dans le verre d'Hérodote et regarda Anaxagore qui réfléchissait à cette dernière proposition. Aspasie déposa des fruits et des olives sur les tables. Hérodote attendait avec son verre de vin dans les airs et fit un signe d'impatience à Éléna, qui fit jaillir le vin à foison.

- Toi, Périclès, que penses-tu du pouvoir de nos dieux ? demanda Anaxagore.

- Je suis un stratège, fit humblement Périclès, mais je suis incapable de savoir ce que les dieux ont derrière la tête.

Tout le monde rit.

- Moi, largua Éléna avant même qu'elle ne s'en aperçut elle-même, je n'ai encore jamais rencontré Zeus en personne pour savoir s'il est l'égal de l'homme ou de la femme. Et vous ?

Un silence de mort sombra dans la pièce. Tous les regards se tournèrent vers Éléna qui les affronta sans broncher. Aspasie se sentit soudainement confuse et se réfugia auprès de Périclès.

- Pure provocation, scanda Euripide.

- Les dieux vous sont aussi inconnus que les femmes. Vous ne pouvez pas savoir ce que nous avons derrière la tête, fit-elle railleuse.

- Si tant est qu'elles en ont une, par Thésée ! rétorqua Archélaos.

- Qui est cette femme ? fit Hérodote intrigué.

- Demandons à notre bon ami Anaxagore, dit Socrate.

Anaxagore ne dit rien. Il prit un verre d'une main puis la cruche de vin de l'autre. Il se servit une portion et humecta ses lèvres, savoura ce cru devant une audience muette et impatiente. Il s'amusa, pendant de lentes secondes, à tremper son regard dans chacun des yeux qui le fixaient à l'affût d'une réponse intelligente. Instructeur et ami de Périclès, Anaxagore avait toujours eu le don inné de ne pas alimenter la querelle, malgré les conflits apparents. Rien ne pouvait arriver à Éléna. Pas la moindre égratignure sur son âme. Anaxagore veillerait sur sa réputation. Après avoir ainsi calmé les préjugés, il lança le vin au milieu de la table, sur la statue d'Athéna qui portait un seau évasé au bout de ses bras de déesse.

- Je lance celle-ci à Éléna, dit-il enfin.

On entendit un sourd tumulte d'étonnement. Archélaos et Hérodote laissèrent échapper un ululement malgré eux. Socrate fut surpris par le choix de son comparse, qu'il croyait impardonnable à l'endroit des Spartiates. Périclès demeurait sérieux, Euripide indifférent.

- Buvons, messieurs ! Buvons à cette nouvelle conquête ! s'exclama finalement Socrate enthousiaste de voir qu'une nouvelle polémique cherchait une potence.

On frappa à la porte. Aspasie alla ouvrir, heureuse de pouvoir échapper, l'espace d'un instant, à cette échauffourée. Phidias apparut dans le cadre de porte avec d'autres joyeux lurons.

- Ah ! Phidias ! Le grand maître de la beauté parfaite ! fit Euripide admiratif.

- On n'est pas trop en retard, j'espère ? s'inquiéta soudain Phidias en s'adressant à tout le monde.

- L'essentiel, dans l'histoire, c'est de faire son entrée, s'amusa Hérodote.

Les uns s'assirent, les autres se couchèrent, mais tout le monde tendit son verre pour goûter le vin de la maison. C'était jour de fête et les âmes s'en réjouissaient. La présence exceptionnelle d'Anaxagore réchauffait les cœurs. Presque dix ans d'exil. Le cœur de la culture grecque se situant à Athènes, il n'avait pu épancher sa science en si bonne compagnie depuis longtemps. Mais son orgueil lui commandait de faire comme s'il n'avait rien manqué. Les musiciens entonnèrent un air et les danseurs exaltèrent l'espace de la maisonnée plongée dans une douce euphorie. Dans ce flot d'esprits éloquents, Chronos organisait Chaos, tant et si bien que l'aurore frappa sans prévenir. Phidias avait bien bu. Il se leva pour dégourdir ses jambes et s'étirer les bras.

- Ah ! Le bon vin et l'or sont sources de bonheur, dit-il.

- Lorsque tu te lèves, ne laisse pas l'empreinte de ton corps sur ton lit, chuchota Éléna.

- Quoi ? répliqua Phidias, qui n'était pas certain d'avoir bien entendu.

- Lorsque tu te lèves, ne laisse pas l'empreinte de ton corps sur ton lit, répéta-t-elle plus fort.

Phidias lui jeta un regard lourd et lui fit signe de se taire. Socrate se tourna vers Éléna, curieux.

- D'où tiens-tu cette maxime ? demanda le philosophe pantois.

- Ce n'est pas une maxime, rétorqua-t-elle, c'est une règle.

- Il est clair pour moi que tu récites une règle, mais qui te l'a enseignée ? insista Socrate.

- Mais ne vous en faites pas, je ne connais pas le dernier théorème de Pythagore, alors, personne ne va mourir pour avoir révélé ses secrets.

Phidias se composa un regard mi-menaçant, mi-implorant. Éléna comprit qu'elle avait déjà trop parlé. Dommage, elle commençait à s'amuser. Or, Socrate renchérit.

- Pourquoi dis-tu ça ? fit-il mi-amusé, mi-inquiet.

- On dit que celui qui révélera le secret de son dernier théorème sera puni. Seuls les mathématiciens initiés peuvent détenir le savoir.

- Superstition ! cracha Anaxagore prompt à s'insurger devant cette vulgaire propagande contre l'intelligence de l'homme.

Tous se turent. Anaxagore regarda froidement son assistance. Il savait que la philosophie ne pouvait pas répondre à l'expérience de dieu, il savait que l'intelligence universelle existait, mais que sa manifestation plus ou moins parfaite dépendait de la qualité de l'homme lui-même. Son orgueil l'empêchait simplement d'admettre publiquement que même lui n'avait pas toutes les capacités pour en comprendre les rouages.

- Alors, l'Intelligence va parler ? le nargua Phidias sur la défensive.

- Si les hommes considéraient les dieux comme une intelligence, ils y verraient leur égal plutôt que de chercher à le réduire à des pouvoirs magiques. Ils n'auraient pas de superstitions. Que sont ces craintes inutiles et écrasantes pour l'homme ? s'emporta-t-il.

- Je ne peux pas croire qu'une force abstraite régit nos cœurs et nos souffrances ! se révolta Phidias.

- La philosophie, poursuivit Anaxagore, a pour but de dissiper l'ignorance face à l'inexplicable. Est-ce de l'impiété que de souhaiter voir l'homme égal à Dieu ? La grandeur de tes créations, l'ampleur de ton talent font de toi un être d'exception.

- C'est l'histoire qui s'écrit, songea tout haut Hérodote.

- Mais les souffrances que te font vivre tes règles de vie viennent de ce que tu n'as jamais osé contester ces règles. Ne t'es-tu pas demandé, comme Socrate, si tous ces rituels étaient nécessaires ? jeta Anaxagore.

- La nécessité, interrompit Socrate, devrait donc nous ramener au cœur de l'homme, pour cesser de considérer le surhomme ou le dieu ?

- La nécessité est la première limite de l'homme et dieu ne peut rien y faire, si l'homme ne développe pas lui-même sa propre intelligence pour y contrevenir, affirma Anaxagore.

- Développer ta propre intelligence, cela ne fait-il pas de toi un impie ? renchérit Socrate.

- On m'a banni de la cité, commença Anaxagore, parce que je n'ai pas le vice de croire.

- On dit que tout un peuple fut exilé d'Égypte à cause d'un dieu, un peuple entier ! renchérit Euripide.

- Foutaise ! J'y suis allé, fit remarquer Hérodote, je n'ai jamais entendu la moindre vague à ce sujet. Pas même l'ombre d'un soi-disant peuple juif.

- Si nous revenions à notre ami, sollicita Socrate.

- Outre mon impiété, les Athéniens m'ont reproché avoir affirmé que le soleil était une pierre incandescente et la lune une terre. Dix ans d'exil pour avoir enlevé du pouvoir à nos dieux. Or si moi j'affirme sans l'ombre d'un doute qu'un dieu est de l'intelligence, cela fait de moi le plus religieux d'entre vous tous ! Car vous en doutez.

Tous les yeux restaient fixés sur Anaxagore. Socrate cherchait une répartie qui ne venait plus. Hérodote venait de comprendre le sens profond de l'impiété. Euripide se demandait si la fête se terminerait en tragédie. Archélaos fut impressionné par son vieux pédagogue. Aspasie, assise auprès de Périclès, admirait l'ancien conseiller. Le chef de la cité considérait son ami avec grandeur d'âme. Avec étonnement, Éléna regardait Phidias détester tout bas Anaxagore. Seul le silence pouvait unir toutes les contradictions en cet instant aggravé par les propos du sage.

Au bout de plusieurs heures de fête, les hommes, affaissés dans leur divan, riaient goulûment. Leurs esprits rompus par les élixirs du raisin se mirent à railler sur certaines anecdotes grivoises. Les femmes continuaient de les servir mais garnirent les tables avec plus de nourriture que de vin.

- Je lance celle-ci à Sappho ! commença Hérodote.

- Je lance celle-ci à la déesse même, Athéna-Niké, poursuivit Euripide déconfit par l'alcool.

Socrate, dans un élan intime, décocha une flèche trahissant son inclinaison mi-déclarée.

- Vous dirai-je à qui je lance celle-ci ? souffla-t-il avec une légère retenue.

Les deux femmes regardaient la scène mi-amusées. Elles connaissaient les amourettes hors mariage de Socrate avec Archélaos qui en avait les yeux hagards.

- Louons les nobles sentiments des femmes ! proposa l'Intelligence, qui avait tout de même bu.

Un silence colla au plafond et alourdit l'atmosphère. Les yeux s'entrechoquèrent sur les frasques d'Anaxagore. Les deux femmes relevèrent la tête pour observer la réaction. Aspasie était gênée, Éléna fière. La quiétude balbutia avant que ne tombe lourdement sur lui la réflexion de Socrate :

- Irons-nous vraiment jusque là ?

Piquée, Éléna se leva d'un bond.

- « Insensés, qui nous emportons contre Zeus follement. Assis à l'écart, il ne s'en inquiète ; car il affirme qu'entre les dieux immortels, par la puissance, il l'emporte nettement. Ainsi, supportez les maux qu'il vous envoie à chacun. »[3]

Tous les hommes restèrent bouche bée.

- Je... Mais je rêve ? Une femme qui récite Homère ! s'écria Euripide.

- Une esclave spartiate récitant le plus grand poète athénien ? fit Hérodote prenant note de ce paradoxe social.

- Les Athéniennes sont bien trop dociles pour égaler leurs hommes, rétorqua Éléna.

- Par Asclépios, soignez-moi ! renchérit Archélaos.

- Tu te mesures à des hommes semi-intelligents, dit Socrate cherchant à ranimer à tout le moins une ombre de la sagesse ou de dignité qui noierait les flammes de l'ivresse.

- Oui ! s'empressa d'ajouter Euripide. Oserais-tu revenir en plein milieu du jour alors que nous aurons recouvré nos esprits ?

- Je n'ai pas peur de l'intelligence des hommes, répliqua Éléna, ce sont leurs limites que je crains.

Aspasie fut surprise par la répartie acidulée de la Spartiate. Anaxagore prit son verre et y versa du vin. Périclès demeurait silencieux en observant sentencieusement la galerie. On frappa la porte.

- Police !

Périclès se tourna brusquement vers Anaxagore. Tous les yeux se rivèrent sur l'exilé, se doutant qu'une menace le guettait. Aspasie se précipita sur lui, l'empoigna et l'entraîna hors du salon.

- Ce sera une fin tragique, conclut Euripide.

Éléna les suivit. Périclès répondit à la porte et les convives entendirent le tumulte venir vers eux. Six policiers entrèrent dans la maison. Les autres attendaient dans les rues désertes de la cité. Éléna courait en appelant Anaxagore. De ses muscles agiles, elle accéléra la cadence et rejoint ainsi rapidement les deux autres.

- Attends-moi, je veux partir avec toi, s'écria-t-elle.

- Tu ne peux pas, fit-il en se retournant.

- Dépêchez-vous, leur conseillait Aspasie.

Ils parvinrent aux chambres des esclaves puis s'élancèrent vers la grande cuisine.

- Fuyez, par là, dit Aspasie en montrant le toit de la cuisine.

- Tu ne peux pas venir, fit Anaxagore, je t'ai loué pour la nuit au Phénicien.

- Alors loue-moi pour la semaine.

- Éléna, ce n'est pas le moment, pressa Aspasie.

- Je viens avec toi, que tu le veuilles ou non, insista-t-elle.

- À tes risques.

Anaxagore poussa Éléna vers le toit ouvert où elle disparut. Aspasie offrit une chaise sur laquelle le philosophe put monter.

- À très bientôt. Merci pour cette soirée mémorable.

- Va-t'en maintenant !

Anaxagore disparut vers le ciel. Aspasie sourit à cette idée. Les policiers arrivèrent dans la cuisine à ce moment. Elle feint de préparer des plats pour ses convives. Pour rompre la stupeur de l'atmosphère, Périclès pressa les artistes de venir faire un numéro.

- Musiciens ! Danseurs ! dit-il.

Les musiciens et les danseurs vinrent reconstruire l'esprit festif des jours exceptionnels. Périclès s'assit et Aspasie vint le rejoindre. Il se servit à boire pour attiédir son inconfort. Aspasie tendit du raisin à Périclès.

- L'élévation de nos esprits, dit-elle, la grandeur de notre art, la beauté de nos hommes de lettres et de science, l'éclat de nos philosophes dans toute la Grèce, je me demande comment il se fait que notre système de justice soit incapable d'atteindre ce point de perfection.

Périclès but une gorgée de vin. Aspasie l'admira. Un visage ovale habité par des traits parfaits, vraiment parfaits. Mais cette tête en forme d'oignon, se disait Aspasie, comme cela surprenait lorsqu'il ôtait son casque ! Oui, il y a toujours quelque chose qui corrompt la beauté mais, tout compte fait, cette tête ne faisait-elle pas partie intégrante de l'équilibre de Périclès ? Les policiers terminèrent leurs fouilles et quittèrent la maison bredouilles.

- Somme toute, conclut Euripide, ce n'est pas une tragédie.

- Tant que les hommes sont capables de supporter les injustices qui leur sont faites, ils n'en souffrent pas trop, n'est-ce pas ? lança Périclès encore attristé par le départ d'Anaxagore.

- Tout est question d'harmonie, laissa tomber Archélaos en terminant son verre. Les sons, toujours les sons !

Il voulut déposer son verre sur la table, mais il tomba sur le sol. L'éclat sourd qui brisa l'harmonie, tout en créant un autre son, amusa les convives.

*

Étendus sur le dos, Anaxagore et Éléna contemplaient le ciel et s'abandonnaient à l'immensité que leur proposait le firmament. Anaxagore se retourna vers sa concubine.

- La fleur de la vertu, lui chuchota-t-il à l'oreille.

Il caressa le visage d'Éléna et l'embrassa.

- L'Intelligence, se moqua doucement Éléna en parlant d'Anaxagore.

Elle sourit, il resta froid, comme si elle venait de blesser son amour-propre.

- L'intelligence, fit Anaxagore, j'en suis convaincu est un attribut universel accessible à tous.

- Et celui qui forme l'intelligence des citoyens doit-il périr au nom de ce principe ? laissa tomber Éléna. Pourquoi le bannir, s'il est bon pour la cité ? Et toi, pourquoi t'avoir chassé d'Athènes, si tu étais un bon sujet ?

Le vent se leva sur la montagne. Les herbes se soumettaient à cette force élémentaire sans négocier. Éléna s'assit et plaça ses bras derrière elle, en accoudoir. Elle se tourna vers Anaxagore.

- Et les femmes, Anaxagore, dit-elle, elles ne représentent rien dans le monde que vous avez bâti ?

- L'homme trouvera un jour comment accorder la paix sociale à la liberté d'esprit des hommes et des femmes.

- Il me plaît le halo de mystère que tu t'efforces de faire planer autour de toi. Comment fais-tu pour être engagé dans la cité et en même temps donner l'impression que tu n'es pas avec nous ?

Anaxagore expira en souriant. Touché par la question, il sentit une vague d'émotions dans son abdomen. Une cascade de rire s'empara de lui. Éléna se rappela soudain la remarque de Phidias au sujet de l'austérité esthétique d'Anaxagore. Elle fut émue de pouvoir entendre rire un homme qui avait toujours retenu ce plaisir, au nom de l'autorité. Peut-être se sentait-il bien auprès d'elle, peut-être pourrait-il la louer au Phénicien pour un temps indéterminé ou même l'acheter.

- Un jour, dit enfin Anaxagore après une longue rivière d'hilarités, un ami m'a dit : Tu n'aimes pas assez ta patrie. Ma patrie ? lui ai-je répondu. J'adore ma patrie.

Il montra du doigt le firmament. Éléna sourit et Anaxagore la regarda tendrement.

- Et toi, demanda-t-il, d'où viens-tu ?

Éléna sortit de son pan la pièce de monnaie qu'elle avait trouvée.

- Je ne sais pas d'où je viens, mais je sais jusqu'où je peux aller, répondit-elle en souriant.

UNE JOUTE CONTRE LE DESTIN

- Quand on a besoin de lui, toujours il disparaît !

Confortablement installée à l'ordinateur, Nina s'interrogeait, en quête du mot juste.

- Ce mot et pas un autre ! Je sais qu'il existe et tu vas me le donner ! ordonna-t-elle.

Nina parlait constamment avec son esprit. Clara l'appelait l'Intelligence. Peu importait son nom, pourvu qu'il fournisse les bonnes indications, mais combien il fallait le remuer parfois pour les obtenir ! Nina entendit Clara : une information juste est une information vraie. Elle sourit au son de cette voix qui commençait à lui manquer. Et elle revint à ce mot.

- Pourquoi fais-tu de l'obstruction ? reprocha-t-elle à son esprit.

Elle devait publier son prochain roman dans deux mois. Quel retard !

- C'est peut-être moi qui ai du mal à m'ajuster, admit-elle. Avec ces événements fous !

Elle sirotait son café lorsque le téléphone cellulaire sonna. Nina chercha l'appareil autour d'elle.

- Toujours il disparaît quand on a besoin de lui ! répéta-t-elle excédée. Trouve ce sacré téléphone !

Et l'appareil lui apparut, comme une fée dans un nuage, sur sa chaise suspendue.

- Décidément, mes synapses sont sales ! Oui ? Non, Raphaëlle, tu ne me déranges pas.

- Nina, je n'y ai pas pensé avant, mais il y a un élément très important dont je dois te parler.

- De quoi s'agit-il ? répliqua Nina, prête à prendre des notes.

- Clara avait développé chez elle un appareil clé qui se trouve actuellement au labo. C'est une petite boîte noire...

- Une boîte noire? nota Nina.

- Oui, elle sert à – enfin, peu importe pour toi. Tout ce que je peux te dire, c'est que Clara s'est toujours gardée d'en faire connaître les plans.

- Attends ! Cette invention, si je comprends bien, pourrait appartenir entièrement à Clara ?

- C'est exact.

- Alors il nous faut la récupérer au plus vite ! renchérit Nina, stimulée par un nouvel espoir.

- Avant que d'autres ne le fassent, je le crains !

Elles se fixèrent un point de rencontre et Raphaëlle évaluerait le meilleur moment pour effectuer l'opération. Nina se sentit satisfaite du déroulement ; la vraie justice suit son cours, pensa-t-elle.

La romancière fila chez Michaël. Elle gara sa voiture pourpre sport, et sortit pour composer le code. La porte en fer forgé se soumit. Nina remonta à bord et roula lentement jusqu'à la maison. Michaël, qui l'avait vue entrer, vint à sa rencontre. Ils se rendirent à la cuisine.

- Où sont Annie et ta belle-mère ?

- À l'hôpital.

- Alors, quelles nouvelles ?

- Par où veux-tu que je commence ? L'état de Clara est stationnaire, mais le docteur reste optimiste. Quant à notre affaire, les choses se confirment dans le mauvais sens. J'ai eu un contact qui m'a permis d'accélérer le processus de notre demande. Il semble qu'elle sera refusée.

- Refusée ? répéta Nina interloquée.

- Quelqu'un nous a devancés.

- Le docteur Mathieu ! Ah ! Je savais bien que…

- Ne dis rien surtout ! s'écria Michaël. Il détiendrait maintenant tous les droits sur la matrice.

- Il n'y a pas de justice, Michaël ! Pas de justice !

- Bon sang, Nina ! renchérit Michaël.

- Tout n'est pas perdu, mon chéri. Raphaëlle m'a parlé d'une pièce clé que nous allons récupérer.

- Et alors ? interrogea Michaël pour s'assurer de bien comprendre.

- Alors ? Attends. Te souviens-tu, les expérimentations que Clara pratiquait au sous-sol avec l'héritage de son oncle ? Elle a créé cette boîte maîtresse à ses frais. Nous allons pouvoir la faire breveter séparément !

- Ah ! Ça ! s'exclama Michaël. C'est une bonne nouvelle !

- Je ne te le fais pas dire !

Ils éclatèrent de rire.

- Et pourquoi cette pièce est-elle si importante ? demanda le psychiatre qui reprenait son calme.

- Je n'ai pas trop de détails, mais une chose est claire : elle appartiendrait exclusivement à Clara !

- C'est le retour du pendule, exulta Michaël sans retenue.

- Mais nous devons agir au plus vite !

Michaël s'assombrit à nouveau. Il se sentait trahi par le docteur.

- Comment un homme si avenant qu'Alain en arrive-t-il à éjecter toute une équipe, rien que pour s'approprier d'une invention ? poursuivit-il tout haut. Il avait un département comblé d'histoires à succès. Pourquoi dévier de cette rectitude ? Ce manque d'intégrité me surprend.

- On ne sait pas la voie qu'il a emprunté pour obtenir ce succès, laissa tomber placidement Nina.

- Tu as sans doute raison, dit-il sans conviction.

- Allez ! Maintenant, tu vas m'aider. On va nettoyer le sous-sol. Il nous faut le vider de toute trace de description des plans ou de maquettes de cette invention.

La vie avait été pour le moins cruelle ces derniers temps. Ce répit n'était pas sans déplaire au psychiatre dont le quotidien stable avait été ébranlé.

- Toi, tu vas me chercher des boîtes – ce que tu trouves pour déménager toutes ses choses. Pendant ce temps, moi, je vais commencer à faire le tri, organisa Nina.

Elle s'activa vers la cave où elle dut affronter un désordre digne des grands chercheurs. Nina manipulait les choses avec attention. Tout ce qui concernait de près ou de loin cette boîte noire devait être évacué. Michaël se présenta équipé de divers contenants.

- Parfait, fit Nina. Ça, fit-elle en pointant des objets hétéroclites, tu peux tout de suite les ranger.

Le mari de Clara commença à disposer les instruments, bouts de métal convaincants, plans, croquis et tutti quanti dans des boîtes qu'il bourrait de journal. En rangeant les cartons, il réalisa soudain la chance d'avoir Nina dans leur vie et la considéra sans arrêter son travail. Elle était concentrée. Probablement, se dit Michaël, son intuition lui permettait-elle de distinguer, dans ce fouillis, les bonnes pièces des éléments inutiles.

- Pourquoi est-ce que fais-tu tout ça, Nina ? demanda Michaël à brûle-pourpoint.

Nina pensa à Clara et se sentit soudain coupable de l'avoir si souvent contrariée dans le cheminement de ses expérimentations ; elle avait l'impression qu'elle lui devait des excuses pour cette intransigeance. Pourtant jamais Clara n'agissait contre ses convictions.

- N'as-tu jamais eu l'impression de faire partie d'une expérimentation plus vaste que ta vie, mais qui touche aussi directement ta qualité de personne ?

Michaël rit. C'était du Nina pur ! Nina le regarda rire avec une douce complicité. Elle savait ce qu'il pensait d'elle.

- Euh, Nina, commença-t-il frileusement. Tu sais pour l'âme sœur… Un détail me titille. Comment peut-on avoir une âme sœur chacun, si tous n'étaient pas là, dès le départ ? Je veux dire, logiquement les milliards de personnes aujourd'hui ne peuvent pas toutes avoir une âme sœur ?

- C'est exact, envoya Nina.

- Et pourquoi seulement certains auraient ce privilège ?

- D'abord ce n'est pas un privilège, c'est quelque chose qui s'est produit comme ça, c'est tout. En fait, ta question nous ramène à l'époque de la civilisation Atlante. Tu connais ?

- Bof, peut-être, parachuta Michaël.

- Lorsque, à la fin de cette civilisation passée, les êtres spéculèrent avec les énergies du cristal, ils ont créé nombre de séismes dans l'univers local dont les répercussions furent énormes. L'une d'entre elles fut la perte de l'androgynie chez ces êtres de haut niveau de conscience. La gestion interne mâle-femelle leur fut retirée. Par la suite, ces âmes sont revenues sur terre avec une polarité sexuelle, forcées de s'accoupler pour refaire le cycle terrestre et réparer leur faute.

- Mais ça n'a rien d'anormal. Les animaux font pareil ! objecta Michaël.

- C'était anormal pour eux. Et le plus douloureux fut encore la rupture avec leur source d'intelligence. Le noir s'est progressivement installé dans leur conscience.

- Et cette inconscience, ce n'est plus anormal ?

- C'est tout aussi grave, mais leur conscience amoindrie ne peut plus toujours en rendre compte. Et ils croient ça normal. Donc, à la première incarnation suivant le désastre, poursuivit Nina, chaque corps soumis à cet instinct de perpétuer la race fut donc forcé de s'accoupler à une autre personne. Et la première personne avec qui nous nous sommes lié serait notre âme sœur. C'est elle que nous recherchons vie après vie pour reconstituer notre androgynie perdue.

- Reconstituer notre androgynie, pourquoi faire ? C'est bien mieux comme ça, se moqua Michaël.

- Crois-tu ? continua Nina. Pourtant ces premières rencontres ont provoqué chez les Atlantes la programmation d'une dépendance affective, le besoin constant d'unir les deux pôles comme ils l'étaient à l'intérieur d'une seule personne autrefois. Cette dépendance engendra l'insécurité affective. Or, cette union entre deux personnes ne pourra jamais parvenir à reconstituer l'androgynie, elle en donne seulement l'impression par moment. De là est né le besoin de chercher cette personne qui nous a rassurée la première fois.

- Rassurée de quoi ? demanda Michaël.

- De la perte de l'esprit ! Lorsque tout a sauté, nous avons perdu contact avec notre esprit. Depuis, nous n'avons plus le contrôle sur l'animalité liée à la vibration planétaire.

- Ça signifie qu'aussitôt rebranché à son esprit, un Atlante redevient androgyne ? déduisit-il.

- En quelque sorte. Évidemment, au niveau physique, les changements s'effectuent lentement, mais c'est ce qui devrait se produire.

- Ce que tu dis, Nina, résuma Michaël, c'est que tous ceux qui ont vécu du temps des Atlantes ont une âme sœur et que les autres n'en ont pas ?

- Exact, fit Nina le plus sérieusement du monde.

- Selon toute logique, la première question serait : étions-nous des Atlantes ? conclut-il.

- Ah ! Voilà qui est pertinent !

- Mais d'où tiens-tu toute cette connaissance ? jeta Michaël.

- Allez, je file, se hâta-t-elle pour éviter une réponse.

Elle embrassa Michaël fraternellement.

- Eh bien, tu n'es pas si obtus finalement, lança-t-elle en montant l'escalier avec des boîtes.

Elle laissa derrière elle un homme sourcillant.

- Obtus, répéta Michaël, moi ? Hé ! Tu viens de me traiter de sot, là, fit-il en la rattrapant.

Ils bourrèrent la voiture de Nina qui transporterait en lieu sûr les restes précieux de l'invention.

*

Tout se déroulait à la seconde près. William montait les escaliers vers le département de biophysique. Il avait dû à plusieurs reprises utiliser les codes d'accès fournis par Stewart.

Vêtu d'un survêtement de concierge bleu marine pourvu d'un insigne sur la poitrine, l'homme mince portait un trousseau de clés à la ceinture et transportait un équipement d'entretien. Il vit Olivier sortir du département et verrouiller la porte. William le salua de loin et, dès qu'il disparut, se lança dans le hall du département. Parvenu à la porte, il se ganta du latex et apposa le faux pouce sur la plaque. La barrière s'ouvrit et il passa sans problème. Lorsque la porte du département se referma sur lui, la caméra de surveillance le perdit dans le labo, avec son attirail.

Tel que défini par Stewart, il aperçut un local attenant, portant le numéro C-428. Là devait se trouver la boîte noire. William sonda le code de la porte, fit plusieurs essais jusqu'au déclic final. Avec promptitude, il l'ouvrit et aussitôt se retrouva devant le coffre : vingt-deux heures sept.

Il sortit de sa veste un décodeur qu'il fixa sur le coffre-fort, ausculta cette lourde caisse, aligna les huit chiffres, les uns après les autres et sentit les signes de sa vulnérabilité. Il l'ouvrit et brossa l'intérieur avec sa lampe de poche.

Rien.

- Mais qu'est-ce que c'est que ça ? grogna-t-il encore accroupi.

Devant l'énigme du vide, William referma le coffre sans demander son reste. Il se releva et, immobile dans la pièce sombre, réfléchit. Il voulait éviter une chose : repartir bredouille. Comme un chat, il sortit de ce local stérile. Il aperçut la salle des matrices derrière la vitre du labo et s'en approcha. Stewart ne lui avait jamais parlé de ce mur qui séparait les deux pièces. Il se demanda si la boîte noire ne pouvait pas être quelque part, là. L'homme balaya les matrices de sa lampe de poche, considéra les mécanismes de sécurité, aperçut l'antichambre par laquelle il devait passer et mesura le risque encouru. La carte du stagiaire expirait dans exactement seize minutes.

- Pas assez de temps ! pesta-t-il.

En retournant sa tête vers le labo, il aperçut un ordinateur scellé sous cadenas dans une cage de Plexiglas. L'espoir ranima William. Il s'avança.

- L'ordinateur de Clara Miles ! se dit-il satisfait. Elle doit bien avoir laissé des plans quelque part !

Il n'en fit qu'une bouchée. Il retira prestement le disque dur et sans bruit l'enfouit dans l'énorme sac de toile sur roulettes. Il remit le cadenas en place et sortit du labo.

*

Totalement sourd au va-et-vient de la rue, William fixait l'écran. Depuis plusieurs jours, il tentait de soutirer des perles de l'ordinateur de Clara. Il dut se rendre à l'évidence : il n'y avait rien sur la boîte noire. Pas de plans, pas de mots clés. Rien du tout. Cette scientifique avait eu l'astuce de ne laisser aucune trace de son invention. Maussade, William se leva et tourna en rond dans sa chambre louée. De fait, il en avait assez de cette pièce sordide. Mais la discrétion l'obligeait à se résigner. Et ce Stewart qui n'avait pas pu en savoir plus sur la boîte noire, quelle mauvaise synchronisation !

- J'aurais dû y aller moi-même, comme je l'avais planifié au début, lança-t-il agressivement.

Il revint à sa chaise, pianota sur quelques touches. À tout le moins, Zimmer allait pouvoir reconstituer la matrice, bien qu'il n'ait pas encore la boîte noire. Il découvrit aussi les noms de quelques fournisseurs d'équipement.

- Christophe Lanthier, fournisseur. Bon, conclut-il, une trentaine de noms.

William prit son imperméable et se lança dehors. Il faisait gris. Toujours, pensa-t-il, les jours sales pour les mauvaises journées.

Il traversa le trottoir en quête d'un téléphone public qu'il n'avait pas encore utilisé et marcha pendant une demi-heure sans s'en apercevoir. Son humeur l'avait dominé. Ses émotions ne devaient pas prendre le dessus ! Il s'arrêta net, scruta les environs, prit le temps de humer l'air ambiant de la montagne. C'était apaisant.

- Une montagne dans une ville, c'est vraiment parfait, expira-t-il doucement.

Reprenant le contrôle de son esprit, il redevint apte à trouver d'autres issues possibles.

- Raphaëlle Ducharme.

Le vent brassait sa chevelure châtaine mi-longue. Son teint légèrement basané faisait fi du temps gris. Une nouvelle lumière ranima sa pupille. Il aperçut une cabine téléphonique.

- C'est William, annonça-t-il à la secrétaire de Zimmer.

Quelques secondes plus tard, il eut le patron au bout du fil.

- Aucune trace de plan de la boîte noire nulle part. Rien dans le disque dur du docteur.

Zimmer écoutait sans rien dire. William aurait souhaité lui offrir une autre réponse.

- Tous les plans détaillés de la matice y sont, mentionna-t-il.

- Nous les avons. Et déjà nous avons commencé à la reconstituer. Y a-t-il autre chose sur ce que je vous ai demandé ?

- Il ne manque plus que cette pièce. Et je ne vois rien jusqu'ici.

- Vous en êtes bien certain ? relança Zimmer.

- Rien. Ni physiquement ni sur papier. Je vous rappellerai.

Les deux hommes raccrochèrent. L'espion regarda sa montre, ferma son manteau et dévala la montagne.

Zimmer concevait tous les scénarios possibles. Rien ne devait lui échapper. William se trouvait sur une pente glissante mais, dut-il admettre, depuis l'accident, il avait repris le contrôle de la situation.

*

Le lundi suivant, Nina rejoignit Raphaëlle dans une ruelle. Il était vingt-deux heures quinze. Les deux femmes se dirigèrent en hâte vers l'université. La chimiste composa le code de l'entrée principale et, suivie de la romancière, pénétra dans le grand hall désert, emprunta les escaliers de secours jusqu'au quatrième étage et ouvrit la porte qui débouchait sur le département de recherche. Personne.

À pas feutrés, les deux femmes couraient vers la réception. Raphaëlle posa son pouce sur la plaque optique. La porte s'ouvrit. Elle regarda Nina qui lui sourit. Les deux femmes devaient passer le seuil de la porte en même temps pour laisser croire à l'ordinateur qu'une seule personne entrait. Raphaëlle donna le signal et elles passèrent la barrière. Raphaëlle atteignit la caméra de surveillance qui donnait sur le corridor vers le labo et en changea légèrement l'angle vers le mur de droite. Les deux femmes longèrent le côté gauche du corridor. Dans la pénombre, elles atteignirent le labo où devait se trouver la pièce convoitée. Nina sortit sa lampe de poche.

- Voilà. Nous y sommes, fit Raphaëlle.

- Nous trouverons la pièce en question dans un coffre, dis-tu ? s'assura Nina.

- Oui. C'est par ici. Dépêchons-nous, pria-t-elle toutefois, j'ai la frousse !

Au contraire, Nina trouvait l'expérience exaltante. Elle se dirigea vers le local C-428. Raphaëlle déverrouilla la porte pendant qu'elle examinait les alentours. À l'intérieur, la romancière alluma sa lampe et scruta régulièrement la pièce de son rayon. Raphaëlle se dirigea vers le coffre et composa le numéro. Dans le silence du soir, les deux femmes entendirent un déclic. Victoire ! Raphaëlle ouvrit la caisse massive.

- Nina ! Je… je ne vois rien, chuchota Raphaëlle.

Elle s'approcha du coffre, prit sa lampe et balaya l'intérieur. Pas de boîte noire. La chimiste témoignait impatiemment du constat de Nina en se torsadant les doigts.

- Mon Dieu ! s'écria Raphaëlle. On l'a volée ! C'est affreux.

Elle réfléchit en tournant en rond.

- Peut-être qu'un membre de l'équipe l'a prise ? tenta Nina.

- Impossible, personne hormis Clara et moi ne connaît le numéro de code.

- Quelqu'un est passé avant nous, soupçonna la romancière.

- Qui ? Le docteur Mathieu lui-même ne pourrait pas l'ouvrir!

- Bon. Alors nous voilà bien avancées.

- Attends ! Je me souviens ! s'exclama la chimiste ravie.

Raphaëlle se précipita vers la salle des matrices guidée par la faible lueur de la lampe de poche.

- Quelle idiote je fais ! se blâma Raphaëlle.

- Pourquoi dis-tu ça ?

- Toute cette histoire m'a mise dans un tel état… Depuis que Clara est partie, personne n'est plus entré ici. J'ai oublié de ranger la boîte noire, j'en suis certaine.

Raphaëlle entra le code et la porte de la salle des matrices s'ouvrit. Elle fit signe à Nina de la suivre et de revêtir l'équipement de stérilisation. Les deux femmes entrèrent dans la pièce aseptisée avec leur masque sur la bouche.

- À part Clara et le docteur Mathieu, j'ai toujours été la seule à connaître le code de cette porte. Voilà, elle doit être ici, dit-elle en se dirigeant vers une matrice. Ah ? C'est curieux, je croyais pourtant l'avoir utilisée pour ce numéro. Je… Dans le noir, je ne m'y retrouve plus. Je vais allumer la lumière.

- Non ! Tu vas alerter toute la ville. Procédons méthodiquement, suggéra Nina en sortant son crayon et un bout de papier. Quelle heure est-il ?

- Il est vingt-deux heures trente-huit. Mon Dieu ! Ça va être long ! Bon, je te laisse chercher ici. Je vais voir à mon bureau, des fois que… Je suis si sotte !

Nerveusement, Raphaëlle palpa tous les endroits stratégiques. Ses mains agiles furetèrent parmi les moindres recoins des bureaux, tablettes et tiroirs. Son cœur palpitait et sa respiration s'attisait.

- Jamais je n'aurais pensé me trouver un jour dans une telle situation ! largua-elle.

Nina passait à la loupe chaque matrice. Une cinquantaine. Elle notait les numéros qu'elle scrutait de sa lampe. Au bout d'une dizaine de minutes, elle crut bien avoir trouvé et fit signe à Raphaëlle de venir. Nina déposa son papier et son crayon pour prendre la boîte délicatement dans ses mains. La chimiste accourut silencieusement et, d'un coup de tête affirmatif, certifia qu'il s'agissait de l'invention de Clara. Les deux femmes déposèrent la pièce dans le sac que Nina avait ouvert rapidement et qu'elle remit aussi vite sur son dos.

- Y en a-t-il d'autres comme celle-là ? demanda Nina.

- Non. C'est la seule. C'était suffisant pour notre échantillonnage. Du moins, Clara ne m'a jamais parlé d'une réplique.

- Je vais la mettre en sécurité, tu peux compter sur moi ! promit Nina.

Nina sortit la première de la salle des matrices. Raphaëlle appuya sur le bouton et referma la porte. Les deux femmes se débarrassèrent de leurs accessoires et quittèrent le labo prestement. Cette fois, Raphaëlle passa devant la caméra la première – elle attendit que sa coéquipière parvienne à l'entrée avant de la replacer dans son angle habituel. Arrivées au seuil de la porte du hall, Nina se tâta de long en large et s'aperçut qu'elle avait laissé son crayon dans la salle des matrices.

- Raphaëlle, je dois récupérer mon crayon ! s'écria Nina.

- Mais, voyons, ce n'est qu'un crayon, chuchota Raphaëlle paniquée à l'idée de rester plus longtemps. Tu ne veux tout de même pas qu'on rebrousse chemin pour un simple crayon !

- Ce n'est pas qu'un simple crayon, c'est mon crayon d'auteure ! insista la romancière.

- Je n'arrive pas à croire ce que j'entends, lança Raphaëlle éberluée.

- Non ! Tu ne comprends pas ! Ce crayon est signé…

- Signé ? Mais on s'en fout ! ragea la chimiste. Si tu sors après moi, on risque de les rendre soupçonneux. L'appareil digital enregistre les entrées et les sorties.

- Écoute, mon nom est gravé dessus, s'insurgea Nina. Je ne vais tout de même pas le laisser traîner ici ! Si on le retrace, je risque bien pire que des entrées bizarres ! Tu sais, quand j'ai décidé de venir ici, j'ai choisi d'assumer la part totale du péril. Je vois que tu n'avais pas prévu le pire.

Soufflée par l'absurdité de la situation, Raphaëlle réfléchit aux conséquences qu'engendrait cette histoire de crayon. Elle se sentait incapable d'attendre Nina mais, en même temps, ne voulait pas la laisser tomber. Nina lisait toute cette activité dans le visage expressif de Raphaëlle.

- Donne-moi le code de la salle des matrices. Pour le reste, je me débrouillerai, débita Nina. Va !

- En es-tu sûre ? hésita tout à coup Raphaëlle.

- Allez, puisque je te le dis. Je te rejoindrai en bas, dans la ruelle.

- C'est d'accord, fit la chimiste tout de même déchargée d'un poids immense.

- Raphaëlle, le code.

- Oui, balbutia-t-elle. Le code est S, tiret, 3, 8, 9, 2, 4, tiret, 2, 5. Voilà ma carte pour sortir. Tu n'auras qu'à la glisser là, ajouta-t-elle en lui pointant du doigt la fente en question.

Nina répéta plusieurs fois le code pour le mémoriser.

- Raphaëlle, ajouta-t-elle en se retournant subitement vers la chimiste, si je ne reviens pas dans cinq minutes, ne m'attends pas. Personne ne doit te voir ici.

Raphaëlle fut reconnaissante envers Nina et lui sourit.

- Bonne chance.

- Merci encore pour ce que tu as fait, Raphaëlle.

Nina se dirigea vers le labo, alluma sa lampe et composa le code de la salle des matrices.

- Sésame, ouvre-toi ! invoqua-t-elle.

La porte s'ouvrit. Nina entra dans le cabinet de stérilisation et revêtit l'équipement qu'elle venait de laisser. À l'intérieur, elle s'arrêta net devant la cinquantaine de matrices. Elle ne savait plus où elle avait laissé son crayon et refit mentalement le trajet qu'elle avait effectué.

Euphorique, Raphaëlle reprit les escaliers de secours. À la fois grisée par le danger et la pensée de s'en libérer irrémédiablement, elle sortit triomphante dans la nuit. Elle avait eu le courage d'agir selon ses convictions. Alain semblait résolu à laisser tomber la matrice et elle craignait qu'il ne cherche à se débarrasser d'elle. Elle ralentit pour reprendre son souffle et ses yeux se posèrent sur une voiture garée devant l'université. Son cœur ne fit qu'un tour. Une Jaguar bleue !

- La voiture du docteur Mathieu, échappa-t-elle.

Que faisait-il ici à pareille heure ? Vingt-deux heures cinquante-huit. Mon Dieu ! pensa Raphaëlle, pourvu qu'il n'aille pas dans la salle des matrices. La chimiste leva la tête vers les fenêtres du quatrième étage, comme si elle pouvait voir Nina et lui indiquer le danger.

Nina repéra ses notes sur la table de la matrice. Elle prit soin de ranger ses papiers dans sa poche de pantalon, mais ne voyait le crayon nulle part. Elle entreprit de le chercher sur le plancher. Avec sa lampe de poche, elle balaya le sol et finit par apercevoir un objet court et brillant.

- Ah, dit-elle, tout de même !

Elle eut à peine le temps de ramasser son crayon que la lumière surgit du corridor derrière le labo.

- Non ! chuchota Nina.

Elle visa un placard où se cacher et s'y rua. En passant, elle ferma la porte de la salle des matrices et s'achemina, à quatre pattes de table en table, pour gagner son refuge.

Alain ouvrit la porte de son bureau et y fit pénétrer le docteur Zimmer en l'invitant à s'asseoir.

- Nous sommes quelque peu désorganisés ces jours-ci. Une restructuration sérieuse du département, laissa-t-il flotter. Je vous remercie d'avoir accepté que nous nous rencontrions si tard.

- Écoutez, je suis venu pour voir les matrices, fit Zimmer sans perdre de temps, parce que la proposition que nous voulons faire est des plus sérieuses.

- Mais je n'ai nullement l'intention de vous faire perdre votre temps.

Alain se gratta le dessus de la tête. Devait-il l'aviser que Clara était dans le coma, qu'il ne pouvait en décider sans Vandam mais que lui était absolument intéressé à vendre l'invention ?

- Une offre, finit-il par dire. Docteur Zimmer…

- Vous pouvez m'appeler Jeffrey, fit-il.

- Oui, Jeffrey. La matrice n'est pas… En fait, oui, nous venons tout juste d'obtenir les résultats sur les dispositifs finaux. C'est un succès.

- Je n'en doute pas, Alain. C'est pour ça que j'ai voulu vous rencontrer rapidement.

Alain en avait des sueurs froides. Il inspira. Que d'événements inattendus ces derniers temps, pensa-t-il. Venait-il de gagner à la loterie ? Son conseiller n'avait jamais été si avisé que lorsqu'il lui avait proposé une manière de reprendre le pourcentage de Clara. Allait-il enfin pouvoir se débarrasser de l'ascendant de Vandam sur ses affaires ?

- Je dois tout de même aviser notre principal investisseur, s'entendit-il dire.

- Vous savez, docteur Mathieu, nous caressons aussi le vœu d'établir ici une nouvelle chaire d'études spécialisées dans le contrôle des naissances. Nous sommes prêts à investir plus que vous n'avez jamais osé l'imaginer, lâcha Zimmer dans l'espoir de faire saliver Alain.

- Ah bon ? fit Alain flatté mais sur ses gardes.

- Au bas mot, certainement le double de ce que vous avez maintenant, s'engagea Zimmer.

- Bien. Venez, nous allons voir l'invention, Jeffrey, dit Alain qui ne tenait plus en place.

Comme Nina se risquait à sortir du placard, elle aperçut deux hommes arriver dans le labo. Elle referma la porte mais pas complètement. Alain attira le docteur vers l'imposte pour lui faire admirer la salle des matrices.

- Je vais vous montrer de plus près les installations, précisa le docteur.

Il se dirigea vers la porte de la salle des matrices, composa le code et la porte s'ouvrit. Après s'être vêtus des uniformes appropriés, les deux hommes entrèrent. Nina entendait leur voix à travers la penderie. De par les intonations, elle finit par identifier Alain.

- Jeffrey, fit Alain, je crois que vous ne regretterez pas de m'avoir téléphoné.

- Vous avez dans cette salle tous les équipements reliés de près ou de loin à la matrice ? demanda Zimmer intentionnellement.

Alain hésita.

- Mais… Oui, la totalité de l'invention se trouve ici, dans cette pièce, établit-il.

Pour rassurer son acheteur potentiel, il prit le temps de lui expliquer certaines notions fascinantes sur les expérimentations de Clara. Au bout de quelques minutes, Zimmer devint impatient.

- Quand pourrions-nous prendre possession du matériel ? demanda-t-il.

- Bien, comme je vous ai dit, lança Alain hardiment en poussant son client vers la porte de sortie, laissez-moi voir avec notre principal investisseur.

Les deux hommes sortirent du labo et s'éloignèrent à pas de tortue. Nina était impatiente de quitter le placard, mais elle attendit un long moment pour s'assurer qu'ils aient bien quitté. Enfin, elle entrouvrit la porte, sortit sa lampe de poche et l'alluma en réfléchissant à cette conversation. Alain parlait de vendre les matrices ainsi ? Et Clara ?

Non ! Il n'allait pas profiter sauvagement des années de labeur de son amie ! Les tribunaux ? Mieux valait continuer à oublier cette option lente et coûteuse. Alain payerait pour cette trahison.

- Pourquoi faut-il toujours que je sois là pour entendre les machinations du docteur Mathieu ? réalisa-t-elle. Clara, tu es bénie !

À la recherche de représailles devant la gourmandise des consortiums de la science, elle vadrouilla dans la salle des matrices pendant plusieurs secondes, en quête d'une idée de génie. Un éclair lui traversa l'esprit. Elle sut dès lors que personne n'allait prendre possession du matériel, pendant l'absence de son amie. On verrait plus tard pour les dégâts.

- Mes petits, dit-elle en s'adressant aux embryons, je suis vraiment désolée. Je le fais pour vous. Pour Clara. Et j'assume les conséquences ! Clara, tu serais d'accord avec moi, j'en suis certaine.

Nina considéra les matrices et observa.

- Qu'est-ce que je risque, en réalité ? Une amende, un peu de prison ?

Elle s'approcha d'une matrice et regarda les fils électriques qui liaient chacune d'elles. La romancière ne connaissait pas les secrets de l'invention de Clara, mais certes quelques rudiments pratiques d'électricité. Elle ferma l'alimentation électrique, inversa les fils électriques de la première matrice et ralluma. Une étincelle se produisit. Est-ce le reflet du désespoir, de la vengeance ? se demanda Nina. Était-il de son devoir de tout détruire ainsi ?

- La justice doit avoir rendez-vous avec l'homme. Je ne suis qu'un élément de service dans cette mise en scène et j'en accepte simplement le rôle.

Après ce bref examen de conscience, elle inversa le courant des fils électriques de la plupart des matrices. Lorsqu'elle ralluma, aussitôt, une fulgurante valse de lumières jaillit dans l'air et l'électricité se mit à virevolter autour des matrices jusqu'à ce que des flammes s'emballent dans le matériel. Nina, qui espérait seulement produire un court-circuit, fut surprise de voir le feu tout détruire sur son passage. Les matrices brûlaient. Tout ce labeur devint la proie des flammes. Nina en fut profondément attristée. Mais ne valait-il pas mieux que les choses se passent ainsi ?

- Jamais ces voyous n'useront de la matrice sans Clara !

L'alarme retentit. Nina prit conscience que sa vie était en danger. Elle affronta un muret de flammes, s'en dégagea rapidement et appuya sur le bouton de la porte. Mais elle ne s'ouvrit pas !

- Ah ! Elle est coincée. Il ne manquait plus que ça ! fulmina-t-elle.

Nina se retourna, vit les flammes prendre du volume et s'approcher d'elle. La chaleur gagnait rapidement la pièce et la fumée lui piquait les yeux. Elle tenta d'ouvrir la porte manuellement. Rien à faire. L'alarme avait sans doute provoqué ce verrouillage automatique ! La romancière renversa une matrice à côté d'elle et prit la table à bout de bras pour la lancer dans la grande vitre qui éclata avec fracas. Nina se protégea le visage, mais il n'y avait pas de temps à perdre. Les flammes se gonflèrent en une fraction de seconde, prêtes à se jeter sur elle ! Elle se propulsa de l'autre côté de la fenêtre, traversa le labo sans s'arrêter, longea le couloir et atteignit le hall d'entrée. La voie était libre. La romancière courut vers l'escalier de secours et descendit les quatre étages. Elle volait presque. Son corps fut très heureux de consommer une bonne bouffée d'oxygène. Les sens en alerte, elle entendit au loin le son d'une sirène et sans perdre un instant, elle se dirigea vers la ruelle où devait l'attendre Raphaëlle. Lorsqu'elle y parvint, l'endroit était désert. Nina se doutait bien que la chimiste ne l'aurait pas attendue.

*

Michaël était venu. Clara l'avait entendu parler dans la chambre. Une partie de son âme souhaitait revenir poursuivre la douceur de leur quotidien. Comment lui dire qu'elle pouvait sentir sa peine autant que son amour, comment pouvait-elle lui montrer que la communication était encore possible. Mais elle savait qu'il n'était pas l'heure de revenir. Clara voulait persévérer dans ses recherches et savoir, depuis ces plans multiples qu'elle découvrait dans sa conscience, s'ils étaient des âmes sœur. Elle comprenait bien que, dans ces zones souvent interdites par la pensée uniformisée, une réponse l'attendait.

Clara perçut soudain qu'il n'y avait qu'une seule vérité dont l'âme était écartée dès qu'elle s'attachait à une émotion. Une certitude à laquelle chaque scientifique devait aspirer, au-delà de toute hypothèse. Des spirales de lumière s'engouffraient dans son crâne et au fond de son cœur et elle put enfin observer clairement de nouvelles images se composer sous son regard céleste. Devait-elle en tirer une leçon ?

Des rires et des fracas de verres évoquaient la saveur d'une fête ; il semblait que des gens d'une époque reculée éprouvaient du plaisir à bavarder. Clara, de l'autre côté du temps, entendait ces voix venir de l'espace. Une partie de sa conscience comprenait que son âme voyageait dans l'espace-temps de son propre univers qui était aussi celui de tous. Elle éprouvait le vague sentiment de pouvoir questionner la lumière, et qu'il y avait une seule et même question pour répondre aux angoisses de son âme : qu'est-ce que l'intelligence ?

DES FLAMMES DE LA GLACE, L'AMOUR NAQUIT

Si Jésus aime trop son père, alors moi...

Judith

Des convives étaient regroupés autour d'une longue table sur laquelle se déployait un buffet fastueux. Il faisait un peu sombre. Les mariés se trouvaient au centre parmi les invités. Judith observait les gens que l'ivresse gagnait. Elle baissa les yeux vers son plat et joua avec les restes. Elle finit par les donner à une chèvre qui passait par-là. En reposant son assiette sur la table, son regard croisa celui de Luc, qui n'avait cessé de l'épier tout au long du repas. Judith était la cousine de la mariée, par son père qui n'avait pu venir. Aussi, était-elle venue avec sa tante et ses enfants. Judith la regarda, elle semblait dégoûtée par le tableau des fêtards englués dans les effluves étourdissants du vin.

La jeune fille avait les cheveux châtains et les yeux semblables à l'émeraude. Son regard avait toujours indisposé les autres, sauf cette cousine qui convolait en juste noce. Luc lui fit un sourire timide. Il aimait Judith. Il désirait au fond de son âme qu'elle l'aime aussi. Elle lui répondit par un sourire franc. Le cœur de Luc s'enflamma et sitôt il sentit ses joues s'échauffer. Judith, qui le considérait depuis quelques temps, n'avait jamais remarqué à quel point il avait la peau claire, comme si les rayons du soleil pouvaient passer sans entrave dans son corps mince et long. Il avait les cheveux frisés et les yeux d'un bleu trouble ; mais lorsqu'il écoutait quelqu'un, son iris se transformait mystérieusement en un bleu scintillant, comme si le contact avec l'autre le ramenait à la vie. C'est dans ce puits d'étoiles qu'était plongé le cœur d'Judith lorsque son voisin, par mégarde, lui frappa le coude. Sa main alla frapper le verre à côté d'elle, qui se renversa dans l'assiette d'en face. Le gigot fut noyé, le voisin confus, la victime déçue et Judith, indifférente, cherchait à faire naufrage à nouveau dans les yeux de Luc, tandis que les convives s'affairaient à effacer le dégât. Luc rit doucement de la situation. Judith rit à son tour. La contagion s'empara des fêtards.

Jésus se trouvait à la gauche de Marie, et les disciples étaient attablés çà et là. Luc, malgré son désir de servir le Maître, ne pouvait s'empêcher de tourner la tête vers Judith.

Marie souhaitait que son fils démontre enfin son savoir-faire, afin que le monde sache qui « il » était, en vérité.

- Il n'y a plus de vin, lança Marie à qui voulait l'entendre.

- Pourquoi s'en plaindre ? dit Jésus à sa mère. Mon heure n'a pas encore sonné.

- Tu dois leur montrer qui est leur vrai dieu.

- Ils ne comprendront pas, ils sont dominés par Satan !

- Écoutez-le, faites tout ce qu'il vous dira ! ordonna Marie.

Jésus se résigna aux paroles de sa mère. Il examina les alentours et remarqua six cruches au mur de la maison, qui devaient être destinées aux purifications des Juifs.

- Remplissez ces jarres avec de l'eau, dit Jésus.

Les serviteurs comblèrent les cruches à ras bord. Jésus ordonna ensuite de tirer l'eau et de porter les récipients au maître. La fête allait bon train. L'un des serviteurs versa du vin à l'hôte, qui porta le verre à ses lèvres. Il avala une bonne gorgée. Après une moue de mécontentement, il fit appeler le nouvel époux.

- Tout homme, dit le maître, sait qu'il doit d'abord servir le bon vin. Et le moins bon seulement lorsque les convives sont dans l'ivresse. À l'opposé, toi, tu as conservé le bon !

Les disciples s'amusèrent de l'anecdote, cependant qu'elle revêtit un caractère éminent : le rôle remarquable de Jésus venait de s'inscrire, là, sous leurs yeux innocents. Judith avait observé la scène avec un sourire perplexe. Fascinée par les pouvoirs de Jésus, elle ne pouvait se résoudre à le quitter des yeux. Luc en profitait pour contempler cette douce fleur, comblant son rêve d'amour.

*

Judith se trouvait dans une pièce sombre et étroite. Des tentures de lin rouge et la fumée de l'encens qui brûlait alourdissaient déjà l'atmosphère mystérieuse. Une femme vêtue d'une robe épaisse et coiffée d'une étoffe colorée retombant sur ses épaules gravait des dessins élaborés sur un rouleau. Son stylet formait des triangles et des lignes sous les yeux analphabètes de Judith. De jolies formes apparaissaient que la femme semblait connaître depuis toujours et qu'elle nommait par leur nom : sagittaire, constellation du lion, Uranus en opposition et quoi encore. Mais au-delà de ces décryptages ésotériques, c'est de Luc que Judith voulait entendre parler. La femme semblait plutôt sourde à cette question.

- Oui, on dirait, enchaînait la femme, que dans certaines vies passées, tu as vécu autour d'hommes très forts et que tu cherches encore cette puissance auprès de quelqu'un actuellement, quelqu'un qui a une aura bleue, toute bleue, celle des écrivains, des sages… Tu as souvent eu contact avec ce genre d'hommes. On dirait toujours la même histoire qui se répète. Il y a sans doute quelque chose qui ne passe pas, que tu ne comprends pas, au fond de ton âme…

La femme ferma les yeux et inspira profondément. Judith qui voulait lui poser des questions n'osa intervenir. La clairvoyante tomba en transe.

- Oui, je vois une jeune femme bouleversée par l'amour… Un amour qui n'est jamais à la hauteur de ce qu'elle cherche ou simplement inaccessible… Contact avec le Baptiste …Des choses bonnes mais difficiles à digérer.

- Est-ce que je vais pouvoir me marier bientôt ? insista Judith.

- C'est étrange, continua la voyante sans l'écouter, ce sentiment d'être séparée… Tu en souffres encore beaucoup ? demanda-t-elle en entrouvrant les yeux.

- Non. Je ne comprends pas de quoi tu me parles. Je veux seulement savoir si l'homme que je désire m'aime.

- Mets tes mains dans le vase, ordonna la femme.

Judith obéit. Elle sentit la fraîcheur de l'eau réveiller une certaine angoisse au fond de sa poitrine, à moins que ce ne soit un simple frisson, pensa-t-elle. La femme recommença à parler en regardant l'eau bleue et parfumée changer de couleur.

- Le pourpre est le signe d'une longue blessure qui pourra se fermer seulement lorsque Dieu aura rendu à la personne la reconnaissance d'elle-même. Ton âme pleure toujours pour la même chose. Elle cherche toujours la même chose pour panser cette douleur.

Sans savoir à quoi cette femme venait de toucher, Judith s'effondra en larmes. Tout son corps se mit à trembler. Elle sentit une douleur dans sa poitrine au creux de laquelle elle posa instinctivement la main.

- Oui, je le sens, dit Judith attentive à ce mal.

Les sanglots se manifestèrent sans avertir. Un torrent rugit dans sa poitrine, ensuite le feu lui enserra la gorge. Elle ne pouvait ni avaler ni parler. La femme la regardait froidement et attendait que l'affliction se résorbe d'elle-même. Judith se mit à fixer le vase d'eau pourprée, décocha ensuite un regard de méfiance à la clairvoyante et se mit à lui cracher son venin.

- Qu'es-tu en train de me faire avec cette eau ? Veux-tu me jeter un sort ? Que sont ces potions ? Pourquoi ai-je écouté ma cousine ? Pourquoi vouloir savoir des choses qui font si mal ?

La femme attendait sans mot dire que la tempête se calme. Elle dura environ dix minutes. La parole de Judith tenait parfois du délire. Elle souhaitait pouvoir se marier avec Luc mais d'un autre côté, elle voulait suivre les enseignements du Maître à la lettre, pour guérir les autres, pour purifier son cœur et son esprit, grâce aux bienfaits de sa parole. Elle la sentait résonner en elle, en un lieu où toutes les dimensions devenaient palpables comme sans mystère.

- Il est des mystères qui n'en sont pas réellement, lança la femme.

Judith leva la tête et sortit brusquement de sa léthargie.

- Comment sais-tu que… ? fit-elle, effrayée de voir que la femme puisse lire dans sa tête.

- Il n'y a pas de mystère, interrompit la femme. Si tu crois qu'une vie secrète te domine, ton âme perd contact avec la lumière. C'est ce qui te fait mal et cette souffrance te fait chercher l'esprit chez les autres.

Emplie d'une neige intérieure, Judith se remit à trembler. Son corps ne cessait d'avoir froid. La femme finit par se lever et quitter la pièce. Laissée à elle-même, Judith courba le dos et expulsa quelques halètements, comme pour faire sortir ce mauvais frisson de son corps. Elle ressassa les paroles qu'elle venait d'entendre. L'idée de la souffrance la rebutait. Elle voulait en finir avec cette douleur au cœur. Seulement lorsque Dieu aura rendu à la personne la reconnaissance d'elle-même, pensa Judith en répétant une des phrases de la femme. Pourquoi en serait-il ainsi ? Elle y perçut soudain une part de chantage. Cela signifiait-il que Dieu tenait son âme en otage ?

La femme revint à pas feutrés. Judith la trouvait bien étrange. Elle lui semblait flotter comme un ange en portant dans ses mains une couverture de laine. Elle couvrit sa cliente. Apparemment, elle en avait vu d'autres. La dame se rassit, attendit un moment, inspira et regarda la carte du ciel.

- Il est dit ici, poursuivit la femme comme s'il ne s'était rien produit, qu'un amour pourrait voler ton cœur et partir très loin avec lui.

- Mais où ? Pourquoi me volerait-il ? Comment ?

- Je ne peux pas t'en dire plus, conclut la femme.

- Comment es-tu si volubile pour le passé et si peu bavarde pour me parler du futur ? questionna Judith en se levant pour partir.

- C'est que le passé est déjà joué, je peux le lire sans me tromper, mais ton futur dépend encore de la direction que ton cœur décidera de prendre.

- Que veux-tu dire par direction ?

- Tu choisis le bien ou tu choisis le mal.

Judith se rassit et regarda la femme droit dans les yeux. Sa cousine lui en avait fait l'éloge. Mais pour l'heure, elle ne trouvait rien d'extraordinaire dans ces divinations. Au contraire, elle ne parvenait même pas à lui dire si oui ou non elle allait épouser Luc.

- Je le sais, moi, que c'est bien de vouloir me marier avec celui dont je rêve.

- En es-tu si certaine ?

Jusqu'ici la force de son amour avait dicté la réponse. Mais l'engagement de son prétendant pour le Maître l'avait fait douter dernièrement d'un futur possible. Autrement, pensa-t-elle, je ne serais pas ici. Cette femme est un démon ! La femme regarda l'air piteux de sa cliente. Elle n'allait pas lui soutirer de l'argent sans lui donner l'impression que tout pouvait bien se terminer.

- Tiens. Prends ceci. Une étoile de David sculptée dans des os séchés à la pleine lune.

- À quoi ça me servira ? fit Judith déconfite.

- Quand l'un des deux triangles se fendra, tu auras ta réponse. Si le triangle avec la pointe vers le haut reste intact, c'est que tu l'épouseras. Ce sera négatif, si c'est la pointe du bas qui...

- Ça va, fit Judith impatiente, j'ai compris.

Elle paya la femme qui lui tendit l'étoile d'os et sortit de cette maison, à la fois crédule et frustrée. Elle fut légèrement éblouie par la faible lumière de fin d'après-midi et dut prendre un moment pour recouvrer sa vision habituelle. Judith pensa qu'elle devait aller semoncer sa cousine. Mais elle se sentait si lasse.

*

Jean le Baptiste se tenait debout dans l'eau. Son corps imposait par sa présence. Il dégageait une autorité que l'on ne questionnait pas. Cet homme qui avait traversé de nombreux torrents suscitait la confiance. Plusieurs personnes se baignaient en attendant leur tour. Judith se trouvait à côté de lui, au lendemain de sa rencontre avec la femme-démon. Elle scrutait un groupe de gens qui s'avançait vers le lac et finit par reconnaître Jésus et d'autres disciples. Puis une silhouette se dessinait pour aller rejoindre le groupe. Judith pouvait deviner le corps de Luc entre mille. Elle devint quelque peu agitée. Son ventre se mit à bouillonner de désir. Sa tête ne trouvait plus d'intérêt à la cohérence. Jean l'observait du coin de l'œil.

- Il te plaît, n'est-ce pas ? lui demanda-t-il sans détour.

- Je… non, sursauta Judith. Pourquoi ?

- La passion ! dit Jean sans prêter attention le moins du monde aux paroles brouillées de Judith. Cette troublante défaite de la lumière. Si difficile à calmer. L'amour, le vrai, naquit des flammes de la glace. Luc t'aime aussi. Depuis votre première rencontre.

Jean et Judith se connaissaient depuis longtemps. En fait, Judith avait toujours eu l'impression de connaître Jean plus qu'elle-même. Il lui jurait chaque fois qu'il la forcerait un jour à se révéler à elle-même. Judith ne voulait pas sentir qu'une puissance vibrait quelque part en elle. Elle préférait savoir que Jean était plus fort qu'elle et qu'elle pouvait compter sur lui. Cela lui procurait le sentiment d'aimer quelqu'un d'autre plus qu'elle-même. Jean refusait d'écouter ce discours. Il s'acharnait à faire comprendre à la jeune fille qu'elle devait s'aimer d'abord et même plus que Dieu, ce qui allait à l'encontre des enseignements du Nazaréen. Malgré les contradictions entre les deux hommes, la jeune fille laissait émerger de ses prunelles, sans retenue aucune, d'incessantes questions. Judith désirait ardemment comprendre la vérité.

- Comment sais-tu qu'il m'aime ? lança Judith.

- Je le sais. Comme Marie-Madeleine aime Jésus.

- Et est-ce que Jésus aime Marie-Madeleine ?

- Jésus ? Il aime trop son père, dit Jean en regardant au ciel.

- C'est bien ou c'est mal ? fit Judith.

Elle regarda Jean comme s'il allait pouvoir lui donner la permission d'exalter son amour pour Luc. Elle était suspendue à ses lèvres. Il considéra l'horizon. Jésus marchait en direction du lac. Entouré de plusieurs personnes, il prêchait, comme à son habitude. Le jour était accueillant, aucun nuage ne venait troubler la paix. Les âmes qui avaient soif de lumière se faisaient plus ouvertes que d'ordinaire. Jésus profitait de cette embrasure prometteuse.

- Mon Dieu est le dieu de tous, disait-il.

- Qu'est-ce qui te dit qu'il protégera mes récoltes comme mes dizaines de dieux savent déjà le faire ? argumenta un paysan.

- En vérité, tes dieux sont des idoles, laissa tomber Jésus. Elles ne t'aident pas à comprendre l'amour de ton prochain, elles t'encouragent seulement à compter ton bien.

- Mes dieux savent apaiser ma douleur, fit un autre paysan cherchant à défier le Maître.

- Je te le dis, ta douleur disparaîtra lorsque tu cesseras d'avoir peur de perdre ce que tu possèdes.

- Mais nos dieux seront en colère et ils ne voudront plus nous aider, affirma un autre homme.

Luc croisa Jésus en passant et se joignit au groupe.

- Aime ton prochain comme toi-même, continuait Jésus, et tu pourras compter sur son aide. Tes dieux seront furieux, car tu les priveras, mais tes frères seront enfin comblés par ta générosité. Vous avez tous besoin de cette solidarité humaine, bien plus que de vos dieux, je vous le dis !

- Jésus, comment fait-on pour calmer le feu de l'amour ? demanda Luc qui brûlait presque de douleur.

Jésus s'arrêta de marcher. Il regarda en direction du lac et considéra Judith, de ses yeux compatissants.

- La prendrais-tu pour femme ? demanda Jésus en souriant.

- Oui ! répondit spontanément Luc.

- Grande est ta foi, fit solennellement Jésus.

Il reprit sa marche vers le lac. Le paysage verdoyait sous les regards perplexes. Un oiseau exécutait des virevoltes devant qui voulait bien le considérer. Un vent de tendresse accompagnait le monde qui allait basculer.

- Demain, reprit Jésus, nous allons quelques jours à Capharnaüm, avant de partir. Tu seras là aussi, dit-il en regardant Judith au loin. Les femmes iront leur chemin avec Joseph.

Luc reçut un poignard en plein cœur. Lui qui d'ordinaire buvait chaque parole du Maître, il n'écoutait plus que la sourde nuée qui conspirait contre ses sentiments. Jésus parlait aux autres avec la même force qu'à l'habitude, ponctuant chaque mot d'une vibration d'amour qui, disait-il, procédait de son père.

- Vous êtes des dieux sur terre, décréta-t-il sous les regards incertains. Vous n'avez besoin ni de temples ni d'ecclésiastiques.

Jean et Judith sortaient de l'eau comme Jésus et sa bande en approchaient.

Judith répéta sa question à Jean qui tardait à répondre.

- Alors, c'est bien ou c'est mal ? s'acharna-t-elle.

- Son père n'est pas son père, finit par répondre Jean succintement.

Cette idée heurta Judith. Elle avait cru, depuis qu'elle était une disciple assidue de Jésus, qu'il n'y avait qu'un Dieu et que tous en étaient les fils et filles. La répartie de Jean dépassait l'entendement de Judith. Il lut son désarroi, ne la choqua pas davantage et reprit un discours plus près de sa compréhension. Savoir que nous étions tous des dieux sur terre était de toute évidence prématuré pour le peuple, constatait le Baptiste. Il retint sa science. De toute manière, la planète ne pouvait porter qu'un seul initié à la fois.

Jean avait des yeux étonnants, insondables. Son corps dévoilait une puissance psychique et une nervosité assumée qui resserrait tous les pores de sa peau, comme pour retenir en lui une lumière aveuglante, cosmique, prête à incendier les plus grands mensonges. Jean semblait posséder une prescience parfois plus puissante que celle de Jésus. Judith avait souvent remarqué cette lumière incarnée dans chaque muscle du Baptiste. Et que faisait-il exactement lorsqu'il baptisait les gens ? pensa-t-elle soudain. Que s'était-il passé pour elle ? Judith se remémora ce moment de grâce. Après l'avoir touchée au front et à la tête, elle avait plongé dans l'eau. Au fond, elle avait senti quelqu'un placer une auréole de lumière autour de sa tête. Ce fait lui avait semblé étrange, comme sorti d'une histoire extravagante. Elle avait refait surface en souriant et s'était sentie plus éclatante et plus près d'elle-même. Il lui avait simplement dit qu'elle allait enfin pouvoir tout savoir et qu'elle devait supporter ces connaissances du ciel. Aujourd'hui, il semblait plus prudent face aux révélations.

- Apprends d'abord ce qu'est l'amour, comme le Nazaréen te l'enseigne. Ça remettra un peu d'ordre sur terre. Je reviendrai un jour t'expliquer à toi, et à ceux que ça intéressera, ce que signifie le mensonge de Dieu, conclut-il cordialement.

Le mensonge de Dieu ? répéta Judith dans sa tête. Cette phrase empoisona son cœur comme un venin. Comment allait-elle pouvoir s'abandonner aux explications de Jésus avec de telles mises en doute ? Comme elle se posait ces questions, ils rencontrèrent le Nazaréen. Judith était encore ébranlée par les paroles de Jean. Ses idées bifurquèrent rapidement, détournées par Luc qui se tenait un peu à l'écart, sombre dans son présent, déçu de son futur. Les gens affluaient de toute part pour entendre le Maître et se faire entendre de lui.

- Je t'ai vu hier, s'écria Judith hardie et animée par les soulèvements neufs engendrés par le Baptiste. J'ai vu le vin et je l'ai bu. Comment faire comprendre la vérité aux païens au-delà du plaisir de la chair

- En vérité, annonça Jésus, je vous le dis, l'Esprit vous refroidira les sangs. Et votre conscience s'affranchira.

Judith réagit intérieurement à cette parole. Sans pouvoir se l'expliquer par des mots, elle comprenait exactement le sens profond de cette pensée. Elle se recueillit un instant. Puis, en rouvrant les yeux, elle vit en face d'elle celui qui troublait son cœur. Il lui tendit la main et elle accepta son invitation. Luc chercha secours dans l'iris de la jeune fille. Le bleu scintillant des yeux de Luc oscillait vers le bleu marécage, si bien que Judith devint confuse sur l'attachement qu'il lui avait déjà exprimé. À travers une longue apologie sur l'amour, il esquissait la réalité de son départ. Il couvrait la vérité qu'il ne voulait pas affronter, pressentant que le chemin, tracé par son Maître, ne lui laisserait plus de place pour autre chose. Il avait choisi ce sentier depuis longtemps parce qu'il avait la foi. Lorsque Judith comprit le sens réel des paroles de Luc, un lac apparut dans ses yeux. Jean était retourné baptiser la foule, Jésus répondait aux questions tandis que les amoureux tentaient de saisir l'éternité pour sceller leur union. Après ce long chagrin qu'avait sculpté la nécessité d'une rupture sur leur visage, l'éternité se métamorphosa, claire d'un temps neuf, avec son lot d'inconforts.

*

Il faisait nuit depuis un bon moment. Judith n'osait se lever de peur de déranger ses jeunes cousines dans la chambre. Le martèlement de ses pensées l'empêchait de trouver le sommeil. Une longue tristesse s'empara de son corps. Comme une rivière silencieuse, elle s'endeuillait. Sous son lit, elle saisit l'étoile de David que la voyante lui avait offerte.

- La première qui craque t'annoncera ton avenir, marmonna Judith pour elle-même.

Ne pouvant plus tenir, elle alluma sa lampe et observa son étoile d'os. La partie qui pointait vers le haut était cassée et celle du bas, intacte.

- Mon futur révélé par une étoile d'os ! fit Judith avec sarcasme.

L'amour de Dieu avait été plus fort que l'amour d'une femme. Pourquoi Lui être si redevable au point de sacrifier une vie quotidienne faite de pain et de tendresse ? Au fond, Judith comprenait ce qui animait ces hommes et ces femmes ; elle aussi, quelque part, reconnaissait cette quête sans nom, ce vague sentiment de réel qui semblait lui échapper chaque fois qu'elle s'en rapprochait. Son âme allait-elle cesser de pâlir devant Dieu, devant la mort et ses mystères, son âme allait-elle un jour pouvoir rester allumée, comme une étoile d'os qui brûle des feux d'un soleil caché ?

INHIBER LA VÉRITÉ

Nina se rendit directement chez Michaël. Elle était dans un état vestimentaire lamentable. Parvenue aux abords de la clôture de fer forgée, elle stoppa sa voiture et se dirigea à pied vers la grille. Elle composa le code d'accès. La porte s'ouvrit. Elle revint vers sa voiture et roula sur le pavé de pierres rouges. Nina retroussa la manche de son poignet gauche pour regarder l'heure.

- Bon Dieu ! Minuit quarante-neuf ! Michaël va être furieux !

Devant l'entrée du garage, elle sortit de sa voiture et parvint à la porte principale. Elle appuya sur le bouton du carillon. Une fois, deux fois, trois fois… Elle attendit. Elle sonna à nouveau. Une fois, deux, puis quelqu'un alluma. Géraldine, du deuxième étage, scruta la caméra pour connaître l'identité de ce tardif intrus. Elle reconnut Nina tout de suite et descendit les marches en accélérant le pas. Son cœur battait la chamade. Il devait se passer quelque chose de grave pour que Nina se déplace en pleine nuit. La silhouette s'approcha de la porte. Nina reconnut Géraldine. Même vêtue de sa robe de chambre en ratine bleu poudre, la mère de Clara dégageait toujours cette élégance naturelle.

- Nina ! fit-elle inquiète. Que se passe-t-il donc ?

La vieille dame constata l'état délabré dans lequel se trouvaient les vêtements de Nina.

- Et d'où sors-tu comme ça ? Allez, suis-moi, continua Géraldine, soucieuse de réparer les dégâts.

- Madame Miles, nous devons réveiller Annie et Michaël sans perdre une minute.

- Mais ! Nous sommes en pleine nuit, se contenta de répondre Géraldine.

- Je dois vous amener avec votre petite-fille. Je vous expliquerai plus tard. Ne perdons pas de temps.

- Et où allons-nous ?

- Chez mon ami Jamie.

Géraldine n'insista pas. La mine grave de Nina avait suffit à la convaincre de l'urgence de la situation. Elle alla réveiller sa petite Annie, tandis que la romancière s'occupa de Michaël. Arrivée au seuil de la porte de sa chambre, elle prit une bonne inspiration.

- Courage, Nina, courage. Il va t'engueuler, ensuite, il se calmera et éventuellement, il comprendra, se dit-elle.

Elle pénétra dans la chambre de Michaël. Il ronflait à pleine vapeur.

- Michaël ! Michaël ! lança-t-elle avec aplomb.

Il se réveilla assez rapidement en sursautant.

- Clara ? Clara !

- Non, c'est moi, Nina !

- Nina ? Que fais-tu ici ? Quelle heure est-il ?

- Michaël ! Nous sommes en danger. Nous sommes tous en danger, répéta Nina qui se laissa gagner par le désarroi. Je suis venue chercher Annie et ta belle-mère. Vous ne pouvez pas rester ici.

- Quoi ? Il est hors de question que je quitte ma demeure. Elle est des plus sécuritaires ! fit Michaël qui ne pouvait pas encore concevoir la gravité de la situation.

- Écoute, ça s'est très mal passé à l'université. J'ai … Tout est détruit, jeta-t-elle enfin.

- Tout !? Dans la salle des matrices ?

- Il n'en reste plus rien à l'heure qu'il est. Et moi, j'ai bien failli y rester. Mais il y a pire.

- Ah ! Je savais bien que nous aurions dû passer par des avocats ! Toi et tes extravagances. Nous ne sommes pas des espions professionnels, Nina. Regarde maintenant dans quel précipice tu as jeté nos vies !

- Bon ! Michaël, je ne suis pas venue ici en pleine nuit pour me faire engueuler. Je suis venue vous chercher pour votre sécurité. Si tu ne veux pas nous suivre, alors continue à dormir dans ton lit. Mais je ne sais pas combien de temps tu vas pouvoir le faire en paix !

Nina tourna les talons, et sortit en trombe de la chambre. Elle alla directement s'assurer qu'Annie était réveillée. En entrant dans la chambre, elle vit la petite qui finissait de s'habiller. Nina l'embrassa au passage et se rua vers sa garde-robe. Elle fouilla.

- Où on va ? demanda Annie.

- Chez un de mes amis. Pour quelques jours, certainement.

Nina sortit du placard une petite valise rigide bleue.

- Tu vas nous bourrer ça avec des vêtements propres pour au moins trois jours.

- Pourquoi doit-on partir, Nina ?

- Parce que la vie est une grande aventure qui abonde d'imprévus, ma chérie, répondit-elle patiemment avec un large sourire qui visait à rassurer l'esprit de la petite.

Annie lui retourna le sourire, sans trop bien comprendre.

- Annie, un jour, je t'expliquerai. Mais pour l'instant, nous n'avons pas de temps à perdre. Allez, remplis-moi ça en quatrième vitesse.

Nina sortit de la pièce et croisa Michaël dans le corridor.

- Tu connais Jamie, mon très vieil ami. Tu n'as pas à t'inquiéter. Il a une maison à la campagne. Tu devrais venir avec nous.

- Non. Je ne vais pas y aller. Pourquoi devrais-je avoir peur d'une bande de fraudeurs, hein ?

- Michaël, il faudra que tu te fasses à l'idée qu'Alain n'est plus l'homme que tu as connu.

Michaël baissa la tête et plaqua sa main sur le mur. Nina avait sans doute raison : le docteur avait dérapé. Il se résigna à recomposer l'image qu'il se faisait du docteur et le classa définitivement dans le clan des « mauvais ».

- Le feu s'est attaqué au matériel, sans même que j'aie eu le temps de m'en prémunir. Alain va réagir fortement, c'est certain.

- J'imagine qu'il pourrait nous faire arrêter pour complot ? fit Michaël inquiet.

- J'ai simplement essayé de rendre justice à Clara, rappela Nina.

- Il y a les tribunaux pour ça, Nina. Dans quelles eaux tu nous fais plonger !

- Les tribunaux ? Je croyais que tu voulais la faire toi-même, ta justice, nota Nina.

- Il y a des limites.

- Des limites ? Dans les affaires qui frisent l'illégalité, Michaël, l'avantage est aux escrocs. C'est sur nous que retomberait le fardeau de la preuve.

- Tu es cynique, Nina.

- Crois-tu vraiment que la justice n'est pas rendue à l'avantage de certains privilégiés ?

- Mais nous n'avons qu'à montrer le brevet de la boîte noire.

- Encore faut-il en avoir un ! fit remarquer Nina.

- Alors la pièce elle-même. Au fait, où l'as-tu cachée, hein ?

Nina ne répondit pas.

- Et si Alain nous accusait de vol, pensa soudainement Michaël.

- Alors, ce serait à lui de le prouver. Et puis, la boîte noire ne lui appartient pas. Si tu veux mon avis, je crois qu'Alain optera pour le règlement de compte et il en sera quitte avec nous.

- Le règlement de compte ? s'exclama Michaël. Ce n'est pas son genre !

Annie sortit de sa chambre avec sa valise. Elle se frottait les yeux en se dirigeant vers son père.

- En tout cas, désormais, Michaël, nous ne sommes plus innocents, chuchota Nina dans son oreille.

- Tu n'es plus innocente ! rectifia-t-il.

Michaël venait de saisir l'aspect potentiel de la menace. Refusant de céder à la peur, il maîtrisa quelques frissons. Sa fille vint se blottir dans sa chaleur. Il l'enveloppa de toute la largeur protectrice de ses bras. Nina sortit une carte de sa poche.

- Tiens, c'est le numéro de Jamie. Dès que possible, viens nous y retrouver.

Michaël ne voulait pas quitter sa maison. Mais par sécurité, il acceptait que sa famille soit protégée.

- Tu vas aller avec Nina, dit Michaël en embrassant sa fille affectueusement.

- Tu ne viens pas, papa ?

- J'irai plus tard. J'ai beaucoup de travail.

Géraldine sortit à son tour de sa chambre avec une valise à carreaux rouges. Elle était coiffée d'un feutre orange brûlé et d'un manteau long et léger assorti au chapeau. Tous descendirent les escaliers à la hâte et sortirent dans la nuit. Michaël les regarda s'éloigner. Nina déposa dans le coffre arrière les affaires de la grand-mère et de sa petite-fille qui montèrent rapidement dans la voiture. Elle démarra et partit sans tarder. Annie se retourna vers la maison et envoya un signe de la main à son père dont le regard s'échappa vers l'horizon. Il devint sombre et scruta les buissons qui habillaient son domaine. Tout semblait très calme.

*

Le lendemain, Raphaëlle longeait les murs de l'université, emplie de remords. Elle se demandait pourquoi elle avait laissé Nina prendre la boîte noire. Le docteur Mathieu était-il réellement mal intentionné, comme la romancière le lui avait exprimé ? Et si c'était elle qui voulait avoir les droits sur la matrice ? Raphaëlle eut un pincement au cœur rien qu'à l'idée qu'elle avait peut-être donné les plans de la matrice et la boîte noire à une voleuse. C'est le cœur à l'envers qu'elle pénétra dans le département. À la vue d'une poussière grisâtre en suspension, Raphaëlle plissa les yeux. Elle apposa son pouce sur la plaque optique et put entrer comme d'habitude. Mais cette fois une lumière rouge clignota et un timbre d'alarme léger et bref se fit entendre. Elle regarda autour d'elle pour voir ce qui se passait tout en poursuivant son chemin vers la salle des matrices pour aller travailler. Mais quelque chose la troublait. Cette atmosphère singulière ne lui disait rien qui vaille.

Pendant ce temps, l'agitation régnait dans la salle des matrices. Les fabuleuses expériences de Clara avaient cédé la place à de fumants décombres. L'air défait d'Alain déteignait sur l'ensemble du personnel. Olivier marchait à travers les débris en quête de quelques objets récupérables ou révélateurs.

Quatre policiers se trouvaient sur les lieux. Ils faisaient enquête et posaient des questions à tous les employés, étudiants, stagiaires du département. Personne n'avait vu quoi que ce fut de suspect. Olivier, par contre, n'en démordait pas : il accusait Raphaëlle.

- Je vous en prie, Olivier, chuchotait Alain qui ne voulait surtout pas créer de remous gênants, laissez plutôt les policiers faire leur travail.

- Mais puisque je vous dis qu'elle cherche à nuire à l'équipe depuis que Clara…

Raphaëlle ouvrit la porte du labo où une scène spectaculaire de dévastation s'offrit à elle. Ses jambes mollirent instantanément. Elle aperçut au loin les policiers, puis le docteur Mathieu qui déambulait d'un air désolé dans les restes de l'expérience et Olivier leva la tête vers elle. La poussière épaisse troublait la vision. Raphaëlle crut être victime d'un cauchemar.

- Ah ! Mon Dieu ! s'écria-t-elle.

Alain se retourna et vit le visage dévasté de Raphaëlle. Ils échangèrent un regard. La chimiste horrifiée eut peine à se rendre jusqu'à la salle des matrices. Le docteur vint à sa rencontre.

- Mais que s'est-il passé ? Que s'est-il passé ? répétait Raphaëlle.

- Nous ne le savons pas encore. La police fait son enquête, répondit Alain. Il semble s'agir d'un accident causé par un défaut électrique.

Un policier aborda justement Raphaëlle et lui demanda sa carte. La chimiste chercha le regard d'Alain. Il lui fit signe qu'elle devait obéir. Elle ouvrit son sac, trouva sa carte et la tendit au policier, un peu tremblante. Raphaëlle avait des choses à se reprocher. Mais le désastre qu'elle avait sous ses yeux, elle n'en était nullement responsable.

- Nous allons devoir vous interroger, fit le policier.

Raphaëlle en eut des sueurs froides. Jamais elle n'avait songé à se trouver quelqu'alibi pour se couvrir ! Personne ne pouvait s'apercevoir réellement de leur passage de la veille puisqu'elle n'avait pris que la boîte noire dont elle et Clara seules connaissaient l'importance. Même le docteur Mathieu n'y avait jamais vraiment prêté attention. Personne ne pouvait donc réaliser que la boîte noire avait disparu. C'est tout ce que Raphaëlle pouvait se reprocher. Mais cette catastrophe survenue le même soir lui posait maintenant problème.

- Où étiez-vous hier soir vers les vingt-deux heures trente ? demanda le policier sur un ton routinier.

Elle frémit devant cette question qui pouvait la trahir.

- Chez moi. J'étais chez moi.

- Quelqu'un pourrait en témoigner ?

- Non ! Oh ! Non ! J'étais seule, comme il m'arrive la plupart du temps.

Alain qui se trouvait tout près regarda le policier en lui signifiant de la croire sur parole.

- Je fais simplement mon travail, monsieur, fit le policier. Bon. Mademoiselle, vous qui êtes ici tous les jours, avez-vous déjà noté des comportements inhabituels dans votre entourage ?

- Non. Pas du tout. Je ne vois rien.

- Pas de conflits ?

Raphaëlle regarda Olivier qui avait entendu la question.

- Non, répondit-elle un peu vacillante.

- Y a-t-il des gens, autour de vous, qui posaient beaucoup de questions sur votre travail ?

- Non.

- Vous en êtes certaine ?

Raphaëlle réfléchit. Soudain elle se rappela le gentil Stewart et sa curiosité légendaire. Elle sourit.

- Si.

- Son nom ?

- Mais je… Son nom ? Stewart. Stewart Cross. Mais il était très gentil et amusant. Il s'intéressait beaucoup aux expériences de Clara.

Alain écarquilla les yeux. Il avait complètement oublié ce jeune homme en formation.

- Stewart était un stagiaire américain. Il vient d'ailleurs tout juste de nous quitter pour les États-Unis. Il devait retourner poursuivre ses études chez lui.

Le policier nota ces détails et demanda au docteur de lui fournir le numéro de téléphone du jeune homme. Pure formalité. Alain sortit vers son bureau tandis que le policier poursuivit avec Raphaëlle. Olivier s'était planté devant elle de manière à l'intimider.

- Ce Stewart, disiez-vous, posait beaucoup de questions ?

- Mais c'est normal, fit Raphaëlle, il venait de l'étranger, il voulait tout connaître. Autant sur les expériences que sur notre manière d'être. Il était curieux de tout.

- À part vous et le docteur Miles, y avait-il quelqu'un d'autre qui connaissait le code d'accès de la salle des matrices ?

- Le docteur Mathieu.

- Connaissez-vous d'autres codes ?

Raphaëlle réfléchit.

- Oui. Celui du coffre, là, dans ce local.

- Le docteur Mathieu le connaissait aussi?

- Le docteur Miles seulement.

- Vous et le docteur Miles alors, résuma le policier.

Olivier fit un sourire en coin en fixant Raphaëlle. Elle voulut lui arracher les yeux tellement sa condescendance la renversait.

- Et alors ? demanda-t-elle au policier dans l'intention de montrer à Olivier qu'elle ne craignait rien. Vous allez me soupçonner ?

- Alors ? Ça ne prouve rien, mademoiselle, fit le policier en souriant à cette douce jeune femme.

Alain revint dans le labo avec les informations sur Stewart qu'il tendit au policier. Un fichier d'inscription comme stagiaire comportait les détails sur son domicile, les frais scolaires et nombre d'autres renseignements.

Un policier fouillait les moindres recoins du bureau du jeune Cross. Il y trouva des notes laissées dans un tiroir et quelques bouts de papiers épars qu'il saisit délicatement avec une pince, déposa dans un sac de plastique et apporta au chef.

- Voilà ce qu'il y avait dans les affaires du stagiaire, conclut-il.

- Avez-vous remarqué des choses inhabituelles au cours des jours précédents ? demanda le chef à Alain.

- Vraiment, non, répondit le docteur en réfléchissant.

- Vous avez des caméras de surveillance ? continua le policier.

- Une seule, fit-il. Olivier, veux-tu aller demander la cassette d'hier soir à la réception ?

- Vous pourriez nous fournir les cassettes des sept derniers jours ? fit un autre agent. Des fois...

Raphaëlle devint pâle et Alain, nerveux. Il savait qu'on pouvait le voir avec le docteur Zimmer. Il devrait se justifier auprès de Max Vandam : il avait accepté de rencontrer le compétiteur sans l'aviser au préalable. Il regarda Olivier s'éloigner.

- Olivier, déclara Alain au policier, est le fils de Max Vandam de la Vandam-Med. Max est notre principal investisseur et détient une chaire dans notre département. Nous lui devons beaucoup, laissa-t-il tomber stratégiquement.

- Et ce jeune homme, le fils, aurait-il des intérêts pour la direction ? lança le policier sans arrière-pensée.

Raphaëlle leva les sourcils. Cette réalité venait de lui sauter au visage. L'arrogance d'Olivier n'était-elle pas le reflet de sa hâte à remplacer le docteur Mathieu ?

- Mon Dieu ! Docteur Mathieu, pensez-vous qu'Olivier viserait votre poste, s'écria Raphaëlle spontanément.

Puis elle rougit devant l'énormité de son affirmation.

- Oh ! Je suis désolée ! Désolée d'avoir pu penser que…

- Laisse, Raphaëlle. Revenons plutôt à notre cas.

- Avez-vous d'autres sources sur l'identité des gens qui entrent dans le département ?

- Il y a les empreintes digitales en fonction avec la carte d'identité, répondit Alain.

- Alors il nous les faudra. Nous ferons une analyse complète des données.

Un policier s'approcha du petit groupe. Les employés et étudiants interrogés quittèrent les lieux. Olivier revint avec les cassettes de la vidéo de surveillance. Il la remit au policier.

- Voilà. Avec ça, vous devriez savoir qui passe la nuit à faire le mal, darda Olivier.

- C'est peut-être un accident tout bête, répondit le policier.

Un autre policier qui venait d'examiner les matrices se joint à eux.

- J'ai bien peur que quelqu'un n'ait cherché à détruire volontairement ces matrices, dit un agent qui revenait de la salle des matrices.

- Quoi ? fit Alain.

- Clara ! fit Raphaëlle horrifiée. Pauvre Clara !

Raphaëlle s'effondra. Avec cette atmosphère qui la maintenait sous tension, doublée de la culpabilité de ses actes de la veille, la jeune femme n'en pouvait plus. Ses nerfs lâchèrent sans crier gare.

- Je suis désolée, désolée, sanglotait-elle. Je n'y peux rien. Nous avons mis tant d'énergie dans ce projet. Si Clara voyait ça !

Raphaëlle pleura de plus belle à la pensée que Clara se trouvait dans le coma.

- Qui est Clara ? demanda le policier.

- C'est le docteur Miles. La chercheuse qui dirige cette invention, répondit Alain.

- Et elle est en vacances ?

- Oh ! Excusez-moi, j'ai omis de vous dire que Clara a été victime d'un accident. Elle est dans le coma.

Le policier fronça les sourcils.

- Un accident ? répéta-t-il lentement.

- Oui. Nous en avons tous été fortement secoués, admit Alain.

- Et y avait-il des témoins ? renchérit le policier.

- Apparemment aucun témoin sérieux, laissa tomber Alain.

- Nous examinerons ça, conclut le policier. Bien. Je crois que nous pouvons y aller. Oh ! Dernière petite question, docteur Mathieu. Vous avez des compétiteurs ?

Alain faillit s'étrangler avec sa salive. Il hésita avant de répondre. Olivier le prit de vitesse.

- Oui. La Zimmer Contraceptive, jeta le jeune homme en lançant un regard tranchant à Alain.

- Oui, fit Alain en reprenant toute sa dignité de chef, c'est exact. Cette entreprise est notre principale concurrente.

- Bon, très bien. C'est noté, termina le policier. Messieurs, dames, bonne fin de journée.

Le policier se tourna vers le docteur Mathieu et lui serra la main.

- Docteur, je vous tiens au courant des développements.

- Si vous avez besoin d'autres détails, n'hésitez pas, offrit Alain.

Les policiers disparurent dans le corridor encore poudreux. Raphaëlle était devenue livide, Olivier lugubre, Alain rougi par la pression. Il regarda la chimiste.

- Raphaëlle, vous allez prendre quelques jours pour vous reposer. D'accord ? proposa Alain doucement.

Raphaëlle leva la tête. Elle lui fut reconnaissante et lui sourit faiblement en se relevant. Olivier demeurait froid et arrogant. Visiblement, il n'appréciait pas ce traitement de faveur.

- Merci, docteur, fit Raphaëlle en reprenant ses affaires.

- Olivier, dit Alain en lui mettant la main sur l'épaule, pendant que je vais faire nettoyer le département, vous devriez aussi vous aérer l'esprit aujourd'hui.

- Mon esprit est plutôt très en forme, docteur Mathieu. Peut-être vous-même êtes-vous fatigué ?

- Ça va, jeune homme. Ça va très bien.

Alain et Olivier s'écorchèrent légèrement du regard. Le docteur Mathieu lâcha le premier en lui adressant un sourire.

- Au revoir, docteur, fit Raphaëlle.

- Reposez-vous bien, Raphaëlle. Allons, Olivier, allons, il faudra patienter quelques jours, le temps de réorganiser tout ça. Vous devrez trouver autre chose pour soulager votre vaillance d'esprit !

Olivier laissa tomber un léger sifflement et mit ses mains dans ses poches.

- C'est bon, docteur, je vais vous aider à remettre de l'ordre dans tout ça.

- Je n'ai pas besoin de vous, Olivier. Je suis le directeur du département. Je connais très bien mon travail, signifia fermement Alain.

- D'accord, abandonna Olivier. Puisque c'est ainsi, je pars.

Alain le regarda partir. Il devenait irritant de toujours avoir le fils de Vandam sur les talons. Évidemment qu'il visait son poste !

- Je dois continuer de protéger mes arrières, se dit-il.

Après son rendez-vous clandestin, Alain n'avait vu personne rôder autour du département de l'université. Mais clairement, il avait avoué à la police qu'il était venu avec un éminent chercheur lui présenter ce projet, vraisemblablement peu de temps avant que la salle des matrices ne se volatilise en poussière. Quelqu'un avait-il pu savoir qu'il avait été en pourparlers avec le docteur Zimmer ?

*

Plusieurs invités se trouvaient dans le département de résonance magnétique. Le docteur Lapointe avait fait appel au spécialiste de l'IRM fonctionnelle. C'est lui qui avait informé Richard des possibilités de trouver dans cette technologie médicale un détecteur de mensonge. Le docteur Lapointe avait accepté de se prêter à l'expérience qu'Ian lui avait proposée : tenter de faire parler un comateux. Ce défi frisait l'hilarité, mais les invités désireux d'ouvrir leur esprit à cette possibilité, y voyaient un potentiel applicable dans de nombreuses spécialités. Les essais en laboratoire avaient fait leur preuve, et l'hôpital utilisait cette formule pour la première fois.

Les techniciennes attendaient le signal tandis que le docteur Lapointe expliquait l'essentiel à Ian et Richard et aux quelques invités venus assister à ce point d'information.

- Avec l'IRM, soutint le docteur Lapointe, l'image nous est normalement fournie par les différentes teneurs en eau qui se trouvent dans le corps du patient. On sait que les ondes radiofréquences émises par les atomes d'hydrogène de l'eau qui sont excités par le champ magnétique créent le signal reçu comme image. Mais ce signal est altéré par l'hémoglobine. En d'autres termes, l'oxygène transporté dans le sang par l'hémoglobine augmente le signal d'IRM.

- Donc un surplus d'oxygène augmente le signal de l'IRM ? demanda Richard.

- Exact, répondit le docteur Lapointe.

- Alors, ce sont ces microvariations dues à l'oxygène qui sont enregistrées par l'IRM fonctionnelle ? déduisit Ian.

- Voilà. Les microvariations témoignent de l'activité d'un neurone.

- Si je résume, fit Richard, un regain d'activité cérébrale reflète l'augmentation de l'apport d'oxygène. On peut le constater parce que le signal d'IRM est amplifié pendant quelque temps ?

- C'est bien ça. Tout le monde suit ?

Tous s'échangèrent des regards d'acquiescement. Une ambiance conviviale baignait la pièce, malgré la rigueur des propos.

- Comme vous savez, se réjouit Ian, j'ai convié le docteur Lapointe personnellement à venir nous parler de cette nouvelle manière de valider la vérité ou le mensonge.

À nouveau quelques regards curieux furetèrent mêlés à des mines amusées devant l'aspect inaccoutumé quoique plausible de l'affaire. Cette technique, qui suscitait intérêt et fascination, ne trahissait-elle pas le profond besoin de connaître la vérité ?

- J'ai une patiente dans le coma, poursuivit Ian, et ses proches, pour des raisons que je ne peux évoquer ici, auraient besoin de clarifier certaines questions auprès d'elle. Docteur Lapointe, pouvez-vous me dire comment il serait possible de faire parler une personne dans le coma ?

- D'abord, laissez-moi vous expliquer ce que nous allons expérimenter sur des personnes conscientes d'être soumises à ce détecteur de mensonge. Nous avons un cobaye sur la table.

Johanne s'avança vers le cobaye et fit rouler dans le tunnel la table sur laquelle il se trouvait. Elle plaça des écouteurs sur les oreilles de l'homme et lui installa un moule de plastique sur la tête en vue de capter les images de son cerveau. Enfin elle quitta la pièce. Tous traversèrent de l'autre côté avec elle pour pouvoir observer les images sur l'ordinateur. Le docteur Lapointe prit le micro et expliqua au cobaye comment il allait procéder. Seule Carole demeurait dans la chambre de résonance avec le cobaye.

- Stéphane, ça va ? Nous allons commencer.

Il fit un signe de tête à Carole qui envoya un sourire d'approbation à travers la fenêtre au docteur Lapointe. Elle tenait dans ses mains un jeu de cartes et attendait les instructions du docteur. Carole commença à présenter des coupes du cerveau de Stéphane sur l'ordinateur.

- Bien. Carole va vous montrer une carte. Et nous allons vous demander laquelle vous avez vue. Lorsque nous serons parvenus à la carte en question, vous devrez mentir, vous refuserez de nous avouer que c'est bien cette carte que vous avez vue. Vous comprenez ?

- Il a compris, entendit-on sourdement dire Carole.

- Bien. Commençons.

Carole tendit son bras dans le tunnel et présenta une carte à Stéphane. Il la regarda et fit signe à Carole qu'il l'avait mémorisée. Le docteur Lapointe suggéra au micro une carte. Stéphane la rejeta. Le docteur continua d'énumérer les cartes successivement.

- Voyez-vous, souligna le docteur Lapointe aux autres observateurs, l'image ne présente encore aucune suractivité du cortex.

- Donc il dit la vérité ? valida Ian.

Le docteur Lapointe acquiesça. Il s'approcha à nouveau du micro et poursuivit l'énumération. Stéphane l'entendit nommer la carte qu'il avait vue.

- Non, mentit-il.

De l'autre côté de la vitre, l'ordinateur captait un regain d'activité découlant d'une augmentation de l'apport d'oxygène. Les invités purent convenir de ce fait sur l'écran. Sur la coupe horizontale, l'ordinateur montrait clairement une activité marquée en jaune à la circonvolution du corps calleux et dans les zones corticales prémoteur et préfrontales.

- Voyez-vous ? fit observer le docteur Lapointe arborant un large sourire.

- Oui, oui, firent les gens excités par cette magie.

- Explication, fit le docteur Lapointe. La vérité est par défaut une activité normale du cerveau. Le mensonge astreint à une augmentation de l'activité cérébrale parce que la personne doit bloquer la vérité en activant les régions réservées à l'inhibition et au contrôle.

- C'est fascinant ! s'exclama Richard.

- Présentement, Stéphane est obligé d'inhiber une information. En bloquant la vérité, il y a augmentation de l'apport d'oxygène et l'IRM fonctionnelle l'enregistre. Voilà tout, conclut le docteur Lapointe.

- Ainsi donc, pour en revenir à ma patiente comateuse, je dois m'assurer d'abord qu'elle entend bien ce que je lui dis. Ce qui n'est pas impossible, suggéra Ian.

- En effet, dans le cas de coma, nous croyons qu'une partie de la conscience peut rester en contact avec notre réalité. Alors pourquoi ne pourrions-nous pas faire parler un comateux ?

- C'est une avenue des plus impressionnantes, lança l'avocat, ami du docteur Lapointe.

Tous les témoins de cette scène furent enchantés par cette méthode nouvelle et se mirent à discourir sur l'aspect primordial de la vérité et du mensonge.

- Tous nos rapports découlent de ce jeu, finalement, philosopha Richard.

- Mais comment entrons-nous donc en contact avec ce qui est vrai ? interrogea l'avocat.

- Il y a ceux qui croient que le cerveau se comporte comme un poste de radio décodant les autres dimensions et ceux qui le voient comme un caillou jeté dans la mer, soulevant un enchaînement sans fin de pensées.

- Ces pensées sont-elles un privilège de Dieu ou peuvent-elles être aussi contrôlées par les hommes ? lança encore Richard.

- Je crois bien que l'homme cherche à s'approprier le phénomène de la pensée, mais avec quelle maladresse ! convint le docteur Lapointe.

- Et si elles n'étaient que le privilège de Dieu, à quoi serviraient nos vies ? À quoi bon chercher à se dépasser constamment si la richesse de l'esprit ne nous revient pas de droit ? renchérit Ian.

- C'est vrai, émit l'avocat après réflexion, si nous ne pouvons devenir pleinement créatif en tant qu'individu, nous sommes à la merci d'un autre créateur. Je n'y avais jamais songé !

- Ce qui nous ramène à la faculté de manipuler la pensée, relança le docteur Lapointe. Qu'est-ce que la pensée ?

- Le saurons-nous un jour ? renchérit l'avocat fasciné par la question autant que par l'absence de réponse.

- Pour l'instant, tout ce que nous pouvons faire pour le savoir est de questionner le vrai et le faux, induisit Richard.

- Eh bien ! C'est mieux que de ne rien tenter, non ? fit Ian.

- J'imagine que oui, laissa tomber Richard. Quoique je préférerais avoir une certitude.

- Mais le doute, ne fait-il pas partie de notre manière d'évoluer ? continua l'avocat.

- Valeur inconnue, largua Ian.

- Que veux-tu dire ? demanda le docteur Lapointe.

- Ce que ça veut dire : il y a toujours une valeur inconnue qui nous hante. Ça crée des angoisses, non ? Et quand nous la trouverons…

- Ah ! Les poules auront des dents ! s'exclama l'avocat incrédule.

Ils se firent tous complices d'un rire attendri devant la dureté des énigmes jetées sur l'homme.

- Bon ! Je vous laisse à toutes ces pensées, conclut Ian, je vous tire ma révérence. Docteur Lapointe, ce fut un immense honneur pour moi que d'assister à cette présentation extraordinaire.

- Tout le plaisir fut pour moi, répondit-il.

Stéphane descendit de la table aidé par Carole. Ils sortirent tous deux de la chambre magnétique. Tous les saluèrent et les remercièrent de s'être prêtés à l'expérience. Ian quitta cette assemblée particulière le cœur léger. La technologie – qui outrepassait souvent l'aspect éthique – pouvait peut-être enfin soutenir la vérité, pensa-t-il. Du moins, cette expérience venait-elle de lui redonner une certaine noblesse.

- Comme il fait bon de savoir que la vérité précède le mensonge ! lui lança son neveu en le prenant par l'épaule.

Ian sourit à cette pensée. Un silence s'imposait devant cet adage, tandis que tous deux avançaient dans les corridors.

- Crois-tu qu'une telle expérience pourra rendre justice à ma patiente ? se contenta de dire Ian.

Avant que les deux hommes ne se séparent, ils s'échangèrent un regard enthousiaste. Ian marchait d'un pas sûr dans le couloir de l'hôpital. Il pensa à la soirée qui l'attendait. Il n'avait pas envie d'accompagner sa femme à cette cérémonie d'honneur, mais il craignait ses reproches.

Il passa rapidement devant la chambre de Clara et rebroussa chemin pour aller la voir. Il pénétra dans la chambre. La blancheur diaphane de la pièce apaisa son esprit. Il regarda les affaires de Clara qui traînaient sur la table, s'approcha et toucha ces objets hétéroclites. Simple curiosité, mais aussi un inexplicable désir de connaître l'âme de leur propriétaire s'empara de lui. Il sourit à la vue d'Homère. Au moment où il prit le livre dans ses mains, le prisme de l'étoile se mit à peindre des effets de crépuscule sur les murs. Cette lumière attira son attention. Il replaça le livre sur la table et se dirigea vers sa patiente. Posté devant elle, il attendait. Quoi ? Il n'en avait nulle idée. Clara était une beauté naturelle. Même léthargique, son visage présentait des traits clairs, uniformes et harmonieux.

- De quelle couleur sont ses yeux déjà ? se demanda tout bas le docteur Jaenson.

Il pensa à l'expérience à laquelle il allait soumettre Clara. Sans savoir pourquoi, cette pensée le rendait heureux. Il sentit un calme le gagner, une forme de certitude intérieure sans but, sans cause.

- Je vais bientôt communiquer avec vous, s'entendit-il lui annoncer.

Il fut perturbé par cette phrase lâchée si spontanément. Soudain, une lumière ne provenant de nulle part fit réfléchir l'étoile de David sur le visage de Clara. La lumière s'exalta d'une étrange manière. Le prisme se développait dans des teintes vert émeraude. Le docteur fut fasciné, sans pour autant comprendre ce qui se produisait. Il observait le phénomène en silence, ouvert à toutes les possibilités, à toutes les réponses. Il regarda l'ordinateur qui scandait son épopée, impuissant à traduire la vérité de l'autre monde.

Le téléphone cellulaire du docteur Jaenson sonna et le fit sursauter. Il décroisa ses mains qui vagabondèrent dans les dessous de son sarrau. Il empoigna son téléphone et l'ouvrit.

- Allô ? Oui, chérie. Oui... Je t'avais promis d'y être. Non, non. Je suis seul... Promis : rien ne m'empêchera de t'accompagner. À tout de suite.

Ian ferma son téléphone cellulaire, résigné. Il lui fallait bien accomplir son devoir pour encourager sa femme de son mieux. Il considéra une dernière fois Clara avant de partir. L'étoile avait disparue. Le docteur leva les sourcils de surprise et quitta la pièce au beau milieu de l'intrigue.

*

- Si tu veux avoir le temps de passer voir Clara avant la soirée, mon vieux, se dit-il en appuyant sur l'accélérateur.

Michaël avait eu du mal à rassembler ses idées. C'était sa première vraie journée de travail depuis l'incident. Il commençait à ressentir l'absence de sa femme dans son quotidien. La lumière passa au vert. Michaël se concentra sur la route et détala à vive allure vers les sols fertiles de la campagne. Il arriva chez Jamie à la course. Annie lui sauta au cou. Elle était heureuse de savoir son père en sécurité avec eux. Son imagination ne l'avait pas lâchée depuis la veille. Puis sa belle-mère lui annonça qu'elle avait assailli la cuisine de Jamie dans l'espoir de faire quelque chose de bon pour le souper !

- C'est inouï. Jamie n'a même pas de mayonnaise !

- Mais je me tue à lui dire que je n'aime pas la mayonnaise, répondit Jamie sur un ton plaisant.

- Je n'ai pas faim, laissa tomber Michaël.

- Tu ne vas pas partir l'estomac vide ? s'effaroucha Géraldine.

Michaël laissa sa belle-mère à ses inquiétudes et reprit les siennes. Un pli se traça sur son front auquel Jamie fut sensible.

- Ça va, Michaël ?

- Ça peut aller, répondit-il machinalement. Jamie, merci pour ce que tu fais pour nous. Je ne sais pas à quel point ça peut être utile de nous sauver comme des voleurs. C'était une idée de Nina.

- C'était une excellente idée. On ne sait jamais jusqu'où ces gens-là vont déraper.

- Tu as peut-être raison, fit Michaël.

- Finalement, est-ce que Clara avait breveté la boîte noire ?

- On ne le sait toujours pas. Mais les plans ne se trouvent ni à la maison, ni à l'université. Est-ce qu'elle les a cachés quelque part ?

- Sans t'en avoir parlé ?

- Pourquoi pas ? Ce que je ne sais pas, je ne peux le révéler à personne. Clara a beaucoup de détermination. Elle est prête à tout pour mener à terme son projet.

- À propos de l'accident, tenta Jamie, crois-tu qu'il soit survenu par hasard ?

- Tu veux dire une tentative de meurtre ? Mais tu es fou ! défendit Michaël.

- Je disais ça comme ça, clôt Jamie.

Michaël alla se changer dans une chambre. Il se regarda dans le miroir. Le reflet d'un bouquet de plumes de paon, qui se pavanait dans une urne antique, attira son attention. Clara adorait les plumes d'oiseaux. Michaël revit son sourire.

Il tenta de placer son nœud de cravate avec inventivité pour l'occasion, en vain ; il demanderait à sa fille. Un vide s'infiltra doucement en lui. Michaël enleva les poussières sur ses épaules. Cet habit bleu foncé, un peu juste il est vrai, lui rendait toutefois l'élégance qui avait su charmer son épouse. Clara ne serait pas avec lui, ce soir. Cette triste pensée le ramena à l'essentiel. Il quitta le miroir sans plus rien attendre de son reflet et se mit en quête de ses chaussures. Il s'assit sur le lit et regarda le vide en pensant à l'hypothèse de Jamie.

- Un meurtre, fit Michaël évasif.

Annie aidait Géraldine dans son ambition à la haute gastronomie de campagne, disait-elle. La fillette dressa la table.

- Annie, va voir si ton père est prêt. Il ne faut pas qu'il soit en retard pour la soirée de l'Académie.

Annie courut dans l'escalier et en moins de temps qu'il ne faut pour le dire se retrouva dans la chambre de son père. En entrant, elle sauta sur le lit, ce qui sortit Michaël de sa réflexion morbide.

- Est-ce que tu vas gagner un prix encore cette année ? fit la fillette plutôt fière.

- Non, ma chérie, dit tranquillement son père en s'approchant d'elle. Cette année, je suis le maître de cérémonie. Alors je ne peux vraiment pas manquer cette soirée !

- Toi et maman, vous êtes vraiment des génies, hein ? ajouta-t-elle hardiment.

- Oh ! Tu sais, il y a surtout beaucoup de travail dans tout ça. Et puis un peu de chance.

On entendit la mère de Clara crier depuis la cuisine.

- Venez manger ! C'est prêt !

Michaël considéra sa fille sur le lit et lui sauta dessus. Elle riait aux éclats. La bagarre, c'était le jeu favori d'Annie. Elle gagnait toujours. Michaël se releva et lui demanda de l'aider à refaire son nœud de cravate ; elle s'exécuta agilement et son père l'embrassa. Il brossa vivement ses chaussures, s'assit sur le lit et les enfila. Fin prêt, il sortit de la chambre en saluant sa fille. Il regarda sa montre.

- Je n'ai même pas le temps de passer voir ma femme. Quel piètre mari je fais ! se culpabilisa-t-il.

Pendant ce temps, Annie se prélassait sur le lit, couchée sur le dos. Elle contemplait le plafond en pensant à sa mère. Il y avait bien quelque chose à faire pour qu'elle guérisse plus vite, pensait-elle. Une prière, une incantation, un rituel sacré. Elle ne connaissait rien à toutes ces choses, mais se disait-elle, il doit y avoir quelqu'un là-haut avec qui en parler ! Le plafond devint pétillant. La lumière se faisait plus violente. Annie ferma les yeux. Un rond de lumière jaune resta accroché dans ses pupilles. Est-ce que sa mère, en cet instant même, continuait d'exister ? Où était son esprit ? Qu'est-ce que c'était l'esprit ? La lumière jaune persistait dans son œil gauche.

LA VIERGE NOIRCIE

Mon corps laid obstrue la douceur de mon âme.
Mais il y a pire maintenant.
Par quelle magie l'homme si beau,
que j'aimais d'un amour pur, a-t-il pu devenir aussi vil ?

Ziba

Les grains étaient d'un jaune vivifiant. Il y en avait des centaines, entassés les uns à côté des autres, comme des molletons lisses et chauds. Les feuilles les enrobaient tel un protecteur se confondant à la chevelure dorée de l'épi pour couronner le temps des moissons. Le *ah kin* passa à travers le champ de maïs, qui débouchait sur une terre où brûlaient des restes d'écorces. L'odeur de la fumée affligeait légèrement les narines. La clairière laissait choir les derniers arbres en vue de la future plantation. Des pans entiers de forêt brûlaient après chaque récolte. Là résidait la qualité de vie du peuple.

Depuis qu'ils avaient découvert le maïs, les Mayas avaient en quelque sorte vaincu le temps. Il n'était plus indispensable de chasser pendant de longues périodes. Il leur suffisait de faire pousser des semences et leur dieu du maïs s'occupait de les faire monter. Dès lors qu'ils avaient plus de temps à leur disposition, les uns se mirent à prier ce nouveau dieu, d'autres lui bâtirent des temples et des pyramides, et les prêtres purent étudier la véritable fonction du temps. Mais par-dessus tout, le peuple faisait des offrandes et sacrifiait la chair de ses entrailles. Yum Kax, dieu du maïs, en était friand.

Le ah kin Quoltez venait de gravir les marches étroites de la pyramide. Le prêtre *nacom* attendit son signal ; assisté par les *chacs*, il était chargé d'offrir la jeune fille qu'ils avaient au préalable enivrée à grand coup de *balche*. Grâce à cet hydromel des dieux l'enfant n'aurait pas connaissance de la tourmente. Du haut du temple, le grand prêtre Quoltez tendit au-dessus de la foule le costume de cette fillette sacrifiée pour la récolte prochaine. Elle devait avoir dix ans. C'était le meilleur âge : les dieux appréciaient la pureté des filles prépubères. Les chacs allongèrent la victime dont le dos fut forcé de s'arc-bouter à cause de la pierre sacrificielle convexe sur laquelle ils l'avaient couchée. La jouvencelle dénudée avait été enduite d'une couleur bleue et ornée d'une coiffe.

- Ô dieu-soleil, créateur du ciel et de la terre, suppliait le grand prêtre, donne-nous la prospérité. Donne à ton peuple la force de marcher tranquille, à l'abri de tout reproche.

Ziba écoutait. Son regard noir fustigeait chaque geste que faisait le prêtre. Elle regardait sa petite sœur se faire sacrifier. Ziba, elle, avait été épargnée étant jeune, ayant hérité de quelques défauts corporels inacceptables pour les dieux : il lui manquait un doigt de la main gauche et elle avait une jambe plus courte que l'autre. Les cheveux raides et brun foncé, le nez long et fin, courte en jambes, Ziba était une jolie jeune fille, malgré certains traits du visage disgracieux. Un sentiment d'impuissance gagna jusqu'à ses os. La prunelle sombre emplie de fougue et de haine, elle ne put contenir son mal.

- La force est dans le nombre, pas dans les sacrifices ! grommela-t-elle.

Marjuna l'entendit. Son amie de toujours souffrait atrocement, pensa-t-elle. Que pouvait-elle faire pour la soulager ? Ziba devint soudain inconsolable, désarmée devant l'obligation de cette cérémonie sans fin. Les dieux lui volaient sa petite sœur. Pourquoi, se demandait Ziba, sa mère en avait-elle décidé ainsi ? Le sentiment d'injustice la rongeait. Sa mère comprimait un sanglot dans un silence de résignation. Très pieuse, elle offrait sa fille pour redorer l'honneur de la famille, car elle tenait à ce que Ziba épouse quelqu'un de bien. Ce sacrifice tenait de la stratégie.

Marjuna posa sa cruche de maïs et enlaça son amie. Elle aussi avait été épargnée du sacrifice parce que sa mère avait eu besoin d'elle à la maison. Très jeunes, les deux amies s'étaient liées, portant en leur for intérieur les mêmes questions. Ziba les formulait au grand plaisir de Marjuna, trop gênée pour remettre publiquement en question les valeurs de la communauté.

Ziba avait une vilaine habitude : elle regardait les hommes droit dans les yeux. Combien de fois sa mère lui avait-elle répété qu'il ne fallait pas fixer le regard d'un homme, surtout lorsqu'il parlait ? Pas même celui de ses frères. Ziba vibrait souverainement d'insolence, elle parvenait difficilement à se contrôler. Son amie ressentait parfois un malaise avec elle, mais en même temps, elle admirait son courage.

La fumée de l'encens enrobait les chacs, badigeonnés du bleu sacrificiel. Ils maintenaient les membres de la fillette avec fermeté et entendaient la foule qui manifestait son agitation dans la cacophonie ; les gens frappaient les crécelles, les trompes, les conques et carapaces de tortues avec des andouillers de cerfs. La fièvre musicale était à son comble lorsque le prêtre nacom s'approcha de la victime avec le poignard sacrificiel d'obsidienne qu'ils appelaient « la main de dieu ». Le nacom ferma les yeux. Il prit une lente et profonde inspiration et monta le bras dans les airs. D'un coup sûr et précis, il frappa la base gauche de la cage thoracique de l'enfant et lui arracha le cœur. Il le sortit du corps et l'exhiba aussitôt. Le grand prêtre s'en saisit pour le présenter solennellement au soleil couchant.

L'arôme du copal s'évaporait aux pieds des divinités sculptées. Au bas de la pyramide, les paysans étaient recueillis autour d'une stèle. Le chac lança le corps sans cœur de la fillette . D'autres prêtres, au pied de l'escalier, se ruèrent sur elle pour la décapiter.

- Un peuple qui offre toujours aux dieux le meilleur de lui-même ne peut que s'épuiser ! râla Ziba.

- Tais-toi ! ordonna sa mère en chuchotant.

- Et pourquoi, dis-moi, pourquoi n'ont-ils pas pris la dernière de nos voisins ? lança encore Ziba.

- Elle avait un défaut, fit sa mère.

Marjuna reprit sa cruche dans ses bras et l'appuya sur sa hanche. Elle baissa la tête et se ferma les yeux.

- Ô dieux des moissons ! poursuivit le grand prêtre. Bénis cette récolte et celle qui suit.

Ziba, mécontente, rouvrit les yeux et piqua une poignée de maïs dans la cruche de Marjuna, qui la laissa faire bien qu'étant en jeûne. Malgré son doigt manquant, elle était la plus rapide à couper les haricots, à filer la laine, à fabriquer des vêtements. Son amie plongea à son tour la main dans les grains jaunes. La mère de Ziba, jusque là attentive à la cérémonie, observa ce jeu. Elle se composa un air de reproche qu'elle décocha à Ziba. Elle se pencha vers sa fille pour lui murmurer quelques mots.

- Ton père et moi avons longuement parlé avec les parents de Tumxik, proféra-t-elle, et nous sommes tous d'accord pour préparer votre mariage. Alors tu le rencontreras dans la rue et il te renversera ta cruche. N'oublie pas de le laisser faire, comme la tradition le veut. Ne lui crie surtout pas des injures, il croirait à un refus. Compris ?

Ziba s'assombrit. Elle n'était pas éprise de Tumxik. Mais il s'agissait de protéger les intérêts de la famille en mariant le bon parti, car il n'y avait pas de mariage d'amour à proprement parler. Or toute sa vie la jeune fille avait rêvé d'un garçon éperdument amoureux d'elle et qu'elle aurait aimé follement, une sorte de baume pour son âme. Elle se sentit dérangée par cet impératif familial qui rompait le charme de ses tendres chimères et comprit soudain qu'elle n'aurait pu espérer plus, avec les tares qu'elle avait. Une puissante perturbation s'empara d'elle. Comme pour se soulager, Ziba prit à nouveau une poignée de maïs dans sa cruche et l'engouffra gloutonnement. Les deux amies avaient choisi de ne plus se soumettre aveuglément au principe du jeûne. Se priver de manger influençait-il vraiment le dieu du maïs au point qu'il produisait l'abondance ? Les deux filles avaient mangé tout au long de la période de jeûne afin de tester ce processus. Ziba plongea à nouveau sa main dans sa cruche.

- Vas-tu cesser de grignoter ? sermonna sa mère. Tu as jeûné à moitié depuis treize jours. Peut-être attends-tu de recevoir l'abondance avec cette attitude désinvolte ?

Ziba baissa la tête. Elle sentit son cœur faire un tour, cherchant à se précipiter hors du thorax. Elle ne voulait pas se marier avec Tumxik. Elle rejeta pourtant le maïs dans la cruche et un manteau d'exaspération l'habilla tout entière.

Dans l'épais nuage de copal, le grand prêtre apparut au pied de la pyramide. Un chac lui passa les viscères de la petite qu'il frotta sur la stèle afin d'honorer le dieu de ce sang pur. Sitôt qu'il eut terminé, les paysans déposèrent de la nourriture, des bijoux ou des plumes de quetzal.

Soudain, comme un grand orage de feu, apparut le dieu des sacrifices et de la guerre aux côtés de Ziba. Elle sursauta. Ek Chuah dansait devant elle. Le jeune homme s'animait sous son masque et agitait sa queue de scorpion. Il portait un ballot sur son dos et tenait une lance avec son autre main. Il agrippa le sac, le lança à Ziba et le perça de sa lance. Ek Chuah épandit de la poudre de maïs à ses pieds. C'était un signe d'abondance. Sa mère se pinça les lèvres : Ziba, qui ne s'était pas conformée au rite, ne pouvait pas mériter une telle rétribution ! La jeune fille sourit de ses dents de jade implantées par son père, pour remplacer ses vieilles dents gâtées. Ziba reconnut Tumxik sous son masque. Non ! rumina-t-elle. Au passage, il aspergeait les gens de sa poudre jaune et fine. Les percussions inspiraient les pas de danse. Des paysans tombaient en extase.

*

Le corps cuivré comme celui d'un paysan, Itkao revenait au village. Neveu du grand prêtre, il avait été adopté très jeune par cette famille religieuse, à la suite de la mort de ses parents. Quoltez avait envoyé son fils aîné adoptif étudier la sculpture pour le former à cet art sacré en espérant qu'il deviendrait prêtre. De ce long périple initiatique, Itkao revenait transformé. La maison était chaleureuse et les odeurs ravivaient les moments passés. La famille célébrait son retour, malgré l'absence habituelle du grand prêtre.

Toute la journée, sa mère avait préparé le maïs avec ses trois filles. Elle rangeait le rouleau de pierre à côté de la meule tandis que l'une des filles faisait cuire des tortillas et des galettes de zacan sur la plaque d'argile. La plus jeune fit bouillir son mélange de poudre de maïs et de cacao assaisonné de piments, la boisson préférée de son grand frère.

- Mère ! s'exclama Itkao. Je suis heureux de revenir parmi les miens.

Sa mère le salua sans le regarder et l'invita à s'asseoir. Itkao se sentait intimidé par le décalage d'âge entre lui et ses frères et sœurs. Être devenu un homme à l'extérieur de la maison lui donnait l'impression de revenir comme un étranger. Il fouilla dans un sac de laine coloré et en sortit une magnifique idole de carnation organique brun rouge. Elle représentait Yum Kax. Itkao était fier. Dès ses premiers coups de hachette sur le bois, son maître avait encensé son talent.

- Voici ma première sculpture. Je voulais te la donner.

- Tu es un grand sculpteur, répliqua sa mère. Et tu vas devenir un grand prêtre.

Itkao allait prolonger l'honneur de la famille vers une autre génération. Cette pensée qui l'enorgueillit lui permit de se sentir un peu plus à l'aise auprès des siens. Il reprenait sa place.

- Où est père ?

- Les prêtres sont en période d'adoration du soleil.

- Les récoltes ont été bonnes ? s'informa le fils.

- Le dieu-soleil nous a exaucés.

- Notre dieu-soleil est en cycle court ces jours-ci, je crois.

- Comment es-tu déjà au courant des cycles du soleil ? demanda sa mère.

- En tant que sculpteur, je me dois de synchroniser la purification de mon sang avec les cycles du soleil. Un sang plus vigoureux donnera des sculptures plus puissantes. Et leur action sera accrue.

- Tu es devenu un maître, mon fils ! observa sa mère fièrement.

Le soleil allait se coucher. Itkao prit le temps de savourer son retour à la maison de son enfance. Il contemplait la végétation luxuriante et entendait, ça et là, le cri d'un singe hurleur et le bruit apaisant du petit ruisseau qui serpentait derrière la maison. Il faisait chaud et humide. Un bol tomba sur le sol et le ramena à l'agitation enthousiaste de la famille. Itkao était assis à table avec ses frères. Les filles butinaient d'une tâche à l'autre. Les assiettes pleines vinrent rapidement garnir la table où les mâles commencèrent à manger.

- Nous avons plusieurs commandes d'idoles, fit fièrement la mère d'Itkao.

- Je suis prêt à commencer, répondit Itkao hardiment.

- Tu dois d'abord jeûner et prier pour te purifier.

- Oui, mère, c'est bien ce que l'on m'a enseigné.

Il lança un regard goûteux vers la table emplie de trésors de la terre. Et surtout, il eut un mot pour les plats savoureux de sa mère. Elle roucoula de bonheur tandis qu'il continuait de fixer la table silencieusement pour sentir l'état d'âme de sa mère. Il envoya un clin d'œil à son frère benjamin.

- Demain, je commencerai demain ! dit-il salivant d'avance.

- Itkao, dit sa mère, demain, tu iras nous chercher du maïs avec ton frère pour une offrande.

- Ah ? Et on peut savoir pour quoi ?

- Pour toi, mon fils. Pour que ton retour nous soit heureux à tous.

La mère ne pouvait pas regarder son fils, mais du coin de l'œil, comblée, elle vit le sourire, heureuse de son aîné. L'une des filles déposa une assiette garnie de tortillas et de galettes. Les hommes se servirent à tour de rôle. Itkao plongea ses tortillas dans le ragoût de dindon qui fumait.

*

Tumxik marchait dans la rue accompagné de sa mère. Au loin, ils virent Ziba avec sa cruche vide, le dos un peu voûté, se rendant au fleuve. La terre était sèche sous ses pieds. Son accablement amplifiait son infirmité, esquissant une démarche plutôt étrange. Tel que convenu, la mère et son fils interceptèrent la future épouse. Personne ne pouvait plus reculer. Le cœur de Tumxik battait comme un tambour. Il sentit sa peau tiédir. Ziba resta de glace. Cette froideur frappa l'orgueil de Tumxik qui braqua son regard dans ses yeux. Contre toute attente, elle ne baissa pas les paupières comme toute femelle devant un homme. Inquiété par cet imprévu, il s'approcha de Ziba, qui tenait sa cruche solidement. Tumxik se planta à quelques pouces de ce corps imparfait. Ziba visa la mère derrière le fils et affronta à nouveau ce jeune homme du regard. Elle fut déçue par ce qu'elle fit.

Ziba baissa les yeux. Un tremblement se produisit dans tout son corps. Elle sentit un serpent courir le long de son dos jusqu'à son cou. Un grand cri voulait ouvrir sa gorge. Elle aurait donné n'importe quoi pour consommer une de ces drogues que le grand prêtre utilisait pour obtenir des révélations et s'esquiver. Où se trouvait donc le grand jaguar de ses rêves, celui qui l'aimerait et qu'elle aimerait ? Elle dut lutter de toutes ses forces pour ne pas perdre le contrôle. Un dernier frisson parcourut son dos. Le temps venait de lui échapper. Ce temps dont elle avait toujours bénéficié pour elle allait-il se perdre dans la galaxie sans jamais lui rendre sa liberté ?

Sa liberté ! À travers ses veines s'insinua une amère déception qui engourdit ses mains et ses pieds. Cette peur de perdre ce à quoi elle tenait fit ramollir son corps. Ziba n'eut pas la force de résister lorsque Tumxik renversa sa cruche. Elle entendit un bruit sourd d'éclat d'argile. Ce fracas parvint en un écho reculé dans sa tête de jeune fille, paralysée par la déception. Pourquoi son corps avait-il désobéi à son esprit ? Pourquoi cherchait-il à se conformer à ce point ? Ziba réfléchissait pour se convaincre qu'elle pouvait encore faire reculer le temps et les prévenir du malentendu. Lorsqu'elle aperçut l'éclaboussure de terre séchée, elle comprit qu'elle venait de briser au fond de sa vérité une grave promesse. Elle dut fabriquer un faible sourire à Tumxik qu'il prit pour une simple gêne de novice. Il ne pouvait savoir à quel point celle qu'il allait épouser était possédée par un démon : le désir d'être aimée. La mère, restée à l'écart, conclut que le mariage aurait lieu et partit en direction du marché.

*

Le grand prêtre se tenait devant l'autel, les bras levés vers le ciel.

- Le grand cycle de la transformation arrive. Les dieux nous donneront la force de le traverser. Pour cela, nous devrons sacrifier de nombreuses vies. C'est la condition, proclama le grand prêtre. Un sacrifice collectif devra avoir lieu. Ensemble, nous devons implorer pour connaître la date de l'événement.

Le feu brûlait au milieu de la caverne et sortait par un tunnel qui s'acheminait dans la pierre jusqu'au sommet de la montagne. Les murs de dalles étaient chargés de sculptures à tête de reptiles. Ces représentations de caméléons froids et laids, ciselées dans la pierre, ornaient le palais souterrain. Quoltez but une potion hallucinogène qui reposait dans sa coupe d'or et de jade. Il demeura immobile pendant un moment. L'hallucinogène produisit son effet et il put retourner vers les prêtres qui vénéraient une colossale statue à tête d'iguane. Quoltez se plaça devant les autres et s'agenouilla en face de la bête reptilienne. Il se recueillit en fixant le regard de l'iguane de sable jusqu'à ce que son regard s'illumine et se leva.

Le grand prêtre se dirigea vers les dalles gravées sur le sol. Des chacs, soumis aux effets de la drogue, tentaient de se brancher aux cycles énergétiques du soleil pour connaître le moment où le peuple serait le plus apte à écouter les ordres du grand prêtre. L'élite maya savait que les taches solaires émettaient des ondes qui influençaient toute vie sur terre, à tous les niveaux. Mais pour parvenir à établir les dates exactes des nouveaux cycles solaires, le grand prêtre devait être initié à l'art des astres et des mathématiques. Quoltez excellait dans la compréhension du dieu-soleil. Son conseil savant, jugulé par la domination des dieux reptiliens, donnait de la puissance au grand prêtre et aux dieux. L'iguane et le serpent montraient que le dieu-soleil pouvait être autre chose que chaude lumière pour les récoltes et les cœurs fragiles. Au-delà de ses bienfaits, l'astre du jour recelait des secrets qui, utilisés avec virtuosité, aidaient les élites à manipuler les masses. Et cette connaissance, Quoltez continuait de la recevoir des dieux reptiliens.

- Les cycles des zones de vulnérabilité sont très courts actuellement et nous devrons agir vite, fit un des chacs. Trente, trente-deux jours.

- Soyez plus précis, ordonna Quoltez.

Les chacs reprirent leurs études. Le grand prêtre vit apparaître devant lui une forme brillante et écailleuse. Le flou se précisa en un corps d'iguane dont la face souriait à Quoltez. Il tressaillit malgré l'habitude qu'il avait de voir cette divinité. La forme s'effaça. Le grand prêtre sentit qu'il venait de recevoir une information. Il éprouva le sentiment exaltant et puissant de la certitude.

- Nous sommes prêts à soumettre le peuple, annonça le grand prêtre solennellement.

Il revint vers l'autel et leva les bras au ciel. Les prêtres se regroupèrent en face de leur chef et l'écoutèrent avec attention.

- Le calendrier nous indique que dans trente-deux jours et sept heures exactement un sacrifice collectif devra avoir lieu. La veille, vous entrerez dans les maisons et demanderez à chacun d'offrir du jade, du cacao et de livrer la personne qu'ils auront choisie pour le sacrifice. Les mariages seront précipités, car les filles doivent être fécondées avant le prochain cycle. Le dieu-soleil enverra ses pluies fertilisantes dans trente-trois jours.

Quoltez s'affaissa subitement des suites du puissant hallucinogène. Le prêtre nacom s'avança calmement vers lui et ramassa le corps mou du grand prêtre. Il fit signe à deux chacs qui le portèrent sur un lit de paille. Le nacom poursuivit les instructions d'usage.

- Grâce à vous, le sang de notre peuple continuera de nourrir nos dieux reptiliens. Vous serez récompensés. Allez. N'oubliez pas de choisir les gens les plus purs parmi le peuple. Ceux qui se donnent d'eux-mêmes, au nom de notre dieu-soleil, sont généralement de bons candidats. Alors il faut entretenir leur foi.

Le nacom inclina la tête et fit un signe de la main pour annoncer la fin de la cérémonie. Les prêtres se dispersèrent. Ils iraient à la recherche d'aspirants frais. Les dalles du mur en face de l'autel glissèrent pour s'offrir comme une entrée sacrée. Le nacom demeura seul à côté du grand prêtre endormi. Il vit la porte se refermer sur le dernier chac.

*

Ziba se dirigeait vers le marché. À peine y avait-il une différence entre la campagne et la ville. Un oiseau planait au-dessus des champs qui égaillaient le village et vola jusqu'à la place du marché. Il se posa sur le dos d'un daim et admira les passants de la cité. Ce matin-là, Ziba n'était pas d'humeur cajoleuse. Exaspérée par sa mère qui contrôlait ses moindres déplacements, elle se sentait continuellement poussée vers la faillite de son bonheur. Ziba n'en pouvait plus des reproches et tentait d'élaborer un plan : pourquoi ne pas fuir ?

- Jamais je n'épouserai Tumxik. Jamais ! jura-t-elle.

Ziba tenait sa cruche aussi fermement que la veille, la colère au bout des bras. La place saturée de paysans lui donnait le tournis. Non que la foule l'étourdissait, mais depuis sa rencontre avec Tumxik, la jeune fille éprouvait une angoisse très profonde : elle se sentait profondément trahie par le ciel.

Jusqu'à présent, la force de la voie lactée imprimée en son cœur lui avait permis de ressentir que son destin se synchronisait bien avec celui des autres. Mais aujourd'hui, le temps l'avait brouillée et elle ne saisissait pas la transformation qu'il lui demandait d'effectuer. Pourquoi se soumettre à un garçon avec qui elle n'éprouverait jamais de lien cosmique ?

Les hommes et les femmes passaient silencieusement d'un endroit à l'autre. La cité était sans tumulte. Le seul moyen de locomotion existant résidait dans la force brute du corps. Les gens marchaient, enjolivant les rues de leurs pagnes colorés. Ziba aperçut justement au loin la silhouette de la mère de Tumxik qu'elle reconnut à sa démarche. Les genoux cagneux lui donnaient une allure bancale. La mère tenait une corbeille d'offrandes. Ziba poursuivit sa route comme si elle ne l'avait pas vue et bifurqua vers la droite. Elle arriva chez un marchand, ami de son père. Si sa future belle-mère arrivait, la jeune fille disparaîtrait derrière la boutique. En la voyant, le marchand lui sourit.

Itkao marchait dans les avenues sans rempart ni fortification de sa cité d'enfance. Il en appréciait les moindres détails en humant les odeurs aigres-douces de sa terre natale. Une vie nouvelle l'attendait, foisonnant de solennelles promesses.

Le marchand déposa des grains de cacao et des piments dans la cruche de Ziba.

- Voilà. Il y aura plus de chocolat la prochaine fois, fit-il navré.

- Heureux pour nous, répliqua Ziba sans trop de regrets.

Itkao se sentit attiré par le coloris des épices en poudre et des piments disposés en plusieurs rangées dans d'énormes paniers. L'odeur lui combla les narines de souvenirs heureux. Il plongea la main dans l'une des corbeilles et en tira deux piments avec lesquels il se mit à jongler. Ziba se retourna et vit cet étranger s'amuser. En voyant Ziba, Itkao laissa tomber un piment au sol. Un choc violent se produisit entre les deux cœurs.

- Ziba ! prononça Itkao lentement.

- Itkao ? l'interrogea-t-elle.

- Ma chère amie d'enfance, murmura-t-il en retenant un mouvement d'affection.

- Tu n'as pas changé, répliqua-t-elle.

- Toi non plus. Tu es…

Itkao sentit son cœur s'ouvrir soudain et comprit les sentiments qu'il avait éprouvés depuis toujours pour Ziba, sans pourtant que la réalité ne puisse en reproduire la moindre trace. Il la reconnaissait, comme du fond des âges. Un pacte semblait les avoir liés pour l'éternité.

- Je ne peux pas te parler Ziba, tu sais bien, fit Itkao qui revint rapidement à la réalité. Mon père est prêtre et toi...

Sous l'emprise d'un sentiment enivrant, Ziba ne l'entendit pas exprimer cet interdit qu'ils avaient déjà maintes fois enfreint. Elle se rendait vaguement compte qu'elle regardait un autre homme dans les yeux alors qu'elle était promise. Un aimant maintenait pourtant leurs pupilles les unes dans les autres. C'était donc là l'effet tant redouté qu'engendrait ce regard ? Elle comprenait pourquoi il était préférable de poser ses yeux ailleurs. Troublée, elle en renversa sa cruche.

La mère de Tumxik fut témoin de la scène la plus scandaleuse de son existence. Un homme avait renversé la cruche de sa future bru et non seulement elle ne manifestait pas son refus mais elle semblait hypnotisée par ce sorcier qui volait l'épouse de son fils ! Elle ne put retenir sa hargne.

- Mais il a cassé ta cruche ! Pourquoi ne lui cries-tu pas de s'en aller ? rugit-elle.

Ziba posa un regard de brume sur la mère de Tumxik dont l'irritation s'en trouva exacerbée. La mère s'en prit au jeune garçon, le jugeant fautif pour avoir tenté sa chance auprès d'une jeune fille déjà engagée.

- Alors ! Eh bien, que fais-tu avec ma future bru ? Et qui es-tu ? Et toi, ma bru, comment acceptes-tu de te faire casser ta cruche sans rien dire, alors que mon fils l'avait déjà renversée !

- Je... C'est moi qui..., commença Ziba.

- C'est toi qui quoi ? rouspéta la mère qui s'attendait au pire.

- Ce n'est pas lui qui a renversé ma cruche. C'est moi qui l'ai laissé s'échapper parce qu'elle était trop lourde. Je vous le jure ! S'il avait cassé ma cruche, je me serais fâchée pour qu'il comprenne que je suis déjà prise. Vous le savez, n'est-ce pas ? insista Ziba, étonnée devant son propre désaveu.

- Cette jeune fille est prise, fit la mère plus ou moins satisfaite devant cette explication. Ne lui casse plus sa cruche.

- Itkao est le fils du grand prêtre, expliqua Ziba qui reprenait ses idées. On ne s'est pas revus depuis des années. J'étais… J'étais contente de le revoir. C'est tout.

- Oui. Oui. Je suis désolé. C'est un incident banal, renchérit Itkao.

- Tu es le fils du grand prêtre ?

- Oui, je suis de retour d'un long voyage, répliqua-t-il heureux de détourner le sujet de conversation.

- Bon, fit la mère, puisque tu es un bon garçon, c'est oublié.

- Excusez-moi. Au revoir, fit-il en s'inclinant courtoisement.

Itkao partit d'un pas rapide. Ziba avait baissé la tête et regardait sa cruche éclatée par terre. Tout le maïs, le piment et le chocolat se mêlaient à l'argile.

- Eh bien ! Je me demande si on ne s'est pas trompé de bru ! s'exclama la mère.

Ziba ne l'entendait pas. Elle repensait aux longues conversations qu'elle avait eues avec Marjuna. Qu'y avait-il d'aussi ignoble à vouloir se fondre dans un autre regard ? Comment pourrait-elle s'offrir la liberté de plonger ses yeux dans celui d'un homme sans être mal vue de tous ? Elle venait de goûter à ce fruit défendu. Était-il bienfaisant, comme elle voulait le croire, ou malfaisant, comme sa mère lui avait enseigné ? Naquit alors en elle la certitude confirmée que l'amour pouvait exister et seulement maintenant elle réalisait que, durant toute sa jeunesse, il s'était trouvé à côté d'elle. Pourquoi ne s'en était-elle jamais aperçue avant ?

Ziba se sentit bouleversée par ce puissant sentiment. La confusion au cœur, elle ramassait les dégâts, accroupie. La mère de Tumxik ne l'avait pas lâchée alors que sa vie venait de basculer.

*

Le mariage de Ziba avait été précipité à son grand désarroi. Elle ne comprit jamais tout à fait la pertinence de cette urgence à sceller son union. Mais comme plusieurs autres avaient aussi dû subir cette hâte, elle cessa de poser des questions à sa mère. Dans ses jolis habits de mariée, Ziba s'acharnait pourtant sur un dernier espoir.

Elle s'évertuait à mettre son plan en action dans la cour arrière de la maison familiale, située dans la cité. Elle entendait la voix des passants. La cour abondait de pierres de jade, sculptures et bijoux fabriqués par son père. Ziba coupa un morceau d'aloès dans le jardin et se dirigea vers la table sacrée de son père. Il l'appelait ainsi non seulement pour souligner son caractère religieux, mais parce que cet établi recevait toutes les marchandises nécessaires à son art. Ziba déroba un splendide morceau de jade qu'elle apporta avec la branche d'aloès dans un endroit reculé du jardin. Elle étendit son poncho sur le sol et s'assit dessus en y disposant soigneusement ses objets.

Elle eut une pensée pour Itkao, car c'était bien pour lui qu'elle faisait ce sacrifice. Jamais elle n'aurait pensé un jour désirer se donner à quelqu'un. Sa mère lui avait toujours parlé de mariage à l'amiable ; il n'avait jamais été question dans la maison de sentiments aussi déroutants que ceux qui jettent le cœur à la rivière. Comment allait-elle se sortir indemne de cette folie ? pensa-t-elle dans un élan de raisonnement. Elle sonda au plus profond d'elle-même, en cet instant sans nom, un grand besoin de prier dans le respect absolu des rituels de son peuple. Elle éprouvait cette urgence à rendre aux dieux ce qu'elle avait de plus précieux : son sang. Elle prit le bout d'aloès et dirigea la partie la plus pointue sur sa langue qu'elle perçât jusqu'à ce que le bout de l'aloès passe au travers. Son amie Marjuna arriva.

- Que fais-tu, Ziba ?! s'écria-t-elle horrifiée à la vue de l'allure peu engageante de la langue de son amie. Je te cherchais partout !

Ziba sursauta et tomba sur le côté, le bout d'aloès toujours empalé dans sa langue.

- Ah ! Marjuna ! rétorqua Ziba avec l'aloès dans la bouche, tu m'as fait une telle peur !

- Que dis-tu ? Je ne comprends rien ! fit Marjuna.

Ziba se débarrassa de l'aloès. Pleine d'une volonté aveugle, elle fit gicler de sa langue une bonne lampée de son sang, sous le regard dégoûté de son amie. Elle enduisit le splendide jade, en grimaçant de douleur.

- Je ne t'ai jamais vue en faire autant, dit Marjuna intriguée. C'est pour quoi ce sacrifice ?

- Me promets-tu de n'en parler à personne ?

Marjuna la regarda droit dans les yeux et lui fit signe qu'elle pouvait compter sur elle. À sa grande surprise, Ziba éclata en sanglots. Dans cette tourmente, l'amoureuse vit apparaître une tête de serpent d'où sortirent mille rivières qui pleuraient de ses yeux. Le serpent devint un adolescent au sourire radieux. La lune lança un de ses rayons blanchâtres dans la tête de la jeune fille qui aperçut Itkao sortir d'un éclat de lumière. Marjuna attendait patiemment l'explication.

- Ça fait si longtemps que nous nous connaissons. Nous sommes faits l'un pour l'autre. Je le sais ! lâcha désespérément Ziba qui voulait par cette parole, briser son engagement.

Marjuna ne comprenait rien à tous ces mots, mais d'intuition, elle savait que Ziba voulait être aimée par Itkao.

- Au jour de la synchronisation galactique de la Convergence harmonique, j'irai l'offrir, anticipa-t-elle en regardant sa pierre recouverte de vie séchée. Viendras-tu ?

Ziba cacha sa pierre dans un bol d'argile et l'enterra. Marjuna l'aida à creuser la terre le plus profondément possible, avant que les parents de Ziba ne reviennent.

- Jure-moi, Marjuna, que tu n'en parleras à personne !

- Oui, oui, je te le promets, fit-elle complice.

Ce jour de pleine lune allait certainement tripler la force de son sang !

*

Le prêtre nacom était chargé d'amener le fils adoptif de Quoltez dans la forêt. Le jeune sculpteur s'y laissa conduire. Il savait ce qui l'attendait. Tous les grands prêtres devaient traverser cette étape. Arrivés tout près d'une chute, le nacom lui présenta un poignard.

- C'est moi qui vais chercher le dîner ? blagua Itkao.

- Non, nous ne pouvons pas manger.

Itkao plissa le front.

- Alors que sommes-nous venus faire ici, en pleine forêt ?

- Je dois t'enseigner l'art du sacrifice, annonça le nacom. Nous allons chercher un cerf.

Un homme les rejoignit et leur indiqua où ils avaient laissé des pièges. Les chasseurs fournissaient des bêtes aux prêtres qui initiaient leurs élèves. Les deux hommes se levèrent et participèrent à la recherche d'un animal capturé. Ils marchèrent pendant une bonne demi-heure en s'enfonçant dans la forêt jusqu'à ce qu'ils voient une bête, haletante, couchée au sol.

Le nacom enseigna d'abord au prêtre en initiation les rudiments du poignard. Itkao se pratiqua à le manier en tournant la lame dans la terre.

- Là, dit le nacom en traçant un cercle fin dans la terre. C'est le cœur de l'animal. Ici, ses côtes. Toi, tu places la lame juste ici à droite, tu enfonces, tu tournes un demi-cercle presque complet, tu repasses dessous pour piquer la partie courbe de la lame dans le cœur et le sortir du corps. Essaie.

Itkao esquissa plusieurs fois les mouvements indiqués par le nacom. Ils entendaient l'animal piégé gémir. Le jeune prêtre eut un pincement au cœur. Le nacom se leva vers la bête et la libéra du piège tandis qu'il la matait pour qu'elle reste couchée. L'homme convia le sculpteur à calmer le cerf. Itkao dut affronter ses craintes de faire souffrir l'animal et le mauvais sentiment d'arracher le cœur d'un être vivant.

- On finit par s'habituer, l'encouragea le nacom devant son hésitation. Au début, j'avais toujours un goût de sang dans la bouche. Maintenant, j'aime cette sensation. Allez, et surtout garde les yeux bien ouverts, sinon tu perdras ta cible et ta concentration.

Itkao inspira profondément et planta le poignard sous la côte du cerf, l'enfonça sur la droite, fit un demi cercle, le saisit par le dessous, piqua le cœur et le sortit du thorax de l'animal. Et il le fit très habilement. L'animal eut à peine le temps de s'en apercevoir. Le jeune homme en avait des sueurs froides.

- Tu as réussi ! s'écria le nacom tout de même épaté. Et très bien ! Ton père sera vraiment fier de toi.

Itkao éleva le cœur au-dessus de sa tête et le tendit au nacom. Il essuya son front avec son bras qui se mit à trembler.

- C'est éprouvant, jeta-t-il.

- Nous reviendrons, l'encouragea le nacom. Ce ne sera pas toujours aussi facile, mais tu t'habitueras.

*

Les prêtres se hâtaient d'en terminer avec les longs préparatifs que nécessitait le sacrifice collectif. Le palais souterrain avait été purifié, les prêtres avaient arrangé leurs parures, aménagé un autel pour le rituel et décoré sous la voûte un large espace pour ceux qui seraient immolés en ce grand jour de la synchronisation galactique de la Convergence harmonique.

En état de jeûne depuis quelque temps, les sculpteurs terminaient de façonner leurs offrandes dont le pouvoir serait particulièrement fort en ce jour. Un chac les conduisit tout près de la caverne sacrée dans une hutte cachée par une haute palissade ; ils devaient rester à l'abri des regards. Chaque sculpteur était isolé l'un de l'autre pour conserver sa pureté ; il devait être dépouillé de tout vêtement. Plus qu'un art, la sculpture était un acte d'abnégation, un rituel sacré exigeant la plus grande intransigeance. Pour lui, pensa Itkao, la sculpture l'avait préparé à la prêtrise.

Depuis sa rencontre avec sa tendre amie de jeunesse devenue femme, Itkao avait du mal à trouver la concentration. Complètement nu, il s'enduisit le corps avec de la suie après quoi, dans les fumigations de copal, il exécuta son travail avec méthode et précaution. Il préparait son fétiche et s'appliquait à lui transfuser une âme. La fumée imprégnait la hutte d'une aura mystique. Une panoplie de figures fantasmagoriques défilait dans la psyché d'Itkao. Il était inspiré. Était-ce le copal ou la très fertile imagination maya ?

Le sculpteur eut une vision : Ziba lui apparut dans une lampée de lumière ocre. Des rayons jaunes et verts sortaient de ses yeux noisette. Itkao se laissa hypnotiser par cette douce apparition sans cesser son travail. Il prit une obsidienne et se fit une entaille sur le lobe de l'oreille droite. Il poussa un petit halètement de douleur. Il avait noté qu'en se coupant à la surface de la peau, le sang giclait plus abondamment. Il fit jaillir de la coupure une longue traînée de cet élixir de vie et en badigeonna son idole. En cours de taille, il continuait de la nourrir de son sang purifié par le jeûne, qu'il tirait de blessures faites tantôt à son nez, à ses joues, à ses lobes.

Il ferma les yeux quelques secondes et accompagna son retour de longues respirations. Il voulut chasser Ziba de son esprit, mais son image collait comme de la résine. Elle s'approcha pour lui offrir un fétiche gommé de son sang. Itkao eut peur, ne pouvant attester de sa pureté. Pourtant il savait que cette vierge avait une âme sans reproche. Et il vit une silhouette noir de jais. Il se demanda s'il s'agissait encore de Ziba qu'il avait cru immaculée. Le charme de cette muse sombre se fondit à une pulsion intérieure contre laquelle il ne se défendit pas. La vierge noire semblait si bien connaître les zones de feu d'Itkao qu'il ne pouvait douter qu'elle était des leurs, ceux qui ont pour dieux les reptiles.

- Ziba. Vierge noire, vierge blanche ? chuchota-t-il confus.

Il se laissa bercer par la chaleur de ce rêve. Un chac entra dans la masure pour lui signifier qu'il devait se préparer pour la cérémonie. Itkao eut du mal à quitter le monde fantasmagorique qui œuvrait en lui. Pendant qu'il se rhabillait, le chac rangeait les idoles le plus rapidement possible dans une jarre. Il ne fallait pas laisser leurs effets magiques agir au gré d'une folie sans maître.

Les cadences torrentielles des percussions imaginaires cédèrent leur place aux cliquetis d'une pluie fine et fraîche qui, lorsqu'Itkao sortit de la hutte, apaisa les brûlures de sa peau. Il retrouva les autres sculpteurs, accompagnés de prêtres et de chacs. Ensemble, ils avaient produit bonne quantité d'idoles pour les offrandes.

Ses longs cheveux noirs s'aplatirent dans le dos d'Itkao, et ses brûlures trouvaient encore répit dans la tiède bruine tandis que sur sa tunique blanche s'agglutinait le sable poussé par un vent léger. L'image de Ziba était restée prisonnière de la résine dans la chambre sacrée derrière lui. Lorsqu'il atteignit le palais souterrain avec les autres, il avait repris le contrôle sur sa vie. Il fut ébloui par la beauté de la caverne sacrificielle.

*

Ziba s'était levée très tôt. Avec Marjuna, elle avait fui vers le temple. Les préparatifs s'étaient poursuivis toute la semaine précédant leur départ. Elles en avaient bien pour une demi-journée de marche. Le soleil ardent doublait le rayonnement de Ziba. Les reflets sur ses quelques dents de jade saluaient le dieu du grand cycle. Marjuna avait toujours trouvé la simple taille des dents plus esthétique que la pierre. Chacun son style. Les deux amies couraient à perdre haleine. Elles aperçurent enfin le toit du temple. Ziba portait une petite cruche à bout de bras et, dans son élan, s'exalta.

- Toi, ô dieu-soleil, fais que je sois promise à celui que j'aime ! Ô ! ...

De ses jambes inégales, Ziba courait si vite qu'elle trébucha et se retrouva à plat ventre par terre. La cruche se fracassa. La pierre qu'elle y avait déposée roula en diagonale jusqu'à un rocher et le jade s'y frappa. Marjuna vint en aide à son amie.

- Ça va ? demanda-t-elle à Ziba.

- Oui. Moi ça va. C'est ma pierre. Elle a roulé quelque part par là.

- On va la retrouver.

Les deux filles cherchèrent autour du rocher, dans les buissons et les fissures de la pierre massive. Marjuna poussa un cri.

- L'as-tu ? demanda Ziba.

- Non, mais j'ai trouvé autre chose, fit Marjuna en pointant du doigt une ouverture dans le roc.

- Qu'est-ce que c'est, fit Ziba en s'approchant.

- C'est une entrée de grotte, on dirait.

- Je me demande où ça mène ?

- En effet, c'est étrange. Nous sommes si près du temple, fit remarquer Marjuna.

- C'est peut-être une entrée secrète ? rêva Ziba.

Les deux filles curieuses et prêtes à briser la monotonie de leur vie quotidienne s'entendirent pour s'aventurer dans ce trou.

- Et ta pierre ?

- On la cherchera lorsqu'on reviendra. C'est amusant, non ?

- Si on en ressort, oui, fit Marjuna.

Ziba se précipita à l'intérieur. Elle ne prit pas le temps de relever cette remarque qui trahissait la peur de Marjuna. Les amies avançaient dans un long corridor, à pas frileux en se tenant par la main, et la lumière du jour disparaissait à mesure qu'elles s'y enfonçaient. Elles parvinrent à un carrefour et s'y arrêtèrent pour réfléchir à la meilleure direction à prendre. Trois chemins s'offraient.

- Tu me fais mal, lança Ziba qui se prit la main pour en dénouer la douleur.

- Je suis morte de peur, avoua Marjuna.

- Ça fait une heure que nous marchons et je ne trouve rien d'intéressant.

- Mais il y avait le *haab* à l'entrée, fit noter Marjuna qui voulait retourner derrière.

Elles firent encore un tour d'horizon du regard à l'affût des moindres signes de vie humaine ou de présence hostile. La psyché prompte à la fantasmagorie, elles se sentirent vite pourchassées par des têtes de serpents jusqu'à ce que surviennent les *bacabs*. Mais un sentiment frétillant de peur persista en elles.

- Marjuna, l'année solaire n'est rien en soi de révélateur pour nous. Pourquoi cette caverne existe-t-elle, sinon pour y cacher quelques secrets ?

- S'il n'y avait rien que…

Et un éclair surgit. Une torche faillit brûler les cils de Ziba. Marjuna cria. Une dizaine d'hommes encerclait les deux filles. Le bout des lances effleurait leurs corps de si près qu'elles n'osèrent bouger que lorsque l'un des hommes leur en donna l'ordre.

- Avancez ! fit-il. Vous devrez payer pour ce sacrilège.

- Quel sacrilège ? osa Ziba.

- Personne n'a le droit d'entrer ici, répondit l'homme.

- Où nous amenez-vous ? insista Ziba.

- Le grand prêtre décidera ce qu'il en est pour vous.

*

Dans la magnifique cave du temple, le grand prêtre se trouvait sur l'autel, vêtu d'un long pagne de couleur et d'une coiffe ornée de plumes de quetzal. Derrière lui, le mur était tapissé de dalles gravées de glyphes, manœuvrées par les chacs qui cherchaient à établir la connexion du temps cosmique et du temps terrestre.

Itkao se tenait à l'avant avec d'autres sculpteurs qui cisaillaient leur peau en quête de sang pour leurs idoles. Des prêtres se tenaient autour d'une roue de treize chiffres.

- Aujourd'hui est le jour hors du temps, le jour treize de l'année lunaire, fit le nacom.

Les chacs produisaient des sons pour changer le niveau des ondes vers la basse quatrième dimension. Une forte odeur de résine flottait.

Debout devant les flammes qui reflétaient sur son visage, Quoltez se concentrait pour absorber les sources de l'au-delà. Il entendit une rumeur sourde. Les futurs sacrifiés entraient par la grande porte secrète en groupe de deux. Ils s'avancèrent jusqu'au centre de la pièce et attendirent en silence. Tous se sentaient protégés par l'atmosphère du rituel. Le grand prêtre, en transe, leva les bras vers le ciel. Dans l'au-delà, il sondait les mondes parallèles en quête d'une définition plus claire des glyphes. Il ouvrit légèrement les paupières, et vit des lignes et des points brillants flotter dans les airs et plissa les yeux. Quoltez aperçut le visage de son dieu iguane et fit signe aux prêtres de commencer la cérémonie.

Vingt prêtres se déplacèrent en groupes de cinq vers les quatre points cardinaux. Quoltez descendit de l'autel et s'avança jusqu'à la treizième dalle. Une lumière jaillit du carrelage de pierre épaisse encastrée dans le sol. Les sacrifiés saisis s'écartèrent. Le grand prêtre les rassura d'un geste et leur fit signe de s'asseoir.

- Chiccan, Oc, Men, Ahau ! cria-t-il. Le serpent, le chien, l'aigle et le soleil dans les quatre directions.

Les cinq prêtres du groupe du Chiccan empoignèrent une torche de feu et se dirigèrent vers l'Est. Les hommes d'Oc se plantèrent au Nord. Le groupe de l'Est lança les torches aux prêtres du Nord. Ceux du Men s'emparèrent des flambeaux du Nord et se dirigèrent vers l'Ouest. Enfin, les Ahau se placèrent au Sud et les Men lancèrent les torches allumées que les prêtres du Sud éteignirent. Le tout formait une danse de feu autour des immolés, dans le but de raviver leurs émotions, d'où allaient s'échapper les émanations de leur âme.

- Levez-vous ! ordonna le grand prêtre à ceux qui avaient été choisis.

Cette première étape de la cérémonie entamée, il fit placer le groupe au centre, les uns derrière les autres. Itkao déposa ses idoles sur une table de pierre et, avec les autres sculpteurs, s'avança vers une lame de silex géante, symbolisant l'honneur des âmes offertes. De belles jeunes filles pour la plupart, et certains mâles et femelles plus âgés mais sans défaut, étaient tenus d'approcher de cette lame. Itkao la couvrit d'un drap léger.

Les musiciens attendaient le signal de Quoltez. Le nacom invita la première personne à s'avancer : une jeune fille pâle et frêle préférée des dieux. Aussitôt, le grand prêtre envoya un signe aux musiciens qui bombardèrent le palais souterrain de leurs ondes basses.

*

Les deux prisonnières parcoururent les dédales souterrains du temple. Jamais Ziba ne s'était imaginé qu'un espace presqu'aussi grand qu'une ville puisse s'y dissimuler. Lorsqu'elle sentit à nouveau la pointe de lance sur sa chair, elle se rappela que sa vie était en danger. Parvenus à l'entrée secrète de la grande place, les hommes jetèrent les deux filles dans la pièce et elles trébuchèrent sur le sol.

Les effets de la drogue rendaient les prêtres un peu moins vifs. Le nacom faisait boire du balche à la jeune sacrifiée tandis qu'Itkao enduisait son corps de résine bleutée.

Ziba et Marjuna se regardèrent ahuries. Les hauts plafonds firent impression sur Ziba, mais plus encore les nombreuses personnes présentes et l'atmosphère sacrée qui y régnait. Le grand prêtre finit par se retourner vers elles et échappa un cri en pointant du doigt les intruses.

- Sacrilège ! s'écria Quoltez.

Le prêtre nacom fut apeuré et les chacs se précipitèrent sur elles. La dizaine d'hommes se tenait toujours debout autour d'elles, les menaçant de leurs lances.

- Vous devrez mourir, largua le grand prêtre.

Le cœur de Ziba ne fit qu'un tour. Le rythme de la cérémonie fut perturbé par ce chahut. Jusque-là concentré sur la jeune offerte, Itkao s'aperçut du désordre et en chercha la source. Les vapeurs de la drogue ralentissaient ses gestes et ses réflexes. Sous ses effluves, il reconnut à peine Ziba, qui le vit d'abord.

- Itkao ! s'écria-t-elle en se relevant.

- Ziba ? rétorqua-t-il les yeux hagards.

- Tais-toi, lui ordonna Quoltez en le regardant durement.

Itkao regarda son père qui lui fit signe de ne pas s'approcher. Quoltez se dirigea vers lui en commandant d'exécuter les filles. Les chacs ligotèrent les prisonnières et les amenèrent à côté de la lame géante. Les deux filles éprouvées espéraient trouver une idée pour se libérer. Intérieurement, Ziba comptait sur Itkao. Mais elle fut déçue de le voir accepter le contenant de balche que lui tendait le nacom. Il but d'un seul coup et grimaça. Trop nerveux, il dut refaire trois fois le même geste. Le nacom le laissait prendre la dose qu'il désirait jusqu'à ce que ses genoux plient sans contrôle. Il s'agrippa au bras du nacom quelques instants avant de retourner, chancelant, vers la lame. Le nacom ordonna à Ziba de mettre son corps sous cette lamelle. Elle obéit et se coucha sous ce fer qui devait couper la gorge des immolés.

Itkao s'approcha de Ziba mais ne la regarda pas. Sans style, il empoigna son manche à plumes et, tandis qu'il peignait de bleu le corps de Ziba, des larmes se mirent à couler sur les joues de la jeune fille. La froideur d'Itkao, par-delà même la perspective de la mort, déchirait des fibres de son âme.

Quoltez s'approcha afin de contrôler la maîtrise de son fils pour ce rituel. Dès qu'il aperçut les défauts de Ziba, il exprima un cri de dédain.

- Non ! hurla Quoltez. Jamais les dieux n'accepteront un sacrifié avec des défauts.

Ziba se sentit soulagée. Elle avait toujours eu l'assurance que ses imperfections préserveraient sa vie !

- Non, tu ne peux pas la sacrifier comme les autres qui sont purs ! Prends-lui seulement son cœur, recommanda le grand prêtre.

Marjuna fut saisie d'horreur et se ferma les yeux. Un chac termina de ligoter le corps de Ziba sur la table et lentement, Itkao sortit son couteau. Ziba refusait de croire que le fils du grand prêtre allait lui arracher le cœur alors qu'il battait pour lui ! Lorsqu'Itkao passa à côté du visage de sa tendre amie de jeunesse, elle plongea son regard apeuré dans les yeux vides et austères de celui dont elle avait rêvé.

- Itkao, n'as-tu donc pas de cœur ? Comment peux-tu être devenu si froid et laid ? demanda Ziba en sanglots.

Complètement envoûté par l'alcool et la drogue, il ne broncha aucunement devant ces paroles d'adjuration. Adroitement tout de même, il arracha le cœur de Ziba et, à bout de bras, l'exhiba devant son père satisfait. Itkao était digne de la lignée des grands prêtres.

LA LOYAUTÉ DANS LES FILETS DE LA PEUR

La foule était toujours dense et conviviale chez Niko. Nina et Raphaëlle s'y étaient donné rendez-vous. Les deux femmes discutaient confortablement installées dans l'alcôve réservée de Nina.

- Je crois que je te devais des explications, Raphaëlle. Je voudrais que tu saches que je suis vraiment sincère.

Le cœur en état de choc, Raphaëlle ne tolérait pas l'idée d'avoir failli à l'éthique. Elle vagabondait entre culpabilité et colère et, parce qu'elle ne parvenait plus à distinguer les événements avec clarté, la chimiste avait accepté le rendez-vous proposé par Nina. Raphaëlle voulait lui exprimer l'embarras dans lequel elle se retrouvait après cet acte de piraterie. Elle désirait comprendre ce qui avait poussé Nina vers le désastre.

- Clara me parlait souvent de toi, avoua Raphaëlle. Je ne peux pas douter de ta sincérité. Seulement, là, je crois que tu es allée trop loin et j'en suis profondément choquée.

- Raphaëlle, je suis prête à tout pour me faire pardonner, fit Nina tendrement.

- Ce n'était pas nécessaire de faire tout ça, même au nom de Clara. Tu sais tout le travail...

- Je sais, je sais. Ce travail dans lequel vous vous êtes investies est colossal, accorda Nina. Et je suis navrée d'avoir dû tout détruire ; mais c'était la seule solution. D'autres allaient s'approprier vos années d'efforts, sans que vous n'en récoltiez aucun fruit ? Le monde est sans scrupule, Raphaëlle. Et maintenant, chacun doit presque se faire sa propre justice.

- Ce que tu dis est incompatible et accablant. Les scientifiques ne peuvent pas passer leur temps à surveiller les moindres transactions.

- Et pourquoi pas ? Si cette réalité faisait maintenant partie de leur tâche ? Tout créateur devrait dorénavant s'occuper de ses créations ; c'est l'état d'esprit d'aujourd'hui qui veut ça.

- Mais nous n'avons pas le temps ! objecta Raphaëlle.

- Eh bien ! avança Nina. Il faudra le prendre. Nous devons tous nous défendre contre les requins. C'est pour ça que je talonnais Clara. Elle m'a peut-être finalement prise au sérieux puisqu'elle a caché la boîte noire.

- Au fait, où est-elle ? s'inquiéta soudain Raphaëlle.

- Dans un coffre de sécurité, rassura Nina. D'ailleurs, je devrais te conseiller de t'y installer aussi !

- Dans un coffre ?! ricana Raphaëlle. Tu crois que les enjeux sont si importants ?

- Je ne sais pas qui a des intérêts dans cette histoire, mais vraisemblablement Alain en a suffisamment.

- Mais Alain est un simple universitaire pas un gangster !

- Tu crois ça ! Avec ce que j'ai entendu, je me méfierais même des agneaux, moi. Certains sont prêts à tuer.

- À tuer ? fit Raphaëlle étonnée. Il ne faut pas aimer les hommes pour en arriver à ce point.

- L'amour des hommes ? Ce n'est pas assez rentable ! fit Nina cynique.

Les deux femmes échangèrent un regard triste puis bienfaisant l'une pour l'autre.

- Alors acceptes-tu de continuer malgré tout ? demanda Nina. Ce brevet est fondamental.

- Je ne peux pas refuser, pour Clara. Pour moi aussi, avoua Raphaëlle franchement.

- Promets-moi, Raphaëlle, que tu iras te loger ailleurs que chez toi pour quelques jours.

- Promis, mais j'ai tout de même le droit de passer nourrir mes poissons, non ?

Les deux femmes rirent. Nina sortit un formulaire de brevet pour entamer les procédures, espérant qu'elles pourraient achever avant le soir.

- Tu as les plans ? demanda Raphaëlle.

- Les plans ? Non. Je croyais que tu les avais!

- Non, je ne les ai jamais eus ni même jamais vus. Je ne sais absolument pas comment elle est faite, cette boîte, lui apprit Raphaëlle.

- Alors, nous ne pourrons rien illustrer pour le brevet ?

- Donc c'est inutile, le brevet sera refusé.

- Pourquoi ? On peut fournir autre chose qu'un plan, non ? Je ne sais pas, moi, une maquette, une explication détaillée ?

Niko vint les ravitailler avec sa discrétion habituelle et son charme grec.

- Peut-être, poursuivit Raphaëlle, mais les plans sont obligatoires pour le brevet.

- Et si on leur apportait directement la boîte noire ? lança Nina.

- Tu n'y penses pas ? Nina, c'est la seule qui existe!

- Tu as raison. Alors qu'est-ce qu'on fait ?

- J'ai bien peur qu'il faille attendre Clara.

- Mais on ne peut pas, Raphaëlle!

- On ne pourra rien faire, de toute façon.

- Alors, prenons un temps pour réfléchir.

Nina appela Niko.

- Nik ! Apporte-nous encore un peu de vin!

- Avec plaisir, mesdames!

Les deux femmes bavardèrent encore et la scientifique dut partir. Contrairement à Nina, elle ne croyait pas devoir fuir.

- M'enfermer dans un coffre-fort ! Le docteur Mathieu n'est pas un bandit, pensa-t-elle.

William vit la chimiste sortir de chez Niko et se diriger vers sa voiture. Il héla un taxi.

- Je n'ai même pas de poissons ! se murmura-t-elle à mi-voix, riant de son petit mensonge.

*

La maison du docteur Jaenson surplombait une colline. Le majestueux escalier intérieur révélait sa blancheur immaculée à la rue, à travers une immense fenêtre qui s'étendait sur toute la hauteur de la résidence. Le jardin dessiné à la manière du château de Versailles donnait envie de s'abandonner à la poésie des fleurs et à la musique des oiseaux.

La lumière froide de l'intérieur découpait parfaitement les formes du mobilier. Une seule pièce dégageait un peu de chaleur : le salon indien, qui datait de l'époque de la colonisation britannique. L'immense bibliothèque murale célébrait fables et éphémérides et crépitait de toutes ses lettres. La magie de la connaissance s'opérait. Qui sommes-nous ? Quel est le sort réservé aux abeilles devant les changements climatiques ? Pourquoi un morceau de cristal peut-il agir sur le cerveau ?

Justement, sur l'une des tables de marbre du salon, gisait une pièce de cristal qui échangeait des effets de lumière avec un verre de vin. Une musique enrobait leur danse tandis que le docteur tenait un livre. Précisément, il ne lisait pas, il fixait le vide, sondant la formulation d'une réponse. Il prit le verre de vin sans même le regarder et but une interminable gorgée, son esprit englué dans le fil conducteur de sa quête. Ses yeux se mirent à flirter avec l'air, à la recherche d'un grain de lumière à interpréter. La réponse n'était pas encore au rendez-vous. Il déposa le livre sur la table, prit un bloc-notes sur lequel il encra quelques questions fondamentales pour lui.

- La conscience est-elle logée dans le cerveau ou bien celui-ci est-il un simple lecteur de musique ? Pourquoi, se dit-il en lorgnant le vide, Clara Miles n'a-t-elle pas repris conscience bien que le cristal a réparé les portes neuronales ? Si elle n'est pas en EMI, où est-elle ?

Ian regarda sa montre, se leva, fit pendre ses bras le long de son corps et prit quelques profondes respirations. Son smoking suivit la vague relaxante qui roulait dans son dos. Il demeura immobile pendant plusieurs minutes, les yeux fermés. Sa femme entra. Il restait coi.

- Je suis prête, dut-elle annoncer.

Le docteur ouvrit les yeux sans bouger. Joan, son épouse, avait une allure très classique.

- Tu es ravissante, fit-il sincèrement.

*

Devant le hall d'un grand hôtel s'aggloméraient les gens qui sortaient de voiture ou de limousine, dans un allégro d'allées et venues. Lorsque les Jaenson arrivèrent à leur tour, quelques personnes vinrent à la rencontre de Joan qui arborait un magnifique sourire. Scientifique dans un domaine en plein développement, la parapsychologie, elle et son équipe venaient de remporter un prix de l'Académie. Comme ils poursuivaient leur chemin vers la salle de réception pour la remise du prix, Joan aperçut une jeune femme qui descendait l'escalier. Elle fixait son mari et le salua d'un signe agrémenté d'un charmant sourire. Il ne la reconnut pas, mais inclina discrètement la tête.

- Tu travailles avec elle ?

- Qui ? fit Ian.

- La jolie demoiselle des escaliers.

- Non. Elle a dû me prendre pour quelqu'un d'autre.

Ian se gratta le nez. Il en avait assez de toutes ces insinuations. Plutôt que de s'améliorer, le sentiment de jalousie de sa femme, possessive depuis toujours, s'exacerbait. Ian prenait donc soin de ne pas l'enflammer et tentait de rester le plus transparent possible. Agissant de la sorte, il ne comprenait pas pourquoi sa femme entretenait de telles pensées qui tournaient au vinaigre en certaines occasions. Ces circonstances se multipliaient avec le temps. Dans ce tumulte intérieur ombrageux, il tomba sur Michaël.

- Ah ! Mais ça ! fit Ian.

- Joan ! Docteur Jaenson ! Mais vous êtes le mari de Joan ? fit-il en les montrant du doigt.

- Vous vous connaissez ? s'étonna Ian.

- Nous nous sommes croisés à quelques reprises dans le cadre d'études, fit Joan.

- C'est exact, confirma simplement Michaël. Votre mari vient juste d'opérer ma femme. Elle est… toujours inconsciente.

- Oh ! Je suis vraiment désolée.

*

Le laboratoire privé d'Alain était financé par la Vandam-Med. Tous les résultats des expériences menées par le docteur Mathieu appartenaient à la richissime famille Vandam. Depuis dix ans, la firme, spécialisée en recherche sur la fertilité, développait des produits parmi les plus performants. Après avoir conçu avec succès une batterie de tests de fertilité, Max Vandam s'était tourné vers les affaires auxquelles il se consacrait dorénavant. Alain dut se soumettre au style de gestion que Max avait imposé à l'université avec sa règle d'or : ne rien divulguer. Il se pliait parfois malaisément à cette quasi religion plutôt stricte et avait tenté maintes fois d'assouplir les règles, en vain. Alain sentait qu'il ne parviendrait plus longtemps à donner l'impression de se conformer aux politiques de la Vandam-Med. Après l'accident de Clara, Zimmer ne pouvait choisir meilleur moment pour faire une offre. Comme s'il avait eu une boule de cristal ! pensa-t-il. L'offre de la Zimmer Contraceptive représentait pour Alain l'occasion rêvée de sortir élégamment des griffes de Vandam. Il regarda Olivier à côté de lui dans sa voiture. Max Vandam leur avait donné rendez-vous au laboratoire d'Alain.

- Vous êtes certain d'avoir bien fermé toutes les issues du département à vingt-deux heures ?

- Puisque je vous le dis, répétait Olivier qui en avait assez de cet interrogatoire.

- Auriez-vous, disons, une idée de qui aurait pu saccager nos expériences ? poursuivait Alain.

- Écoutez, docteur, si vous voulez vraiment trouver les coupables, je regarderais plutôt du côté de Raphaëlle. Elle doit en avoir gros sur le cœur !

- Olivier, c'est de la mauvaise foi ! Je sais que vous et Raphaëlle ne vous entendez pas très bien, mais de là à l'accuser !

Alain regarda Olivier du coin de l'œil, tout en demeurant attentif à la route.

- J'ai réfléchi longuement avant de sacrifier l'un de vous deux dans cette équipe.

Alain mentait. Il n'avait pas réfléchi le moins du monde ; il n'avait pas le choix ! Garder Olivier allait de soi. Olivier Vandam. Il savait qu'il n'y était pour rien dans les événements de la nuit. Et Raphaëlle avait déjà montré dans quel camp elle se rangeait.

- Quel intérêt aurait eu Raphaëlle à mettre le feu aux matrices, alors qu'elle semblait être tellement attachée à leur avenir ?

- La vengeance, établit sommairement Olivier.

Alain le regarda obliquement tout en demeurant concentré sur la route.

- Et vous ? largua Olivier tout de go. Qui nous dit que vous êtes blanc comme neige ?

- Et vous, mon cher Olivier ? lui renvoya aussi rapidement Alain.

- Moi ? s'offusqua Olivier vivement. Moi ! Mais vous ne savez pas à qui vous parlez !

Alain éclata de rire, ce qui soulagea quelque peu sa nervosité.

- Oh! Mais je sais parfaitement qui vous êtes, piqua Alain. Un petit profiteur qui veut m'éjecter le plus vite possible et qui pourra le faire parce qu'il s'appelle Vandam.

- Vous m'accusez sans connaître mes intentions véritables, tenta Olivier.

- Ah ? Et quelles sont donc vos intentions véritables, jeune homme ?

Le docteur Mathieu savait qu'il venait de déstabiliser Olivier. Parler franchement de son désir de le remplacer ne pouvait que le mettre dans l'embarras puisqu'il n'était pas encore apte à diriger. Depuis le temps qu'Alain étouffait cette équation dans son cœur, il ne demandait pas mieux que de crever cet abcès une fois pour toutes. Il usa d'astuce.

- Ne vous en faites pas avec moi. Je sais que c'est dans votre destin de prendre ma place. Votre père m'en a déjà parlé, bluffa-t-il.

- Ah oui ? Il vous a dit comment il entrevoyait mon avenir ? s'étonna Olivier.

- En quelque sorte. Ne soyez pas inquiet. Le temps venu, je saurai bien m'éclipser pour vous céder le siège, laissa tomber stratégiquement Alain.

Le docteur Mathieu mentait à nouveau. Il ne savait pas si Vandam avait réellement l'intention de placer son fils à la direction. Il en avait simplement la confirmation et se félicita d'avoir changé le pourcentage de la matrice. S'allier à la Zimmer Contraceptive devenait une nécessité.

- Je ne suis qu'un pion dans ce circuit, philosopha Alain.

- Vous exagérez. Vous êtes tout de même le directeur du département et de la chaire.

- Ça ne veut rien dire. Vous voyez quand le temps sera venu que vous preniez ma place – et c'est peut-être bientôt – je ne serai plus qu'un homme ordinaire.

- Docteur Mathieu, vous ne serez jamais un homme ordinaire, tenta de se reprendre Olivier.

- Ce n'est pas très important, laissa tomber Alain mettant un point final à cette conversation stratégique mais, somme toute, stérile et puérile.

Alain imposa un silence qu'Olivier respecta. Le laboratoire privé où le directeur menait ses affaires se trouvait à environ une heure de la ville. En dernier lieu, il empruntait un chemin de terre volontairement laissé à l'état sauvage pour décourager les visiteurs non désirés. Le docteur repassa en mémoire l'horrible scène du matin. Dans sa tête réapparut la salle des matrices dévastée par l'eau et le feu. Plus rien ne subsistait de cette expérience triomphale. Les journaux en parleraient toute la journée ! Quelle mauvaise posture ! Les policiers poursuivaient leur enquête. Déjà ils parlaient de sabotage. Alain s'était senti atrocement secoué. Qu'allait-il dire à son nouveau client ? Comment allait-il expliquer tout cela à Vandam ? Il se trouvait encore confus sur nombre de détails qu'il n'avait pu élucider, tellement le choc avait été subit.

La voiture ballottait de gauche à droite, de droite à gauche, contrainte par les ornières gravées dans la terre gondolée. Au bout de ce chemin malaisé, la maison blanche apparut. Alain habitait ce laboratoire depuis environ cinq ans. Il sourit à l'idée qu'il aurait assez d'argent, avec l'offre de Zimmer, pour gérer ses propres affaires !

Olivier aperçut un hélicoptère sur le côté de la maison.

- Mon père est arrivé, lança-t-il au docteur.

Alain redevint taciturne et tendu. Un mauvais quart d'heure l'attendait. Mais la vie reprendrait son cours sitôt après.

- Marva a dû lui ouvrir.

En entrant dans le hall suivi du jeune homme, sa pression sanguine s'éleva d'un cran et lui chauffa les tempes. Max Vandam les attendait de l'autre côté, dans la salle de conférence, avec deux hommes. La domestique salua son patron et termina de servir le café.

- Messieurs ! fit Alain souriant et arborant une confiance rassurante, qu'il était loin de ressentir.

Les hommes n'étaient pas d'humeur légère. Olivier, novice dans ces rencontres politiques, ouvrit grand les yeux et les oreilles. Il faisait ses classes dans les affaires. Sourire en coin, il regardait son père fièrement, heureux d'être son fils et soucieux de rester à la hauteur de son héritage.

- Docteur, répondit Max.

Cette phrase anodine n'avait rien pour réconforter Alain. Quand Max l'appelait « docteur », une mauvaise nouvelle l'attendait. La pièce tardait à se réchauffer. Mais l'ambiance n'était pas aux rires qui délient les âmes. Vandam entama la discussion.

- Qui a mis le feu au laboratoire ? demanda Vandam sans détour.

- Nous croyons qu'il s'agit d'une chercheuse, membre de l'équipe de la matrice, déclara finalement Alain, par commodité.

Olivier se réjouit intérieurement de voir le directeur se ranger de son côté.

- En êtes-vous certains ? s'enquit froidement Vandam, qui détestait perdre son temps.

- Plus que certains ! Je l'ai vue copier des informations dans l'ordinateur en réseau. Je suis sûr qu'elle a volé le fichier de la matrice, renchérit Olivier hardiment.

- La police a fait un rapport ? demanda Max.

- Ils enquêtent, ajouta Alain.

- Et ton employée, sais-tu pourquoi elle a fait ça ?

- Si je le savais !

- D'accord, opina Max en soufflant. Mais l'invention n'est pas perdue, n'est-ce pas ?

- Je ne le crois pas. J'essaie d'y voir clair à travers les lambeaux de la matrice, répondit Alain.

- Et la boîte noire ? s'inquiéta Max.

Max avait appris l'existence de la boîte noire par Olivier, presque dès le début de sa confection. Il n'avait pas pris au sérieux son utilité. Il but une gorgée d'eau. Alain, cherchant à prendre le contrôle de la situation, crut le moment opportun pour se lancer dans les confessions.

- Max, je dois t'avouer que j'ai déjà été sollicité par des acheteurs potentiels pour la matrice.

- Tu veux dire que tu leur as présenté l'invention ? s'informa Vandam.

- Pas complètement, évidemment.

- Alain ! Tu as fait fi de notre entente ?

- Pas le moins du monde, Max, j'ai simplement pensé que l'affaire pouvait être extrêmement profitable. J'ai agi dans nos intérêts, justifia Alain.

- Et la loi du silence ? rappela Max.

- Certes, mais ce n'est tout de même pas l'omerta, se défendit nerveusement Alain.

Un froid s'installa dans la pièce.

- C'était pourtant très clair ! Chaque invention devait faire l'objet d'une entente d'affaires entre nous avant même de faire intervenir un tiers. Et maintenant que vont faire ces tiers et qui sont-ils ?

Alain s'était aventuré trop loin. Avec la police sur le dos, il n'avait pas eu le choix. Max allait savoir tôt ou tard. Aussi valait-il mieux lui annoncer lui-même. Le docteur sentit le débit de son souffle se réduire et tenta de contrôler cette nervosité. Devait-il attendre, mentir ou foncer ?

- Zimmer, s'entendit-il révéler.

Malgré le lourd silence qui s'installa dans la pièce, le docteur reprit son souffle, soulagé. Il n'avait rien à perdre. Sachant qu'Olivier le remplacerait sous peu, Alain profitait seulement du temps qu'il lui restait pour s'assurer un avenir financier confortable. Dommage que ce soit tombé sur Clara.

- Notre plus gros concurrent ? s'écria Max. Mais tu es fou !

- Je… Mais… Je crois que la vente de la matrice est une excellente affaire. C'est même un bon moment…

- Tu me laisseras en décider moi-même, je te prie ! s'évertua-t-il encore. Zimmer ! Il n'y a pas pire comme acheteur. Ce serait pour mieux me descendre qu'il achèterait une telle invention.

- Écoute, Max, je ne suis que le directeur d'un département et je dirige des chercheurs. Je ne suis pas un homme d'affaires.

- On aurait dû t'enseigner quelques petits rudiments bien élémentaires. Cela aurait évité ce genre de malentendu.

Alain était même prêt à se vendre à Zimmer ! Au fond, il n'attendait plus rien de Vandam. Était-ce pour cette raison qu'il avait fermé les yeux sur des détails comme la venue d'un étranger américain au tempérament trop curieux, la fabrication personnelle de la boîte noire de Clara, qui n'en disait mot ?

- Tu n'as jamais réussi à reprendre la boîte noire du docteur Miles.

- Mais, c'est elle qui n'a jamais voulu que nous la financions ! se fâcha Alain. Une fois achevée, tu croyais vraiment que Clara allait sagement nous la remettre ?

Max se leva.

- Cette boîte est indispensable, Alain!

- Nous le savons seulement aujourd'hui. C'est le risque, non ? renvoya Alain véhément.

- Et Zimmer, tu viens de lui donner une longueur d'avance sur nous, blâma Vandam.

- Je ne vois pas comment.

- Parbleu ! s'enhardit Max. Tu lui as ouvert les portes du département et tu as rendu la matrice accessible à notre plus grand compétiteur.

- Mais lui non plus ne peux rien en tirer sans la boîte noire.

Vandam se tut et se calma.

- Quelle offre concrète a-t-il fait ?

- Nous n'en étions qu'aux pourparlers, répondit Alain qui commençait à s'inquiéter.

- Et si nous acceptions son offre ? fit observer Vandam.

Alain resta pantois. Jamais il n'aurait cru que Vandam laisserait aller la matrice à un compétiteur aussi facilement. Décidément, il ne s'y entendait pas en affaires. Néanmoins, les circonstances rendaient la transaction ardue, presque impossible.

- Tu n'y penses pas ! Nous n'avons même plus la boîte noire, fit-il observer à Max.

- Alors, il faut la retrouver, fit l'homme d'affaires. Je m'en charge.

La conclusion de cet entretien étonna Alain, loin de s'imaginer une issue si facile : il n'avait plus qu'à attendre que la boîte noire revienne au labo. Après quoi, l'offre de Zimmer allait le sortir de l'université. De la magie ! songea-t-il.

Cependant, cette rencontre avec Max avait éprouvé son sang froid au point qu'il en avait oublié les détails discutés avec son conseiller. Dès que tous furent partis, il lui téléphona.

- Non, il ne m'a pas parlé du pourcentage. Mais…

- Ne t'en fais pas, réconforta le conseiller. D'abord, tu agis avec un prête nom. Et puis, pour plus de sûreté, je t'ai fait ajouter une clause de désistement en cas d'accident ou de refus de collaborer, dans ce cas, tu détiendrais sa part de pourcentage en tant que directeur de l'expérience. Mais il faudra agir vite.

- Donc si Zimmer achète l'invention, j'ai la part du docteur Miles ? valida-t-il.

- C'est ça. Et tu me donnes ma part.

- Bien ! lâcha Alain dont l'esprit redevenait plus clair.

*

Il pleuvait à torrent. Raphaëlle entra d'un pas pressé au Gym, l'établissement où elle s'entraînait. Elle ferma son parapluie et monta l'escalier. Dans le hall, elle sourit à certains habitués qu'elle côtoyait mais à qui elle ne parlait que rarement. La chimiste parvint au comptoir et réalisa qu'elle avait oublié sa carte. Elle s'en lamenta auprès de la nouvelle réceptionniste.

- Je suis désolée, madame, je dois respecter les règles. Vous devez avoir votre carte avec vous pour entrer.

Un homme attendait derrière elle patiemment.

- Écoutez, vous êtes nouvelle, peut-être pouvez-vous demander à votre patron de venir ?

William décida d'intervenir. Il suivait Raphaëlle depuis un certain temps déjà et cette occasion augurait bien pour ses affaires.

- Combien vous faut-il, mademoiselle ? commença-t-il en tendant un billet de vingt dollars.

- Mais il est hors de question que j'accepte, s'offusqua Raphaëlle. Le patron me connaît, je n'aurai pas de problèmes à entrer.

- J'insiste, fit William. C'est avec plaisir. Allez, ne refusez pas.

Raphaëlle fronça les sourcils.

- Alors, fit-elle à la réceptionniste, allez-vous chercher votre patron ?

La réceptionniste se résigna.

- Vous devriez accepter des petits cadeaux de la vie parfois, fit doucement William.

Raphaëlle fut désarçonnée par la douceur de cet homme aux yeux bleu vifs, comme les siens.

- Mais je ne vous connais pas et...

- Et alors ? dit-il sans la laisser terminer.

- Je ne veux rien devoir à un étranger, expliqua-t-elle.

- Alors vous ne savez pas ce qu'est un cadeau.

- Mais... C'est embarrassant ! fit-elle excédée.

- Comme vous voulez, fit William en rangeant son billet. Je suis toujours heureux de pouvoir venir en aide à une âme dans le besoin, mais je ne voulais pas vous embarrasser.

Raphaëlle se sentit touchée par tant d'altruisme. La réceptionniste revint avec le patron. La chimiste expliqua en détail la raison de son oubli. Le patron la laissa entrer. Elle lança un air de satisfaction à William qui la regarda s'éloigner jusqu'au vestiaire des femmes.

Après s'être changé, il revit Raphaëlle sur le marcheur à côté de lui. Elle prit pied sur le tapis roulant et entama doucement ses exercices. Il marchait déjà très vite.

- Tiens ! fit William d'un air ravi. Beau hasard.

- Oh ! échappa Raphaëlle. Je ne vous avais pas vu.

- Je sais, je ne suis pas le genre à me faire remarquer, laissa-t-il tomber délibérément.

- Ça change de ce qu'on voit d'habitude, alors, blagua-t-elle, montrant du menton les gens autour.

- Pourquoi venez-vous ici ? Vous êtes déjà si svelte ! tenta William.

Elle le considéra obliquement. Ne sachant que répondre, elle lui retourna la question.

- Et vous ?

- Moi ? C'est pour être à la hauteur.

- À la hauteur ? fit Raphaëlle en riant. À la hauteur de quoi ?

- Quand je rencontrerai la femme de ma vie, je serai à la hauteur, répondit William candidement.

Les deux se turent et poursuivirent leurs exercices.

- Vous habitez dans le quartier ? demanda William.

- Oui. Et vous ?

- Aussi. Mes parents, eux, viennent de la campagne, prétendit William, connaissant les origines de Raphaëlle.

- Ah oui ? Les miens aussi, fit Raphaëlle en souriant. D'où ?

- Bedford, et vous ?

- L'Ange Gardien ! fit-elle en ralentissant le rythme. C'est curieux.

- Oui. C'est tout juste à côté, répondit William en cherchant à créer une complicité.

La chimiste se sentait bien avec cet homme qui respirait la gentillesse. Il la changeait agréablement des rencontres qu'elle avait faites auparavant en ce lieu.

- Je m'appelle William. Et vous ?

- Raphaëlle.

Le souffle un peu court, elle se concentra sur le rythme de ses pas et accéléra la cadence. Il fit de même et la provoqua d'un regard joueur. Ils finirent par un sprint que William gagna.

- Ça vous dirait d'aller manger ? tenta William. Je vous invite.

Raphaëlle se sentait si seule et si bouleversée ces derniers jours qu'elle accepta l'invitation presque spontanément, ce qui n'était pas dans ses habitudes.

- Oui, avec plaisir. Ça me fera du bien, répondit-elle hardiment.

- Bon ! Je vous attends dans le hall, fit-il.

William se rendit au vestiaire. La journée ne se terminerait pas comme elle avait commencé. Surtout ne pas la brusquer. Jusqu'à maintenant, il avait réussi à établir le contact parfait pour l'amener dans ses filets. Du bon travail qui le conduirait à coup sûr vers l'objectif final. Raphaëlle n'était-elle pas la proie idéale, celle qui lui confirmerait la réponse à sa question : Qui détient la boîte noire ?

Ils furetèrent dans les rues en quête d'un bistrot sympathique et aboutirent au Renoir. Un café joliment aménagé, décoré de reproductions et peintures impressionnistes. Les sièges et les tentures rouge foncé stimulaient les sens, ce qui se reflétait dans les conversations animées.

- C'est agréable, ici, vous aimez ? vérifia William.

- Beaucoup, répondit-elle. Vous y venez souvent ?

- En fait, un ami m'en avait dit grand bien, mais je n'y étais jamais venu.

Un serveur posa leurs plats avec discrétion sur la table.

- Et que faites-vous à Montréal ? lança-t-il.

- Je suis chercheuse, dit-elle à la fois fière et humble.

- Oh ! C'est intéressant. Dans quel domaine ?

- Moi, je suis chimiste, mais je travaille pour une biophysicienne.

Raphaëlle s'attrista en pensant à Clara.

- Qu'y a-t-il ? Tu vas bien, fit-il en cherchant l'approbation devant ce tutoiement ?

- Oui, répondit-elle en signifiant son accord d'un sourire. En fait, ma patronne est à l'hôpital.

- Ah bon. Et c'est grave ? fit mine de s'informer William.

- Coma, échappa-t-elle.

- C'est triste.

Il regarda le plat de Raphaëlle.

- C'est bon ?

- Quoi ? fit Raphaëlle qui venait de perdre le fil.

- Ton plat, c'est bon ? demanda encore William.

- Très.

- Alors tu dois avoir une surcharge de travail, lança William.

- Depuis que ma directrice n'est plus là, le labo entier est sens dessus dessous. Son invention a été détruite ! Oh ! Je…Excuse-moi, j'ai été si bouleversée.

- Ne t'excuse pas, fit William.

- Je ne comprends toujours pas clairement pourquoi elle a fait ça, renchérit Raphaëlle malgré elle.

Elle n'avait eu aucun répit et se livrait en cascade pour la première fois depuis les incidents.

- Ta patronne ?

- Non, son amie.

- Son amie ?

- Elle a tout détruit.

- Et c'est son amie ?

- Oui, ça peut sembler paradoxal, mais Nina cherchait à protéger son invention.

- Et tu es certaine qu'elle n'a pas d'intérêt personnel dans tout ça ?

- Non ! Elle est romancière. Aucun intérêt à se mouiller mais, je me demande pourquoi elle court tant de risque.

- Sans doute pour son amie, suggéra doucement William. Ou pour inspirer son prochain roman !

Raphaëlle sourit à William et prit une bouchée. Il leva son verre et le tendit vers la chimiste ; il en était à une confirmation près sur sa question.

- À ta santé, Raphaëlle, s'enhardit William.

- À la tienne, William, rétorqua Raphaëlle.

Elle fut reconnaissante à William de l'avoir ravie à un quotidien malsain. Son corps se détendit.

- Et toi ? Que fais-tu dans la vie ? interrogea Raphaëlle.

- Devine ! lança William.

- Informatique ? Communication ? Assurances ? tenta-t-elle.

- Un peu tout ça. Je suis conseiller, prétendit William.

Habituée aux étiquettes claires, Raphaëlle ne savait pas comment poursuivre la conversation.

- Conseiller ? Ah ! C'est bien, trouva-t-elle à dire. Et ça te plaît ?

- Bien sûr, autrement, je changerais de profession. C'est comme toi, non ?

- Moi, je ne me suis jamais posé de question. J'aime ce que je fais et j'ai toujours eu du travail.

Raphaëlle cessa de mâcher et immobilisa sa fourchette.

- Qu'y a-t-il ?

- Rien… Une simple pensée, échappa-t-elle.

- Une pensée ? On dirait que tu viens d'apprendre que tu as perdu ton emploi ! dit-il sachant qu'il visait juste.

- C'est exactement à ça que je viens de penser ! s'exclama Raphaëlle. Comment as-tu fait ?

- Mais j'ai dit ça comme ça. Tu as réellement perdu ton emploi ?

- Non ! se défendit Raphaëlle.

- Alors tu as quelque chose à te reprocher ? insista William.

Raphaëlle devint nerveuse.

- Tu veux t'en aller ? proposa William en espérant qu'elle souhaite rester.

- Non, ça va. Je…

- Et cette invention, toi, tu n'avais pas l'intention de l'utiliser…

- Quoi ?! Tu ne penses pas ce que tu dis ! Jamais je ne volerais Clara ! Au contraire, à l'heure qu'il est nous voulons nous concentrer sur une reconstitution des plans pour sauver ses intérêts.

William avait sa réponse. Il voulait maintenant s'esquiver.

- En tant que conseiller, renchérit Raphaëlle, crois-tu que c'est bien ?

- Sans doute, rassura William. D'autres proches détiennent-ils d'importantes informations ?

- À part son mari, j'imagine que non, fit Raphaëlle.

- Alors, si la famille est impliquée, c'est bon signe, non ? répliqua William.

- Tu le crois vraiment ?

- Oui. Je le crois. J'ai perdu ma famille jeune et je n'ai jamais pu compter que sur moi-même. Ma famille, c'était mon seul refuge. Je ne vois rien de plus important, conféra-t-il avec sincérité.

La chimiste se moucha avec la serviette de table.

- Excuse-moi. Je… Merci beaucoup pour cette conversation. Ça m'a fait du bien, admit-elle.

- Le plaisir était pour moi, dit-il en prenant la facture. Elle a écrit beaucoup de livres, Nina ?

Ils ramassèrent leurs affaires en poursuivant la conversation jusqu'à la caisse.

- Je ne sais pas. Clara m'a mentionné quelques titres dont je ne me souviens pas. C'est honteux.

William lui fit un sourire compréhensif et retourna à la table déposer un pourboire. Ils sortirent.

- Nous nous reverrons, j'espère, lança William.

- Ça serait avec plaisir, répondit sincèrement Raphaëlle.

- Au Gym ? suggéra-t-il.

- Au Gym.

CE DIEU POUR QUI LE SANG COULE

Pourquoi cette âme
me semble-t-elle si inaccessible ?

Éloïse

François se trouvait dans l'ancienne écurie du Temple de Salomon. Avec lui un homme menu et discret travaillait son art sur une étoffe. L'artisan recula l'avant de son torse pour mieux examiner le visage lumineux qui s'imprégnait dans les fibres du drap. Il faisait un peu sombre et jamais l'homme ne s'en était plaint, comme s'il n'œuvrait pas seulement avec ses yeux. Quel homme mystérieux, pensa François. Un chevalier de l'ordre descendit les escaliers du passage secret et entra.

- François, fit Robert, il nous faut partir pour le relais. Nous devons accompagner la fille du comte Raymond à Tibériade.

- Et qui se chargera de veiller sur notre cher artisan ?

- Des hommes en garnison à Nazareth s'occuperont de la protection du Temple pendant notre absence. Ne t'inquiète pas, le suaire sera en sécurité.

- Qu'il en soit ainsi, fit François.

Et les deux *Templiers* quittèrent l'artisan qui ne les entendit pas partir.

*

Gérard de Ridefort rageait. Il tenait dans ses mains une lettre du comte de Tripoli, Raymond III qui lui signifiait une fin de non recevoir quant à une union avec la dame de compagnie de sa fille Augustine. Ah ! Le comte Raymond allait regretter de l'avoir éconduit ! Il n'aurait pas la main d'Éloïse ? Soit. Mais il aurait sa vengeance !

- Il a donné la vassale de Boutron en mariage à un vilain, pestait Ridefort fortement courroucé. Et il souhaitait me voir l'aider à préserver l'unité franque!

Ridefort, d'origine flamande, était un chevalier errant. Il était venu en Terre Sainte dans le seul et unique but d'y faire fortune, favorisant sa propre réussite plutôt que la délivrance du Saint-Sépulcre. Peu touché par la noble cause, il bénéficiait pourtant du rayonnement des Templiers et, dans cette optique, n'avait pas douté un instant de son mariage avec Éloïse.

- Dire que nous étions amis, lâcha-t-il.

*

Les chevaliers, qui relevaient des comtes et barons cherchant à maintenir leurs propriétés en Terre Sainte, se postèrent à la forteresse de la Tour Destroit. Plivain, le nouvel époux d'Éloïse, se trouvait à la tête des pèlerins qui attendaient le signal pour mettre pied à terre.

- Vous allez pouvoir vous reposer et vous ravitailler ici, fit-il. Dès demain, les Templiers vous conduiront, pour la plupart, à Jérusalem.

- Au Temple de Salomon ! ajouta avec un brin d'enthousiasme un autre chevalier.

Ravi, tout le monde s'anima à l'idée de voir ou revoir Jérusalem. Derrière la forteresse, la troupe des Templiers, ces moines-chevaliers mandatés par Rome pour assurer en Terre Sainte le passage des pèlerins, rejoignit les fidèles.

- Ah ! Les voici, fit Plivain.

- Les chevaliers de l'ordre du Temple pour vous servir, fit François en saluant le groupe.

Dans le dos du chevalier, les rayons du soleil l'habillaient d'un halo féerique. Le preux s'imposait dans sa blanche tunique à croix rouge, prêt à défendre la foi des pèlerins contre les attaquants. Il inspirait confiance. François regarda les fidèles exaltés par leur quête. Lorsque son regard se posa sur celui d'Éloïse, il fut attiré aux confins de ses prunelles. Des étincelles échangèrent leurs vœux. Éloïse se laissa pénétrer sans entrave par ce vaillant qui la ravissait. Un délice lyrique étourdit ses oreilles à la lisière de l'ivresse et lui coupa le souffle. Toute retournée, elle tentait de ne rien laisser paraître de son émoi. Heureusement, une brise vint lui porter secours. Elle reprit maîtrise de son cœur et esquissa un faible sourire à son époux. Plivain, qui rassemblait les pèlerins vers l'intérieur de la forteresse, ne fut pas dupe. Il s'approcha d'Éloïse, la prit par les épaules et tous deux suivirent les autres.

François ne put laisser libre cours à ses états d'âme, car il devait vaquer à ses devoirs. Néanmoins, son cœur chanta une nouvelle promesse de bonheur qui venait s'additionner à la noblesse de sa cause. Depuis qu'il avait été fait moine-chevalier, son âme portait une foi inébranlable et renouvelée à chaque aventure avec les pèlerins. Mû par un idéal immaculé, maintes fois il avait percé le regard de quelques belles, mais jamais il n'avait ressenti un frisson si profond. Le temps était-il venu pour lui de laisser glisser dans sa noblesse de Templier une autre personne que lui ? Le chevalier accueillit cette flamme comme un soupir de grâce. Il inspira en regardant les pèlerins se diriger à l'intérieur. Éloïse se retourna avant de rentrer. Leurs regards communièrent encore un instant. François finit par apercevoir le bras qui tenait l'épaule de cette femme. Qui était ce chevalier ?

- François, répéta un chevalier pour la troisième fois en lui pointant la porte de la forteresse. Allons!

Plivain et les chevaliers durent quitter les lieux. Il fit ses adieux à son épouse. Lorsqu'il sortit, François entra. Les deux hommes se croisèrent et échangèrent un regard méfiant. Au dehors, des Templiers faisaient le guet et saluèrent Plivain au passage.

Le soir venu, les pèlerins mangeaient en discutant de leur périple autour d'une table. Les enfants couraient dans la pièce. François, posté à l'intérieur, restait en état d'alerte devant la fenêtre. Dès qu'il le pouvait, il lançait un regard discret vers Éloïse. Augustine avait observé ce jeu.

- Vous pratiquez un métier dangereux, chevalier, fit-elle.

- Oui. Mais c'est pour une noble cause, répondit-il empreint d'humilité.

Cette courtoisie plaisait profondément à Éloïse, qui se défendait toutefois de regarder le chevalier. Elle admirait les Templiers, mais celui-là la troublait. Comme cette pensée terminait de la faire rêver, le chevalier lui lança un regard doux enrobé d'un sourire irrésistible. Pourquoi l'avait-il regardée à ce moment précis ?

- Vous risquez votre vie pour satisfaire notre foi, poursuivit Augustine, acharnée.

Un homme assis tout à côté de la demoiselle buvait sans relâche depuis le matin. Il empestait le tonneau et les mouches étaient séduites par son odeur. Il intervint grossièrement.

- Si c'est pas noble ça, on se demande ce que c'est!

Son air déconfit amusa définitivement la tablée. L'homme se leva et se mit à danser tandis que cuillères, coupes et vaisselle constituaient le rythme musical. Pour la première fois depuis qu'ils avaient entrepris la croisade, les gens manifestaient leur bonne fortune. L'idée d'arriver à Jérusalem prochainement, c'était comme s'ils allaient rencontrer Jésus en personne.

Un homme entra la mine sérieuse. Vêtu lui aussi de sa robe ornée d'une longue croix rouge qui la traversait, passée par-dessus sa cotte de maille, il venait quérir François. À travers le chahut, il lui fit signe de venir le trouver dans l'autre pièce.

- Veuillez me pardonner, fit François en se levant.

Le valeureux passa tout près d'Éloïse succombant à la douce tentation de humer ses cheveux. Augustine ne le quitta pas des yeux jusqu'à ce qu'il eut disparu derrière la porte.

- Il est vraiment plaisant, ne trouves-tu pas ? fit Augustine.

- Oui. Je le trouve aussi. Il est…

- Séduisant ?

Éloïse rougit. Augustine la regarda complice. Mais son amie semblait ne pas être prête à parler de cette fantaisie.

- Il te plaît ? fit Éloïse à Augustine.

- Et à toi ? relança-t-elle avec lucidité.

- Que vas-tu t'imaginer ! Je suis une femme mariée.

De l'autre côté de la pièce, François discutait des prochains jours avec Robert. Il fallait coordonner la garde de l'artisan et les guerres contre les Turcs.

- Sitôt Tibériade atteinte, nous devons retourner à Jérusalem pour la garde de l'artisan.

- Soit, fit François à son compagnon.

- Aurais-tu le cœur en bataille ? fit Robert qui le regardait attentivement.

- Moi ? désavoua François.

- Allez, je te connais assez pour savoir. Une belle ?

- Point n'est de belle en mon cœur, Robert.

- Alors, tu as de superbes yeux, compagnon ! railla-t-il en sortant. Allez, à plus tard!

François arpentait la pièce, le poing sur le menton. Il essayait de se calmer et de revenir à l'essentiel : sa mission. Il retourna dans la pièce où tous les pèlerins finissaient leurs agapes.

- Rien ne peut arrêter les chevaliers, n'est-ce pas ? fit Augustine.

- Rien n'arrêtera jamais un chevalier, fit François en jetant ses yeux sur Éloïse. Partons!

Éloïse avait une chevelure d'ébène longue et lisse à faire rêver. Dans son teint pâle, ses lèvres roses nuaient jusqu'au pourpre lorsqu'elle laissait libre cours à certaines émotions. De caractère analytique et réservé, elle évitait les troubles de son cœur pour s'occuper des choses de l'esprit. Elle sentait pourtant que son âme chavirait. Même dans ses inventions les plus folles, elle n'aurait imaginé pouvoir voyager avec un être d'une telle noblesse. Mais elle se devait de ne pas y penser. Augustine, plus ronde, les cheveux en boucles claires, aimait se laisser emporter par le romanesque. Son joli minois alliait fantaisie et innocence.

Le lendemain, ils parvinrent sans heurt à la forteresse du comte Raymond, selon les ordres reçus. Les chevaliers laissèrent les pèlerins et poursuivirent leur route. Le temps était assez chaud, mais pas suffocant. Le destrier portait les deux hommes sur son dos. Les chevaux étaient si gros qu'il était coutumier de rencontrer plus d'un chevalier sur la même monture. Robert se trouvait derrière et tenait d'un main le torse de son ami. Il pouvait sentir ses états d'âme. Les deux hommes, du même âge, avaient traversé de nombreuses épreuves sur le dos du même cheval.

- Je sais ce que tu penses, fit François.

- Tu es amoureux, rétorqua Robert.

- Non, avant tout je vais de par Dieu.

- Tu es amoureux, insista son ami.

- Je ne le suis pas, corrigea François.

- Tu es amoureux, persévéra Robert.

- Même si je désirais ouvrir mon cœur, c'est impossible.

- Pourquoi ?

- Parce qu'elle a un époux.

- Alors tu admets, tout de même ! raisonna Robert.

François lança son gant par terre.

- Ha ! fit-il en sautant de son cheval. Tu me fais dire ce que tu veux, avec ces questions, mon preux.

- Parce que tu es sensible et romantique, répondit Robert en descendant à son tour. J'en profite et te pique !

François saisit Robert par le torse et le mit à terre sans prévenir. Les deux hommes se chamaillèrent jusqu'à la brutalité, roulant dans l'herbe, se serrant l'un et l'autre. François finit par tordre le corps de Robert, qui se trouva bientôt en mauvaise posture.

- Ah ! Je me rends ! cria Robert.

- Jure-moi que je ne suis pas un sensible, ordonna François.

- Je le jure, je le jure ! répliqua Robert en riant.

François lâcha son compagnon et passa sa main dans ses cheveux. Ils restèrent allongés dans l'herbe folle. Robert secoua ses membres, se mit un brin d'herbe dans la bouche et regarda le ciel.

- Tu sais où se trouve le vrai suaire, toi ? demanda Robert à François.

- Je sais seulement que nous irons porter la réplique de l'artisan en France.

Robert baissa la tête vers l'horizon. Des silhouettes émergeaient au loin.

- Les Croisés sont en train de vendre à prix d'or toutes nos Saintes reliques, déplora-t-il. Si nous n'étions pas là, je me demande qui les protégerait ?

François regarda ses pieds. Le destrier broutait l'herbe.

- Hugues de Champagne, lança François, l'ami de mon aïeul a tout laissé tomber pour venir aider aux fouilles de l'arche : sa famille, ses terres, sa fortune. Il était aussi puissant que le roi de France. Quelle foi ! Tu l'aurais fait, toi ?

- J'imagine que oui, répondit Robert spontanément. Et toi ?

- Aujourd'hui, je ne sais plus, fit François en restant songeur.

- Ça te reprend.

- Quoi ?

- Ce regard de brume, railla Robert. Partons avant qu'il ne me revienne l'envie de te traiter de sensible !

Les rayons du soleil faiblissaient, mais la douce chaleur persistait et prêtait à l'insouciance. Trois hommes galopaient vers eux. Ils arboraient une tunique blanche, ornée d'une croix rouge comme celle des Templiers. Seuls leurs turbans et leur physionomie distinguaient leurs deux ordres. Cependant, pour la plupart du monde, les *Haschischins* et les Templiers étaient des ennemis déclarés que stimulait la foi en un dieu différent et se battaient pour faire régner leur credo.

Pourtant, s'ils étaient drapés de noir, arborant un turban et armés d'une dague effilée comme les Haschischins, ou bien vêtus d'une tunique blanche frappée de la croix de Malte et armés d'une épée gigantesque, les deux ordres entretenaient des relations diplomatiques et militaires depuis leur tout début. Et malgré certaines divergences religieuses, cette proximité engendrait une communion de l'esprit digne des lignées fondatrices de ces ordres. Ainsi, les Arabes transmirent leur connaissance des chiffres et le raffinement de leurs connaissances en astronomie tandis que les Francs léguaient leur génie militaire. Leur bravoure était une qualité remarquée mais par-dessus tout, leur honnêteté et leur intégrité irréprochables étaient toujours appréciées. Enfin, un même principe de base les unissait : tuer ou mourir.

- François ! lança Hassan.

- Mon frère ! répondit-il.

- Hassan, renchérit Robert.

François et Hassan avaient grandi ensemble à Constantinople. Le premier était devenu chevalier du Temple, à l'instar de ses ascendants.

- Ton père va bien ? s'informa François.

Hassan lui fit un signe affirmatif. Dans le sillon de son paternel et de ses frères aînés, il avait été naturellement introduit aux rites de l'ordre des Haschischins, fondé à la même époque que celui des Templiers et de nombreux autres.

- Comment connais-tu son père ? demanda Robert.

- C'est une très longue histoire, amorça François.

Hassan descendit de son cheval et les autres firent de même. Il sortit quelques herbes de son sac de cuir.

- Hassan et moi sommes les cadets de notre famille, expliqua François. Je crois que cette similarité nous a vite rendus complices.

- C'est vrai, confirma Hassan en frappant doucement François sur le bras.

Il fit brûler les herbes et tous en humèrent les exhalaisons.

- Lorsque nous étions tout jeunes, reprit François, nos frères aînés furent ordonnés et durent monter rapidement vers les sommets de nos ordres respectifs.

- Et alors que nous restait-il comme place ? poursuivit Hassan qui inspira longuement une bouffée de haschisch.

- Vraiment ? interrogea Robert surpris par ces aveux. Pourquoi donc avez-vous décidé de vous faire ordonner ?

- Nous n'avions pas vraiment le choix, fit François en rejetant de la fumée. Mes ascendants sont les fondateurs de l'ordre.

- Et aussi les miens, renchérit Hassan. Je porte même le nom de mon aïeul, Hassan Sabbah, le fondateur de Haschischins ! Mais François et moi avons plutôt décidé de contourner la hiérarchie.

- Que veux-tu dire ? demanda encore Robert curieux.

- Nous sommes des traîtres ! annonça François en échappant un rire en cascade, enivré par les effluves de la drogue.

La contagion de rires porta son écho dans les nuages qui se formaient. Hassan redevint sérieux.

- Je dois partir pour la guerre, largua-t-il.

- Pourquoi ? interrogea François.

- Ridefort, votre nouveau maître Templier, a fait couronner le roi Lusignan. Il l'a convaincu d'un affrontement contre *Saladin*.

- Par Dieu ! Et dire que le comte Raymond a promis à feu Baudoin de faire régner l'unité franque, s'exclama François. Ridefort vient de tout compromettre.

- Mais je les croyais amis, renchérit Robert.

- Le cœur des hommes, fit Hassan, est souvent détourné par l'esprit de vengeance.

- Qu'allons-nous faire ? demanda François à Hassan.

- Tuer ! jeta-t-il en s'esclaffant.

- Mais comment pouvez-vous demeurer si léger devant des choses si graves ? reprocha Robert.

- Fume, mon ami, l'exhorta François les yeux hagards.

*

Plusieurs jours plus tard, Augustine et sa dame de compagnie se prélassaient au bord du lac.

- La nouvelle épouse, lança Augustine un peu coquine.

Éloïse continuait de broder en se demandant à quoi son amie voulait en venir. Augustine cherchait un signe qui pourrait trahir les sentiments d'Éloïse, car enfin cette émanation d'amour entre elle et ce chevalier, elle ne l'avait pas rêvée!

- Mais oui. Mon récent statut te rendrait-il jalouse, mon amie ?

- Jalouse ? fit Augustine surprise par la répartie. Non ! Je ne suis pas faite pour le mariage, tu le sais bien. Je refuse d'épouser un homme par pur intérêt.

- Mais peut-être n'auras-tu pas le choix un jour, objecta Éloïse.

- Ce jour-là, c'est que j'aimerai vraiment de sentiment un noble qui saura m'aimer.

- Tu dis ça comme si c'était d'ores et déjà impossible.

- Alors, tu y crois à l'amour ? fit Augustine s'imaginant enfin pouvoir faire parler son amie.

Éloïse se sentit rougir. Elle ne pouvait pas révéler ainsi ses sentiments éprouvés pour quelqu'un dont elle ignorait jusqu'au nom.

- Le chevalier François. Tu le connais ? lâcha la fille du comte.

- Non. Qui est-ce ? fit Éloïse aux prises avec une intuition de bien mauvais goût.

- Le chevalier qui te mangeait du regard au relais.

Coup de poignard au cœur. Éloïse eut du mal à avaler sa boisson. En déposant son verre sur la table, sa broderie tomba par terre. Augustine eut sa réponse.

- Mais…, tenta Éloïse la voix étranglée par l'émotion.

- Ne t'excuse pas, dit Augustine plus douce, j'ai vu aussi ce que tu as ressenti. Et de ça, j'en suis fort jalouse. Mais comme je te plains.

La fille du comte reprit sa broderie, Éloïse regardait le vide. La mère d'Augustine vint interrompre ce malaise avec des nouvelles. Un valet la suivait avec des rafraîchissements et des bouchées. La comtesse resta debout et parlait avec volubilité en s'éventant.

- Un homme est allé frapper chez le prince Renaud pour l'avertir qu'une caravane passait sur ses terres.

- Le prince Renaud, fit Augustine à Éloïse, est un vil personnage. Il a abusé de la princesse d'Antioche, éperdument amoureuse de cet esprit retors. Elle le laisse gouverner les plus belles principautés de son royaume. Et le voilà toujours à satisfaire ses instincts de pillard. J'imagine déjà la scène que vous allez nous dépeindre, mère.

- Le prince se rendit à Crac sur ses terres où se trouvait à passer une caravane. Accompagné de ses gens, il la fit prendre. Vous ne devinerez jamais qui se trouvait à l'intérieur ?

- Vous nous faites languir, mère, pressa Augustine.

- La fille du Turc Saladin.

- Non!

- Mais ce n'est pas le pire : Saladin entendit la nouvelle et mandat le roi de Lusignan de libérer sa fille sans quoi il cesserait de respecter la trêve négociée du temps du petit roi.

- Baudoin le Lépreux ? demanda Éloïse.

- En effet. Le roi a donc ordonné au prince Renaud de rendre sa fille à Saladin, ainsi que la caravane. Devinez ce que le prince a fait ?

- Mère ! Pourquoi nous faire languir ?

- Eh bien, il n'a voulu rendre ni la fille ni la caravane. Vous savez pourquoi ?

- Non, fit Augustine lassée du jeu de sa mère.

- Il a prétendu qu'il était le seigneur de sa terre tout comme le roi de la sienne!

- Dans les faits, ce ne sont même pas ses terres, réfuta Augustine.

- Il y a pire, continua la mère. Il a dit au roi que ce n'est pas lui qui avait fait une trêve avec les Turcs. Vous vous rendez compte ? Il met tout le royaume en danger.

- Il cherche la guerre ? demanda Éloïse.

- Il est simplement bête, objecta Augustine.

La comtesse finit par s'asseoir. Elle harponna une bouchée et les filles reprirent leur broderie. Éloïse ne put s'empêcher de penser au chevalier du nom de François.

- Je me demande jusqu'où ira cette histoire, conclut la mère d'Augustine.

*

Immobile sous une arche du portique, François regardait les gens passer. Il ne cessait de penser à cette femme qui lui prenait son cœur. Il s'inquiétait de la position géographique de la forteresse dans laquelle elle se trouvait. Tibériade allait être prise par Saladin, Hassan venait de lui confirmer. Ils convinrent de se retrouver au cours de la bataille. Hassan avait mission de s'infiltrer dans les troupes turques.

François vit arriver Raymond, la mine grave.

- Nous devons sauver votre famille ! défendit le chevalier hardiment.

Raymond ne répondit pas. Le chevalier suivait le comte et languissait.

- Vous feriez tuer trente mille hommes contre quelques femmes et enfants ? fit Raymond.

Cette réplique traversa la cotte de maille du chevalier comme une fléchette inattendue. Question empoisonnée ! Sacrifier trente mille contre quelques femmes et enfants.

- Mais ces gens – enfin ce que ces gens représentent pour vous – votre attachement, cela ne compte-t-il pas à vos yeux ? Ils ne peuvent pas être comme les autres, comte Raymond !

- J'ai dit au roi que je préférais voir Tibériade tomber aux mains des soixante mille hommes de Saladin plutôt que de sacrifier notre armée franque de seulement trente mille. Nous venons de subir des pertes inestimables par la faute de l'arrogance de Ridefort. Partir en guerre sachant que vous allez la perdre, est-ce une solution ?

Le chevalier s'arrêta net. Il hésitait devant la logique du comte de Tripoli pourtant juste et sage. Il regarda au ciel en quête d'une réponse. Les nuages apostrophaient le soleil et les rayons essayaient de s'y frayer à nouveau un chemin. L'odeur de la pluie rafraîchissait l'esprit. Le comte se tourna vers François avec un demi-sourire.

- J'ai conseillé à mon épouse et à sa suite de fuir dans nos vaisseaux sur la mer et d'y demeurer jusqu'à ce que nous les secourions. C'est une tactique intéressante à votre avis ?

- Ah ! Vous m'en voyez soulagé, comte Raymond, expira François rassuré.

- Les dommages de Tibériade reviennent sur moi, mais pour rien au monde je ne voudrais voir les miens en danger ni périr. Je vous en confie la garde, chevalier François. Allez les trouver dans mon vaisseau!

- C'est un grand honneur, comte. Je m'en acquitterai sans faillir, dussé-je y laisser ma vie.

Le comte alla son chemin. François s'arrêta de marcher, ravi.

*

Lusignan se retrouvait avec ses milliers d'hommes à Tibériade et Ridefort, toujours à la tête des Templiers. Ne sachant trop comment planifier ce combat, il demanda conseil à Raymond, irrité.

- Je ne vois pas comment je puis vous conseiller puisque de toute manière, jusqu'à maintenant vous n'en faites qu'à votre tête. Je ne saurais que vous recommander de vous mettre à couvert pour l'heure.

Le roi et les troupes de chrétiens montèrent la butte pour s'y réfugier. Lorsque les Turcs arrivèrent sur les lieux, ils virent les Francs se loger sur le mont et en furent assez satisfaits. Ils s'installèrent tout autour. Saladin pouvait d'ores et déjà bloquer la voie d'accès vers l'eau.

Hassan observait Saladin tristement. Il se fondait à sa troupe, affichant les couleurs des Turcs, ennemis des siens. Mais au-delà des convictions de sa secte, il avait toujours eu horreur de la guerre et, très jeune, il avait compris qu'elle n'était utile qu'à quelques personnes. François et lui en avaient souvent discuté. Hassan se leva, scruta l'horizon et chercha des yeux la présence de son ami chevalier. Il ne vit aucune silhouette lui correspondant. Et pour l'heure, le Haschischin devait s'acquitter de sa mission : tuer Afdal.

*

Les dames prenaient l'air sur le pont. Les domestiques s'activaient. Le site demeurait, tout compte fait, magnifique. Les flots apaisaient les craintes et les visages se laissaient caresser par la brise tiède. Les formes hautes de la forteresse au loin se fondaient au sein des trois montagnes isolées qui constituaient un rempart autour d'elle. Une défense naturelle où des anges gardiens perchés protégeait les habitants des forteresses. Éloïse admirait le château du comte et François sur le pont observait en silence cette belle qui venait à peine d'épouser un riche corse. S'il avait pu la rencontrer quelques semaines plus tôt, se dit-il. Il profitait de ces instants tissés d'un amour invisible pour parfumer son cœur et rêver d'elle. Éloïse, le regard encore perdu dans la disposition des formes s'épousant sans conflit, fut pénétrée d'un profond sentiment de mystère et s'abîma dans la contemplation des flots.

- C'est inimaginable que Jésus ait marché sur les eaux, fit-elle.

- Parfois, je ne sais pas ce qui est le plus important : croire aux miracles ou pratiquer l'amour qu'il a enseigné, poursuivit Augustine.

- Il est certain, répliqua Éloïse, qui se plaisait à réfléchir, qu'il est plus aisé de croire aux miracles que d'aimer son prochain. Mais dans les deux cas, de nombreuses questions demeurent.

- J'imagine que c'est pour ça que nous allons en pèlerinage. Le mystère s'effacera-t-il à Jérusalem ? interrogea Augustine.

- Au fait, pourquoi ne pouvons-nous pas nous y rendre ? demanda soudain Éloïse.

- Tu sais, toutes ces guerres demeurent pour moi un mystère encore plus grand que celui de Dieu!

- Cette guerre n'a-t-elle pas été causée par la prise de la caravane d'une princesse ?

- Non, ce tort fut plutôt provoqué par le prince Renaud qui refusa de la laisser partir et par l'insolence du maître Templier.

- Ah ! se lassa Éloïse. Laissons les hommes en leurs conquêtes.

Elles rirent et se mirent à s'arroser de leur boisson rafraîchissante. La mère d'Augustine manda les filles pour une partie de cartes. Éloïse avait plutôt envie d'une sieste. Son amie n'insista pas. François les vit se séparer. Éloïse allait atteindre la porte de la cale lorsqu'il l'intercepta.

- Ce voyage forcé ne vous est pas trop désagréable ? commença-t-il.

- Non, il... C'est finalement un moment magnifique, fit-elle en se sentant rougir.

- Votre mari est chevalier ? C'est un métier risqué. Il doit vous manquer.

- Mais je n'ai pas eu beaucoup le temps de m'ennuyer, fit-elle le souffle court.

- Alors, c'est tant mieux. N'éprouvez-vous pas une sensation de faim ? demanda-t-il. J'irais vous chercher quelques morceaux de pain – pour vous servir, ajouta-t-il.

- Non, merci, chevalier je n'ai pas faim pour le moment. En revanche, j'ai grand soif ! laissa-t-elle tomber, saisissant l'occasion d'étirer le temps avec le chevalier pour qui son cœur se gonflait.

Elle lui tendit son verre vide.

- Allons plutôt aux cuisines, fit-il heureux.

Il la laissa passer en lui effleurant l'épaule, ce qui ne déplut pas à la jeune dame.

Dans le brouillard du jour qui mourait, la cuisine s'enroba d'un voile onirique. Éloïse, d'ordinaire sérieuse, se laissa charmer par l'air du temps qui pénétrait dans la pièce. Les paroles douces du noble François la chavirèrent. C'est ainsi que la belle échappa momentanément aux interdictions maritales et qu'elle se permit de goûter à cette brise de mots qui caressaient son esprit.

- Si, plus tôt, votre coeur j'avais pu émouvoir, fit François, comme il m'aurait plu de vous aimer tous les soirs.

À ces mots, pourtant plaisants à entendre, un coup de poignard transperça le coeur d'Éloïse. La poitrine enlacée dans son corsage, elle fut prisonnière d'une émotion incontrôlable. Cette lame qui tournait dans son coeur s'assimilait à une torture traitresse dont elle ignorait la source.

La peau diaphane de la belle interpella François qui eut tout juste le temps de l'attraper avant qu'elle ne défaille. Il la transporta précipitemment dans sa cabine et tenta de ramener Éloïse à la raison. Il lui parla tant et tant, mais rien n'y fit. Il ouvrit le hublot.

Éloïse sentait toujours au fond de sa poitrine une pointe dure et froide qui triturait son âme. Elle aurait donné n'importe quoi pour que cette douleur cesse.

François défit son corsage et Éloïse se remit à respirer avec effort. Il attendit quelques instants puis, conquis par sa beauté, posa une main sur son visage. Les saccades s'atténuèrent dans la poitrine de la belle qui doucement ouvrit les yeux. François cherchait dans son regard une étincelle pouvant le rassurer sur son état. Étrangement, Éloïse étouffa un cri à la vue de ce prince noble qui lui voulait du bien. Quelque chose dans sa vision se troubla. Elle confondait ce visage avenant à un autre plus brumeux, moins présent. Elle aperçut un genre d'écaille sur la peau de ce François qui n'était pas François. Un sentiment de se faire arracher le coeur lui donna la nausée.

Le chevalier espérait pouvoir calmer l'agonie de cette femme qu'il aimait malgré l'interdiction. Incapable de fermer son coeur, rien que la mort pouvait dorénavant l'empêcher de l'aimer. Il caressa les épaules d'Éloïse et se ferma les yeux en quête d'une inspiration.

- Belle...

Le coeur d'Éloïse se remit à palpiter et elle sut qu'elle aimait cet homme qui venait d'un autre temps.

- Belle qui me volez mon coeur, me le rendrez-vous changé par l'amour ? Ou l'emprisonnerez-vous dans des rêves cajoleurs ?

Les prunelles de François se confondirent à celles de l'autre homme. Éloïse se sentit aimantée par les effluves d'un amour qui jaillissaient de ce regard connu.

- Éloïse, dit François.

La belle fut surprise de l'entendre murmurer son nom. Elle succomba à la frénésie de cet amour inconcevable et referma les yeux.

- François..., chuchota-t-elle.

Irrésistible fut cette tentation qui tortura François jusqu'aux remords. Il posa un baiser tendre sur les lèvres d'Éloïse qui se laissa envelopper par la chaleur de ce noble chevalier. Dans les arômes brutes de ce moment inespéré, un baume s'infiltra dans le coeur d'Éloïse et guérit une plaie d'amertume dont le traître poison avait envahi son âme toute sa vie. Ce long baiser fit tressaillir le corps entier d'Éloïse qui s'endormit délicieusement dans les bras de François. Le chevalier ne regrettait rien. Il éprouva en revanche le sentiment d'avoir épousé, brièvement, cette belle qui comblait son coeur et qui, jamais ne serait remplacée par une autre.

Une heure après qu'elles se soient quittées, Augustine entra dans la cabine d'Éloïse. Elle l'interpella plusieurs fois.

- Éloïse ! Éloïse ! Que fais-tu donc ? Je te cherchais partout, s'écria Augustine.

- Oh ! Tu m'as fait peur. Je... me suis assoupie, bafouilla Éloïse.

Un vent tiède pénétrait par le hublot et réchauffait la pièce. Éloïse demeura coite devant l'aspect si réel de ce songe. Les deux femmes s'assirent à la petite table où elles se mirent à broder. Après quelque bavardage, le silence gagna la cabine. Éloïse fixa la petite fenêtre ronde sans la regarder.

- J'ai un très mauvais pressentiment, déclara-t-elle soudain.

- Mais pourquoi ? dit Augustine riant de surprise. Nous sommes en lieu sûr.

- Je ne sais pas comment expliquer. On dirait que ce n'est pas pour moi que je crains. Mais…

- Ah ? Y aurait-il un noble qui troublerait ton cœur ? tenta son amie.

- Allons donc ! fit Éloïse, à moitié offusquée.

- Je connais, ma très chère amie, ce feu qui sait consumer un cœur avant même que la raison ne s'en aperçoive.

Éloïse se leva de son banc et alla vers le hublot. Elle éprouvait un malaise à parler de ses sentiments. Mais elle jugea opportun de se livrer enfin à sa meilleure amie.

- Ne sois pas gênée, rassura Augustine.

- Est-ce qu'un chevalier ne s'est jamais libéré de sa noble cause pour l'amour d'une femme ? laissa finalement tomber Éloïse en déballant tout le courage qu'elle put dans son verbe.

- Plus d'une fois j'en suis certaine ! s'exclama son amie enthousiaste. Et le chevalier François semble plutôt convenablement disposé à assurer ta vie, si je ne m'abuse.

- Certes.

- Tu me caches quelque chose, Éloïse, s'enflamma Augustine.

- Certes!

- Ne me fais pas languir, tu le sais, j'ai en horreur ce jeu!

- Certes ! Augustine, nous avons bavardé, avoua-t-elle n'en pouvant plus tenir. Il m'a demandé si je voulais poursuivre plus tard. Qu'en penses-tu, chère amie ? Une seule fois...

- Pourquoi pas ?

- Je ne voudrais pas que mon mari...

Un oiseau entra subitement dans la pièce. Surprise par le bruissement des ailes, Augustine se jeta hors de sa chaise et constata qu'il ne s'agissait pas d'un mirage, d'une de ces ombres malencontreuses qu'elle percevait parfois dans les murs de certains châteaux. Le corbeau se faisait lourd de sens. Elles se dévisagèrent, inquiètes, devinant réciproquement leurs pensées.

*

Au lendemain, une torride journée attendait les hommes. Lusignan mandata une troupe de tenter un passage vers le lac pour que certains s'abreuvent. Saladin, observant la manœuvre, fit brûler l'immense bruyère d'herbes qui encerclait les Francs. Ce supplice thermique fit hurler les hommes de douleur.

- Ils ont soif ! Qu'on leur donne à boire... de leur sang ! s'écria Saladin.

Dans cette chaleur suffocante, les Francs attaquèrent. Hassan, à l'instar des autres combattants, fut dépêché au front par Saladin qui demeurait à son poste d'observation sur une colline. Le jeune homme se rendit donc à l'avant-garde dans l'espoir d'y trouver François avec qui, en pareilles circonstances, il faisait semblant de se battre. Mais comme son chevalier n'était pas du combat, Hassan lutta sans conviction, cherchant seulement à rester en vie pour accomplir sa mission.

Soudain, le porte-étendard des Templiers fut touché et s'effondra. Le drapeau tomba et Hassan le saisit avant qu'il n'atteigne le sol. Saladin lui fit signe de le lui apporter. Le Haschischin, qui pendant des heures avait attendu une occasion pour s'approcher d'Afdal, se faufila dans la masse d'hommes qui lui ouvraient la voie. Or, en avançant vers Saladin, il se trouvait à marcher aussi en direction de son fils. Cette conjoncture lui donnait la possibilité de le poignarder au passage.

Robert aperçut le précieux ami de François qui se dirigeait vers le jeune turc avec leur drapeau Templier. Il battit en retraite et se cacha dans les bruyères pour observer cette scène qui l'intriguait. Les Haschischins et les Templiers avaient tous deux pour ennemis les Turcs et les Mongols. Il savait qu'Hassan s'était retrouvé au sein des troupes de Saladin, non pour le servir, mais pour l'affaiblir. Robert l'avait reconnu, malgré son déguisement.

Hassan arriva tout près d'Afdal et sortit sa dague discrètement. Il éleva l'étendard à tête d'aigle bicéphale au bout de son bras en souriant à Afdal. Un cri perçant pourtant eut raison de la tactique meurtrière d'Hassan. Un soldat turc planta violemment son poignard dans le flanc gauche du Haschischin. Afdal fut saisi par cette agression. Saladin étira le torse pour comprendre le désordre qui semblait troubler les siens. Hassan s'écroula sur le sol et fut piétiné par les chevaux sous le regard froid d'Afdal qui reprit des mains de son assaillant le drapeau des templiers. Il le porta à Saladin. Le combat s'achevait.

Les prisonniers francs suivaient les troupes turques : Ridefort, le prince Renaud et Plivain faisaient partie du nombre tandis que le comte avait été épargné.

*

Le crépuscule offrait un paysage magnifique vu du vaisseau. La beauté de ce spectacle se juxtaposait à l'horreur visible sur la terre ferme. Il y avait de l'écho dans la ritournelle des oiseaux.

Éloïse eut une pensée pour son mari. Dans un tiroir de sa raison pourtant, elle n'osa croire ce à quoi elle venait de songer. Elle ne pouvait pas désirer sa mort ! François l'observait. Était-elle amoureuse de lui ?

Éloïse rêvassait devant la table garnie d'oranges et de pain, de viande d'agneaux et d'olives. Un festin s'était improvisé sur l'initiative des dames qui avaient souhaité mettre un peu de bonheur dans ce quotidien morbide. Elle regarda sombrement le chevalier. Il lui fit un sourire si charmant que son cœur succomba à nouveau. À la lueur des chandelles, Éloïse ne put s'empêcher de penser à l'invitation qu'il lui avait fait de poursuivre leur conversation. Elle se sentit légèrement déçue de n'avoir droit maintenant qu'à un chapitre d'amusement collectif.

Robert parvint à toute vitesse sur le pont du bateau. Il se rendit aux cuisines où, lui avait-on dit, il trouverait le chevalier François. Il atteignit le seuil de la porte sans bruit. François leva les yeux et le vit apparaître dans l'embrasure de la porte. Il s'excusa auprès des dames et sortit habilement de la cabine exiguë.

Il trouvèrent un endroit discret sur le pont. Le soleil timide caressait leurs visages tendus.

- Triste nouvelle, mon ami.

Robert recula d'un pas, et avança encore. Son corps se tordit de malaise.

- Parle ! largua François impatient.

- Hassan est mort, acheva Robert gauchement.

- Ah, put seulement dire François.

Il se prit la poitrine et se laissa envahir par la douleur. Robert mit sa main sur l'épaule de son ami et attendit qu'il fut en meilleur état pour la suite des nouvelles.

- Ton ami Haschischin portait l'étendard des Templiers lorsqu'on l'a attaqué, rajouta Robert.

François sourit faiblement. Les deux hommes visaient la mer qui s'agitait.

- Mais qu'est-ce que ça fait mal, lança encore François mi-peiné, mi-enragé.

- François, il y a autre chose, fit Robert bousculé par le temps.

François tourna son visage vers lui.

- Avant hier, je suis retourné à Jérusalem. Nous avons trouvé des fragments de rapports d'espions juifs dans le Temple de Salomon.

Robert serra le poing et le frappa sur le bateau.

- Ils attestent que le suaire n'a jamais existé.

- Quoi ? Ils ont des preuves ? quémanda François bouleversé.

- Une lettre écrite de la main du pape ordonnant la fabrication d'objets sacrés, dans le but délibéré de stimuler la foi chrétienne ; un suaire et un soi-disant faux pour éviter de devoir montrer que le vrai n'existe pas.

François s'accota contre le bateau, accablé. Robert passa sa main dans ses cheveux.

- Ainsi, finit par dire François, le prétendu faux suaire ne couvrirait donc pas de vrai suaire ?

- Tout ça semble n'être qu'une façade. En tout cas maintenant, je comprends pourquoi nos papes et nos monarques ne s'offusquent pas de vendre nos reliques sacrées comme de vulgaires morceaux de pain.

- Et nous irions en mission spéciale pour rien ?

- Si tout ça est vrai, François, dorénavant notre mission, c'est de sauver notre peau !

- Je ne comprends pas.

- Si nous refusons de nous plier à leur plan, ils s'apercevront que nous savons quelque chose.

- Et alors ?

- Mais, ils nous tueront ! rétorqua Robert en baissant la voix.

François agrippa ses deux mains sur le bord du vaisseau et le frappa en se tournant vers Robert.

- Si ce que tu dis est vrai, fit-il, dès que je le pourrai, j'abandonne la confrérie.

Robert le dévisagea sachant la difficulté à y entrer et parfois même, à en sortir. Il lut l'horreur et le dégoût dans l'expression de son ami.

- Pauvre Hassan, lâcha encore François.

*

Les hommes de Saladin torturaient les Templiers enfermés dans le soubassement d'une forteresse du sultan. Avec des lanières de cuir, les soldats turcs enserraient jusqu'au sang les poignets et chevilles de leurs ennemis. Ils les fouettaient, les frappaient, les humiliaient et les insultaient. Ces méthodes visaient à racheter leur foi ; les chevaliers n'avaient qu'à crier la Loi du Prophète.

- Ennemi de l'islam, fit un Turc entre ses dents, tu vas crier la Loi, la seule, celle de Mahomet.

- Non ! Non ! répondit un chevalier. Jésus est notre prophète et il est mort pour nous tous!

Aucun chevalier du Temple ne renia sa parole ni ne dévia son engagement envers Jésus, leur Christ. Les Turcs de Saladin s'impatientaient.

- Dis que c'est Ismaël, notre ascendant égyptien, qui a été sacrifié par Abraham.

- Non ! C'est Isaac, fils de Sarah, l'épouse légitime d'Abraham. Ismaël est le fils d'une vulgaire concubine. Abraham ne l'aurait jamais sacrifié ! l'insulta le chevalier.

Le Turc lui cracha au visage avant de l'abattre. Jusqu'au dernier les chevaliers furent ainsi occis par les hommes de Saladin. Les deux cent trente Templiers refusèrent d'embrasser la foi musulmane. Leur corps gisait dans des marres de sang. Les âmes gémissantes stagnaient au-dessus de la violence du carnage.

Sur son bateau, Saladin avait fait emmener Ridefort et le prince Renaud. Il se vantait de sa victoire, tout compte fait, assez aisée. Devant lui s'offraient des vases regorgeant d'eau fraîche. Les deux prisonniers étaient assoiffés volontairement depuis la veille. Saladin prit lui-même un verre, le gorgea d'eau et le tendit à Ridefort qui l'avala d'un trait, prêt pour un autre verre. Saladin en remplit un autre et le tendit, non à Ridefort mais au prince Renaud.

- Ainsi prince téméraire, tu n'as pas voulu laisser passer ma fille sur tes terres ? Si tu bois une seule gorgée de ce verre, tu es mort.

Le prince affronta Saladin tandis que Ridefort sourcillait devant la perversité du moment. Renaud porta son verre à ses lèvres et but lentement, savourant chaque gorgée qui le rapprochait de sa fin.

- Soit, fit Saladin. Qu'on le mette à mort !

*

Les valets s'affairaient autour de la famille et de leurs convives qui s'étaient attablés sur le pont. La brise était bonne. Le soir commençait à alléger les cœurs envoûtés par le vin. Avec tumulte le comte Raymond atteignit le bateau, heureux d'y voir réuni sa famille entière, mais il avait le visage long. Son épouse le regarda, inquiète. François et Robert allèrent à l'écart avec lui, parler entre hommes.

- Il faut empêcher Saladin de prendre Jérusalem. Nous avons perdu beaucoup de terrain.

- Par la faute du roi, lança Robert courroucé.

- Et ce fou de Ridefort qui fait honte à notre ordre, échappa François.

- Tous les Templiers sur le champ de bataille, fit Raymond encore endolori par la nouvelle, sont morts.

François baissa la tête, Robert mit une main sur sa poitrine. Raymond regarda l'horizon. Le vent se levait.

- Beaucoup de nos chevaliers sont mort, dont Plivain.

Raymond jeta un regard vers la pièce où mangeait sa famille. François eut un pincement d'espoir au coeur mais, demeurait respectueux des âmes sacrifiées.

- Chevaliers, vous devez retourner au Temple. L'artisan qui travaille au projet du sous-bassement va vous remettre ce que vous savez, fit Raymond en langage mi-codé.

François et Robert s'échangèrent un regard grave.

- Quand devons-nous partir pour la France ? interrogea François.

- Au matin, vous porterez cette chose, au vu et au su de tous.

- Comte, fit Robert qui testait le savoir de Raymond, où est-il ?

- Le vrai ? précisa Raymond. Personne ne peut encore répondre à cette question.

Robert fit un signe de tête discret à François en guise de confirmation potentielle. Les deux chevaliers surent qu'ils étaient dorénavant seuls alliés. Ils firent leurs adieux à la compagnie. François s'arrêta devant Éloïse et lui baisa la main. Augustine s'étouffa. Sa mère s'offusqua.

- Éloïse, annonça Raymond, de nombreux chevaliers ont laissé leur âme à Dieu. Votre mari…

- Quoi ! s'écria Éloïse horrifiée, croyant, par ses vœux éclair, avoir contribué à cette fatalité.

- Il ne reviendra plus, laissa tomber Raymond.

Éloïse regarda la comtesse, puis son amie. Elle se leva et croisa François sur son chemin qui brûlait d'envie de consoler son cœur. Elle demeura un bon moment, accrochée à ce regard qui la troublait, et elle s'effondra en sanglots. François la prit dans ses bras et se tourna vers les autres, ne sachant que faire. La mère lui fit signe de l'emmener dans sa cabine. Augustine les accompagna.

- Nous devons repartir, fit-il effaré. Mais... se revoir, murmura-t-il incapable de se retenir.

- Oui, chuchota Éloïse.

Son cœur allait éclater dans sa poitrine. Le chagrin, la honte, et le mur épais de l'interdiction qui supprimait le désir dans sa chair devant cet homme. Augustine, témoin de cette bouleversante scène, tentait de trouver un moyen, une phrase qui put souder les deux cœurs ouvertement.

- Quand reviendrez-vous, chevalier ? demanda-t-elle à François.

- Nous devons partir pour la France au matin, dit-il. Après, Dieu seul sait !

Éloïse, assise sur son lit, mit les deux mains sur son visage pour cacher son nouveau chagrin.

- Je reviendrai, finit par dire François. Je reviendrai.

Avant qu'il ne quitte la cabine, Éloïse dégagea son visage couvert de larmes. À travers son affliction, elle réussit à esquisser un sourire à François. Il crut saisir l'amour qu'elle avait pour lui.

*

Deux jours plus tard, Éloïse en deuil oeuvrait aux préparatif de retour pendant que Raymond s'occupait de ses affaires. Un messager entra d'un pas pressé et tendit une missive au comte qui lut rapidement.

- Ces pillards ! s'écria Raymond en frappant la table devant lui.

- Qu'y a-t-il ? demanda son épouse.

- Les chevaliers ont été pris dans une embuscade. Mon Dieu ! déballa-t-il avec émotion. Ils les ont tués!

- Par tous les saints ! s'écria la comtesse.

Affligé, Raymond n'entendit pas la remarque de son épouse.

*

Il faisait jour, le soleil discourait avec les fleurs. Éloïse, mûrie par la peine, se trouvait dans le jardin, laissé à l'état sauvage comme elle le préférait. Avec une plume longue et touffue, elle écrivait à son amie Augustine, qu'elle n'avait pas revue depuis un moment.

> *Très chère amie,*
> *Que de vies ont été prises et pourquoi, je me le demande encore ? J'ai eu vent que le sultan Saladin a pris et pillé Saint-Jean-d'Acre et s'est emparé de Jérusalem. Tous ont été réduits à l'esclavage sauf ceux qui ont l'argent pour se racheter. La résidence du Temple de Salomon est devenue la mosquée al-Aqsâ. Et Gérard de Ridefort parcourt les forteresses incitant les habitants à capituler. On murmure en Terre Sainte que ce Ridefort, qui a cherché à devenir mon époux, aurait « crié la Loi ».*

Éloïse était toujours aussi sérieuse. Elle se mit à relire sa lettre et les souvenirs lui emplirent la tête. Bons et moins bons, elle les ressassait en examinant la part de leçon qu'ils revêtaient. Elle reprit sa plume pour poursuivre.

> *Je guéris tranquillement de ma brève rencontre avec celui en qui il m'a si étrangement semblé reconnaître l'âme sœur.*

> *Éloïse*

Elle posa à nouveau sa plume et fixa l'horizon. Cette dernière pensée fit jaillir des larmes dans ses yeux. Cet être si noble et si courageux qu'elle avait aimé et qui semblait l'avoir aimée, qu'elle avait pu serrer de si près… Oui, lorsqu'elle avait été avec lui, dans le vent de son chagrin, elle avait réellement senti le cœur de cet homme palpiter. Il s'était offert si précipitamment pour calmer son affliction. Pourquoi avait-il ouvert les bras ? Ne s'était-il pas reconnu en partie responsable du tourment qu'elle portait en son cœur ? N'avait-il pas démontré par son empressement… Oui, il le fallait ! S'il n'avait pas hésité à la consoler, il fallait que cela ait été de l'amour. Le cœur d'Éloïse se réchauffa subitement. Elle n'avait pas songé à lui depuis quelque temps déjà. Un merveilleux tourbillon l'emplit et le chant des oiseaux revint assembler son esprit.

Éloïse revint à nouveau dans le jardin et une sourde colère coula comme un poison dans ses veines. Pour la première fois de sa vie, elle éprouva cette âpreté dans le palais, celle que l'on goûte lorsque l'on prend conscience que le diable existe et que l'on croit l'avoir déjà rencontré sous des traits bienveillants…

P.S. Éclaire-moi d'une réponse, très chère, à cette question qui me torture : pourquoi donner sa vie si généreusement à une cause dont le chef est une mystérieuse puissance ? J'aimerais tant en connaître plus sur ce Dieu qui nous divise.

LE VRAI TOURMENTE LA RAISON

Dans la grande salle de l'hôtel, l'éclairage cordial et la générosité délivraient une ambiance réconfortante. Michaël y était-il pour quelque chose ? Tout le monde applaudit le lauréat qui venait de quitter le podium honoré d'un prix. La cérémonie allait bon train.

Joan surprit la femme des escaliers à fixer son mari avec insistance. Que lui voulait-elle ? Au comble, elle constata qu'Ian avait croisé lui aussi le regard de la jeune femme et qu'il lui avait souri. Elle n'était pas dupe ! Agacée par ce manège insupportable, elle se promit d'en savoir plus avant la fin de la soirée.

La salle riait. Michaël venait de faire l'éloge de Joan et de son équipe. Elle se sentit embarrassée d'avoir raté ces propos qui la concernaient. Que répondrait-elle ? Bah… Elle trouverait bien.

La femme des escaliers se tenait debout à côté de Ian. Joan sursauta devant ce portrait : chevelure blonde ondulée roulant sur ses épaules, corps frêle et long. Un regard bleu trouble ? Non, Joan en exagérait peut-être la qualité. Elle afficha un sourire froid et observa la scène avec grand intérêt.

- Docteur Jaenson ? fit la jeune femme.

- Oui, c'est moi, répondit-il courtois.

- Je m'excuse de vous importuner. Vous ne vous rappelez pas de moi, mais vous avez sauvé la vie de mon père.

Ah ! Dieu soit loué ! pensa Joan, rassurée. Ian, qui avait perçu tous ses tourments de femme et qui avait feint l'ignorance, se trouva aussi soulagé de la tournure des événements.

- Ah ? fit Ian étonné sans pour autant revoir en mémoire l'homme en question.

- Oui, poursuivit la jeune femme. Vous aviez suspendu un genre de cristal au-dessus de sa tête. Je crois, en fait, je suis certaine que cette expérimentation a eu des effets positifs sur lui.

Pas de doute, c'était bien de lui que la jeune femme parlait. Une expérience qui aurait pu, du moins au début, ruiner sa réputation ! se remémorait-il. Quoiqu'il ne doutait aucunement des résultats, Ian fut tout de même ravi d'entendre cette confirmation.

- Depuis, renchérit la jeune femme, lorsqu'il ressent un malaise, il l'utilise comme un baume.

- Je suis très heureux pour votre père, ajouta simplement Ian. Et d'entendre votre commentaire me ravit. Mais il y a encore tant à découvrir sur les propriétés des cristaux.

- Merci, docteur. Madame, fit-elle poliment à Joan, qui apprécia cette délicatesse.

Ian regarda la jeune femme s'éloigner. Joan mit sa main sur celle d'Ian. Ils se lancèrent un regard complice. Joan cherchait le pardon dans les yeux de son mari. Il le lui offrit, comme d'habitude.

La soirée se termina aussi bien qu'elle avait commencé. Michaël se félicita intérieurement d'avoir pu se concentrer jusqu'à la fin, malgré cette douleur à la poitrine qui avait commencé à l'oppresser. Il avait d'abord attribué ce malaise au trac mais, il dut admettre que Clara lui manquait un peu plus chaque jour et il lui tardait maintenant de la voir se réveiller.

Le psychiatre rentra rapidement. Il se sentit bien seul. Il alluma les lumières, la télévision et se rendit dans la cuisine se chercher un verre de lait bien froid, l'avala lentement. Tout était si différent, pensa-t-il. Il monta à l'étage et s'assit sur son lit. Il entendit le rire parcimonieux de Clara. Elle était si sérieuse. Michaël s'étendit sur le dos et croisa ses mains derrière sa tête. Il n'avait pas envie de se dévêtir. Pas tout de suite. Il revit Clara plus jeune, avec son gros ventre.

- Il faudra choisir entre la mère et l'enfant, avait annoncé la voix de l'obstétricien.

Comment choisir ? Au nom de qui ? Pourquoi ce choix lui revenait-il ? Clara était trop faible pour réfléchir. Il s'était approché d'elle et avait caressé ses cheveux. Elle respirait difficilement. Il lui avait répété les paroles du médecin. Alors en elle s'était déployée une force venue d'on ne savait où. Dieu, pensa Michaël. Celui que l'on invoque quand tout semble perdu, était-il vraiment celui qui tendait cette main secourable ? Clara n'y avait jamais cru. Elle s'en remettait aveuglément à l'Intelligence.

- Avec beaucoup de force intérieure et d'intelligence, on parvient à tout ! disait-elle toujours.

Et elle donna naissance à Annie. Elle provient directement des forces de l'intelligence, avait proclamé Clara le plus sérieusement du monde.

Michaël se releva, dégagea son nœud papillon et prit dans sa main gauche, au passage, la photo de sa femme.

- Clara, mon âme soeur.

Elle et Nina raisonnaient parfois de la même manière. Cette pensée le ramena au moment présent. Il saisit le téléphone portable.

- Allô ? Jamie, c'est moi. Je ne te réveille pas, j'espère ? Comment va Annie ? Bien, bien. Et Géraldine ? Elle t'a fait tout ton appartement ? Tu ne dois pas reconnaître ta maison.

Au dehors, tout semblait plutôt calme. Une voiture brun rouge était garée en face de la maison.

- Moi ? Ça va. Dis à Nina que le docteur Jaenson veut nous voir demain matin. Oui, il veut nous faire découvrir quelque chose. Je compte sur toi. Merci, Jamie.

Michaël raccrocha et lança le téléphone sur son lit. Il se déshabilla et fit ses ablutions. De retour dans sa chambre, il ouvrit la fenêtre et le vent fit danser les rideaux. Michaël gagna son lit.

- L'âme sœur… Dans quelle mesure nous est-elle accessible ?

Il prit à nouveau la photo de Clara dans ses mains et lui caressa le visage de son index.

- Quel est l'élément intérieur qui nous confirme, hors de tout doute raisonnable, qui est notre âme sœur ? Clara…

Il ferma les yeux et retourna plusieurs fois cette question dans sa tête. Il se sentit oint d'un baume de paix à l'idée que sa femme et lui se retrouvaient depuis des temps immémoriaux. Une chaleur réconfortante l'envahit. Il toucha sa poitrine et inspira doucement.

Le chauffeur de la voiture garée devant la maison examinait alentour sans trop d'intérêt. Sur la banquette arrière, William lui fit signe de partir. Il ferait fouiller la maison pour savoir si la boîte noire s'y cachait. La voiture s'éloigna.

- Je te trouverai Nina Bel, décréta-t-il à haute voix.

*

Michaël et Nina se dirigeaient vers le département d'imagerie médicale. Après avoir longé plusieurs corridors, ils parvinrent à la salle où Johanne, l'une des techniciennes, vint vers eux.

- Vous êtes monsieur Lemire ? vérifia-t-elle.

- Oui. Et voici madame Belinski, une proche amie de Clara.

- Le docteur est allé voir un patient. Ça ne devrait pas être long. En attendant, je vais vous expliquer comment nous allons procéder.

- C'est ma femme qui est dans ce truc ? interrogea Michaël.

- Oui. Ne vous inquiétez pas. Elle va bien. Nous allons faire des images de son activité cérébrale. Votre femme a des écouteurs sur les oreilles. Nous allons lui parler.

Michaël frémit. Nina, ravie, allait témoigner de la possibilité que les comateux entendent.

- Avez-vous déjà fait cette expérience auparavant ? sonda Nina.

- Pas tout à fait. Mais ce que nous faisons est similaire. C'est la première fois que nous, comment dire, expérimenterons dans le but précis d'avoir des renseignements de la part d'un comateux.

Carole, l'autre technicienne, sortit de la chambre magnétique où elle venait de terminer les installations pour Clara. Elle entendit la dernière phrase prononcée par sa collègue.

- C'est le genre d'expérience qu'on ferait dans un laboratoire. Qui sait si un jour ça ne se passera pas au poste de police ? blagua Carole.

Michaël sourit mais n'avait pas le cœur léger. Nina observait le fonctionnement des machines et voulut aller voir Clara dans la chambre magnétique.

- N'entrez pas ! s'écria Johanne.

- Pourquoi ? demanda Nina.

- Oh ! Excusez-moi, continua la technicienne, nous devons être très vigilants. Le moindre bout de métal pourrait éclater sur vous ou ceux qui sont à l'intérieur et vous tuer.

- Et vous mettez Clara là-dedans ?! s'enhardit Michaël.

- Il n'y a aucun danger pour elle, rassura Carole, c'est seulement le métal qui pourrait nuire.

- Ah bon ! respira Michaël.

Le docteur entra dans la pièce et salua tout le monde.

- Tiens le fameux maître de cérémonie ! s'exclama Ian.

- Alors, comment allez-vous, docteur, depuis hier soir ? lança Michaël.

- Vous étiez à la cérémonie, docteur ? fit Nina.

Ian s'installa en bavardant et s'assit près de Johanne, qui prenait des images du cerveau de Clara.

- Une magnifique soirée, affirma Ian. Et quel maître de cérémonie!

- Le docteur Jaenson est le mari de Joan, une collègue, expliqua Michaël.

- La planète est de plus en plus petite, constata Nina. On ne peut plus respirer que le reflux des vagues…

- Ce qui signifie ? s'intéressa Ian.

- Je traduirais par : il n'y a plus rien à inventer, lança Nina spontanément.

- C'est de la poésie ? Vous pouvez vous asseoir.

Michaël s'assit un peu en retrait entre le docteur et la technicienne. Nina resta debout.

- Je ne sais pas si c'est de la poésie ou de la lassitude, répondit Nina en laissant échapper un petit rire cristallin.

- Voulez-vous lui parler en premier ? demanda Ian à Michaël.

- Non. Allez-y, vous. Vous connaissez mieux que moi cette technologie.

- Moi, j'aimerais bien lui parler, fit Nina.

Le docteur lui céda son siège. Nina s'installa. Un léger pincement au cœur trahit son émotion. Elle regarda Clara, plongée dans ce tunnel immaculé, et se tourna vers Michaël qui lui sourit.

- On y va ? fit le docteur. C'est à vous.

- Clara, commença-t-elle doucement. Clara, est-ce que tu m'entends ?

Tous attendaient les yeux rivés sur l'écran espérant une réaction.

- Je vous ai expliqué, fit Ian. Nous devons lui faire comprendre que ses réponses seront claires pour nous, si elle nous dit toujours le contraire de la vérité ; l'IRM montrera une activité seulement lorsqu'elle mentira.

Nina regarda par la fenêtre, vers la chambre de résonance, comme pour s'imprégner de l'âme de Clara. Une vague de tristesse traversa son regard rapidement.

- Clara, poursuivit la romancière, Clara, tu es présentement dans le coma. Nous croyons avoir trouvé une manière de communiquer avec toi. Tu es dans une chambre magnétique actuellement. Les machines autour de toi nous aideront à décoder tes réponses. Toi, tu n'as qu'à répondre par la négative à chacune de nos questions. Tu comprends ?

- Vous pourriez lui donner un exemple, expliqua encore Ian.

- Clara, fit Nina suivant l'avis du docteur, tu m'entends ? Si tu m'entends, répond non. La machine va décoder la vérité.

Ils attendirent que Clara enregistre les consignes quelque part dans sa conscience.

- Là ! fit Johanne en chuchotant.

Tous les yeux se rivèrent à l'écran. Précisément dans la zone du cortex angulaire antérieur, à quelques centimètres à l'arrière du front, une activité naissait.

- Voyez, cette zone antérieure, fit Ian, elle est impliquée dans les processus mentaux. C'est cette partie du cerveau qui s'occupe de l'attention, du jugement et, ce qui nous intéresse dans ce cas, de la capacité d'inhiber une réponse.

- Alors Clara a compris la consigne et elle bloque volontairement la vérité ? vérifia Michaël.

- Oui. L'activité enregistrée par l'IRM nous donne une suroxygénation de la région, confirma Ian.

- Elle fait donc un effort pour inhiber ce qu'elle reconnaît comme vrai ? interrogea Nina.

- Précisément, monsieur Lemire, dit Ian en le regardant, votre femme communique avec nous.

Des larmes inondèrent son regard et il ne fit rien pour les retenir. Ce sentiment était bon.

- Je n'en reviens pas, finit-il par dire. C'est tout simplement inouï!

- Vous voulez poursuivre ? fit Ian en regardant sa montre. Je crois que vous aviez des questions.

- Tu veux y aller, Michaël ? demanda Nina.

- Non, vas-y.

- Comme tu voudras…

Nina considéra le corps de Clara de l'autre côté de la vitre et chercha une formulation qui pourrait mettre en évidence un mensonge.

- Clara, nous avons entendu ta réponse. Nous sommes si contents que tu sois capable de nous parler. Ça nous fait du bien ! Clara, il se passe des choses au sujet de ton invention et nous avons besoin de deux ou trois informations. La première concerne la boîte noire, ton invention.

Nina lança un regard à Michaël qui lui fit un signe d'approbation.

- Tous les droits de la boîte noire t'appartiennent, n'est-ce pas ? demanda la romancière. Clara, n'oublie pas : tu réponds non. Quand tu mens, uniquement quand tu mens, Clara, la machine décodera la vérité.

Le délai pesait sur les épaules de Nina. Elle soupira. Le docteur Jaenson l'encouragea à ne pas désespérer du résultat. La technologie ne pouvait remplacer la vitesse de la pensée ! Finalement l'écran de l'ordinateur afficha clairement une tache dans la zone voulue. Le visage de Nina s'illumina. Elle considéra le mari de Clara.

- Michaël, nous venons tout juste d'avoir la preuve que la boîte noire lui appartient exclusivement ! C'est épatant !

Elle jeta un regard de reconnaissance à Ian.

- Docteur Jaenson, vous venez de sauver l'invention de Clara ! continua-t-elle.

- Mais je n'y suis pour rien, fit-il humblement.

- Personne ne doit mettre la main sur cette boîte !

Elle se tourna à nouveau vers Ian.

- Nous avons besoin des plans pour le brevet, précisa-t-elle, comme elle est inapte à protéger son invention pour le moment. Cet objet est très convoité.

Ian fit un coup de tête en signe de compréhension.

- Clara, poursuivit Nina en s'avançant vers le micro, où sont les plans ? En fait, non, y a-t-il des plans de la boîte noire ?

À nouveau, tous fixèrent l'écran dans l'attente d'une réaction de la part de Clara.

- Les plans de la boîte noire existent-ils ?

Soudain une activité cérébrale produisit des taches de lumière irradiant dans l'aire frontale.

- Qu'est-ce que ça veut dire ? pressa Michaël.

- Attends. J'ai dit : les plans de la boîte noire existent-ils ?

Un point de lumière éclatante surgit du centre de la glande pinéale. Le docteur fronça les sourcils. Nina le remarqua.

- Quelque chose ne va pas, docteur ? demanda-t-elle.

- C'est la deuxième fois que j'observe ce phénomène chez elle, fit-il en se dirigeant vers le bureau.

Il saisit l'enveloppe des films de Clara, les sortit et les déposa sur le tableau lumineux.

- Regardez, ici, la pinéale. Je n'ai jamais vu cette luminosité prononcée ainsi et aucun désordre ne perturbe sa glande. J'avoue que je ne comprends pas. Je dois encore vérifier les effets du cristal.

- Elle ne porte plus le casque ? demanda Nina.

- Même sans le casque, le phénomène se produit. C'est comme si l'étoile lui avait induit un courant stable, laissa flotter le docteur en pleine réflexion.

- Peut-être pourrions-nous poursuivre ? suggéra Michaël. Ça pourrait nous donner d'autres indications.

- Oui, fit Ian troublé. Vous avez raison.

- Je disais : les plans de la boîte noire existent-ils ? Et c'est ce qu'elle a répondu.

- Vous pouvez répéter la question, proposa Ian.

Nina reformula sa question. À la surprise générale, aucune activité ne parut du cerveau de Clara.

- Peut-être n'a-t-elle simplement pas compris la question ? tenta Nina.

- On pourrait lui demander où ils sont, pour être sûr, proposa Michaël.

- Peut-être, fit Ian toujours préoccupé.

- Je dois lui suggérer des endroits ? demanda Nina qui cherchait une formulation.

- Ça risque d'être long et éprouvant pour elle, réfuta Ian.

- On peut commencer et revenir plus tard ? suggéra Nina.

- Essayons, accepta le docteur.

- Clara, tenta Nina, les plans sont-ils dans la salle des matrices ?

Ils attendirent quelques secondes. Rien.

- Cela voudrait dire qu'ils n'y sont pas ? interrogea Michaël.

- Pas nécessairement, éluda Ian. Le problème avec une personne dans le coma, c'est qu'on ne peut pas être sûr qu'elle continue de communiquer avec nous lorsqu'il n'y a pas d'activité, c'est-à-dire lorsqu'elle ne ment pas.

- Vous croyez qu'elle nous entend, maintenant ? fit le mari de Clara.

- Disons que ce phénomène de lumière me fait un peu hésiter, mais j'imagine que si elle est capable de nous mentir, c'est qu'une partie de sa conscience entend nos questions.

- À la bonne heure ! s'enjoua Nina. Alors on continue ?

Ian acquiesça.

- Clara, les plans sont-ils dans le labo ? demanda Nina.

Toujours pas de réaction à l'ordinateur.

- Bon sang ! À supposer que les plans ne sont ni dans l'une ni dans l'autre de ces salles, où peuvent-ils être ? dit Michaël. À la maison ?

- On a fait le ménage de fond en comble, rappela Nina.

Ils firent une pause pour réfléchir et laisser Clara se reposer. Au bout de quinze minutes, ils revinrent à leur poste. Nina évoqua un nombre d'endroits : chez elle, à la banque, au Bureau des brevets, chez sa mère Géraldine, même chez Alain et Vandam. Jusqu'à ce qu'un éclair surgit.

- Et si elle n'avait pas mis le plan sur papier ? lança Nina.

- Possible, fit Ian. Et ça signifierait aussi qu'elle communique avec nous depuis tout à l'heure.

- Oui ! s'enhardit Michaël. Clara préfère mieux garder les choses précieuses dans ses souvenirs.

- Docteur, me permettez-vous de continuer ?

- La pression est bonne et le pouls régulier. Allez-y.

- Docteur, il nous reste vingt minutes avant l'arrivée du prochain patient, fit remarquer Carole.

- D'accord, fit Nina, qui entendit le commentaire de la technicienne. Clara. Nous croyons savoir où sont les plans de la boîte noire. Confirme-nous. Est-ce que les plans de la boîte noire se trouvent dans ta tête ?

Ils attendirent quelques secondes. Nina dut reprendre sa question plusieurs fois.

- Clara, tu m'entends ?

D'autres secondes passèrent encore avant que l'image ne traduise une suractivité d'oxygène dans le cortex. Tous s'échangèrent un regard satisfait et Nina répéta sa question.

- Clara, les plans de la boîte noire se trouvent-ils dans ta tête ? Répond par la négative.

Clara mentit délibérément ! Son cortex montrait bel et bien à nouveau un effort d'inhibition de réponse. Les plans de la boîte noire n'existaient nulle part sur papier !

- Ouf ! jeta Nina en expirant fortement. Docteur Jaenson, vous êtes un génie. Ce nouveau détecteur de mensonge fera des ravages dans la justice, c'est certain !

- Ce n'est pas moi qui l'ai inventé, se défendit Ian.

- Certes, mais c'est vous qui y avez songé pour nous permettre de connaître la vérité !

Ils firent une pause de cinq minutes. Le docteur et Nina attendaient à la distributrice de café.

- Vous réfléchissez à cette zone mystérieuse ? fit Nina devant le silence du docteur.

- Ah. Je tente de comprendre. C'est tout de même curieux que la pinéale se soit activée avec cette question. On aurait dit qu'elle vérifiait si l'information se trouvait toujours là, fit-il en faisant monter ses doigts de sa tête vers le plafond, dans le tiroir d'une autre dimension.

- Wouh ! Vous êtes fort ! déclara-t-elle impressionnée.

- Une simple intuition, se défendit-il.

- Les plans existent. Mais dans quelle sorte de classeur les a-t-elle cachés ?

De retour dans la pièce, la technicienne se remit au travail. Nina reprit son poste et Michaël n'avait toujours pas envie de poser les questions.

- Clara, j'espère que tu as pu te reposer un peu. Nous sommes si contents de pouvoir te parler ! Nous voulons maintenant savoir si tu avais négocié un pourcentage sur la matrice avec Alain.

- C'est compliqué ta question, reprocha Michaël.

- Oui. Clara, as-tu un pourcentage sur le brevet de la matrice ?

Nina rêvait d'une réponse affirmative. Sur l'écran apparut une suroxygénation dans la zone antérieure du cortex angulaire.

- Elle ment ! Michaël, tu te rends compte ? C'est affreux ! s'exclama Nina.

- Mais tu devrais être contente, rétorqua Michaël. Ça prouve que tu avais raison.

- Oui, mais je suis quand même déçue parce qu'Alain a réellement menti.

Le docteur observa l'état de santé de Clara. Normal. Il prit le micro.

- Madame Miles, nous avons une dernière question pour vous. Nous vous sortirons de cette chambre immédiatement après. Ne vous inquiétez pas.

Michaël lui fut reconnaissant pour cette attention.

- Je suggère que nous fassions une dernière pause avant de passer à votre dernière question, intervint encore Ian.

Tous quittèrent la salle. Nina et Michaël débattirent du manque d'éthique du directeur et toutes les complications qu'il leur avait causées. Mais ce débat n'indiquait pas si quelqu'un avait tenté de tuer Clara. Ils revinrent en espérant obtenir la preuve directement du cerveau de Clara.

- Cette question me tient très à cœur, docteur. Je sais que le temps passe. Mais si nous n'avions pas la réponse tout de suite, pourrions-nous revenir ? demanda Nina.

- Tout dépendra de l'état de madame Miles, répondit-il.

- Alors, nous verrons, fit-elle. Michaël, pourquoi ne l'interroges-tu pas cette fois ?

Il finit par accepter et chacun gagna son siège. Michaël s'avança prudemment vers le micro et ferma les yeux quelques secondes.

- Clara, ma chérie, c'est moi Michaël. Tu es toujours là ? Est-ce que tu m'entends, dit-il en fixant l'écran. Je suis si content de pouvoir te parler, fit-il avec émotion. Nous allons te poser notre dernière question. Le docteur nous a affirmé que ton état de santé est stable. Tu m'entends ?

Un délai fit palpiter les cœurs. Enfin surgit une activité dans l'aire arrière du cerveau de Clara. Michaël sourit et ses yeux brillaient de joie de pouvoir communiquer à nouveau avec sa femme.

- Bien. Dernière question. Clara, nous ferons tout pour te protéger. Est-ce...

Michaël s'interrompit.

- Ah ! Je suis désolé. Je suis incapable de la confronter à cette question. Vas-y, toi, Nina.

Nina dut reprendre le micro et posa la question sans détour.

- Clara, est-ce que quelqu'un a tenté de te tuer ?

Une tension se refoula dans l'atmosphère. Michaël se dressa sur sa chaise.

- Tu ne peux pas lui demander ça, Nina ? Qu'est-ce que c'est que cette question ? gronda-t-il.

Le pouls de Clara s'accéléra. Sa tension artérielle devint instable. Le docteur surveillait l'appareil digital qui marquait le pouls.

- Pour te protéger, Clara, nous devons savoir si quelqu'un s'en est pris à toi. Est-ce que quelqu'un a tenté de te tuer ? Répond par la négative, seulement par la négative, Clara.

Le pouls s'accéléra encore, dangereusement. Ian dut interrompre sans tarder cette heure de vérité.

- S'il vous plaît, éjecta-t-il, nous allons fermer ce micro.

Il se dirigea hâtivement vers la chambre magnétique.

- Pas de métal, docteur, vérifia Johanne.

Ian tâta son corps. Il ôta sa montre et la tendit à Carole qui se tenait debout pour entrer dans la salle. Elle déposa la montre sur le comptoir et ouvrit la porte de la chambre magnétique. La technicienne sortit le corps de Clara du tunnel précautionneusement, sous les yeux hagards de Michaël, déboucla les attaches et ôta le casque de plastique. Le docteur l'examina.

- Nina ! Il ne fallait pas poser cette question comme ça ! jeta Michaël.

- Écoute, Michaël, si je fais tout ça, c'est vraiment par amour pour Clara.

- Mais sa santé, qu'est-ce que tu en fais ?

- Tu crois vraiment que je le fais exprès ? Bon ! Puisque c'est comme ça ! fit Nina en empoignant son sac.

Elle se dirigea vers la porte.

- Nina, je t'en prie…

Elle sortit sans dire au revoir. Michaël lança un regard de confusion à la technicienne qui se levait pour aller chercher les films dans le développeur, sans jugement, trop occupée par la venue prochaine du nouveau patient. Michaël remercia le docteur qui sortait de la chambre.

- Je comprends pourquoi votre femme ne reprend pas conscience.

- Ah ? Et pourquoi donc ?

- Votre amie semble avoir mis le doigt sur un événement qu'elle cherche à fuir à tout prix. Votre femme ne veut pas revenir dans la réalité pour affronter ce qui s'est passé.

- Vous croyez ?

- J'en suis sûr, affirma Ian.

Michaël accompagna sa femme jusque dans sa chambre, ébranlé par ces insinuations. Il s'accrochait à la barre de métal du lit que poussait le préposé. Il s'assit à son chevet et prit la main de sa femme. Les questions se bousculaient dans sa tête : que s'était-il donc passé après leur dîner ? Qui avait-elle rencontré ? Avait-elle reçu des menaces ?

- Clara, le docteur pense que tu fuis un problème. Je ne sais pas s'il a raison. Mais si c'était le cas, s'il te plaît, ne reste pas accrochée là, où que ta conscience soit. Reviens, ma chérie. Nous allons trouver ensemble une solution. Ensemble, je te le promets. Je t'aime.

*

Alain se tenait debout devant le moniteur suspendu au-dessus de leur tête. Le bureau du docteur Mathieu était assailli par de l'équipement électronique, des papiers et autres preuves potentielles de vol et de vandalisme. Le policier en chef termina d'installer ses éléments avant de présenter le bilan. Olivier se terrait dans un coin et attendait dans un silence de plomb qu'on lui livre la vérité comme sur un plateau d'argent. Mais il conservait toujours son œil critique, celui qui, selon Alain, basculait le plus souvent vers la paranoïa et le narcissisme.

- Docteur, nous avons analysé tous ces documents que vous nous avez fournis, commença le chef. Voici nos conclusions concernant votre équipement de surveillance.

- Il vaut mieux qu'elles soient intelligentes, marmonna Olivier pour lui-même.

Alain entendit le mécontentement derrière ses paroles inaudibles. Il lui jeta un regard de reproche. L'assistant du policier activa la vidéo d'où surgirent les images de ce lundi soir infernal.

- Bien, dit-il en lisant son document. Une affaire de vandalisme : destruction totale d'une invention appelée la matrice artificielle. Et une histoire de vol.

- De vol ? s'étonna Alain.

- Oui, le disque dur du docteur Miles, lut encore le chef.

Il déposa le dossier sur une table et considéra l'assistant qui entama l'énumération des faits.

- Voici des images tirées de la vidéo de surveillance. Nous avons délaissé les entrées et sorties qui ne concernaient pas notre cas.

Il fit avancer la cassette jusqu'à ce que le mur apparaisse.

- D'abord, notez que la caméra a été déviée de son angle à vingt-deux heures vingt-huit et remise à nouveau en place, à vingt-deux heures cinquante-deux. Vous reconnaissez cette femme ?

La vidéo montra une femme de dos, qui courait vers le labo. Alain et Olivier firent signe que non.

- Cette femme ne vient pas seulement d'entrer, elle revient sur ses pas à vingt-deux heures cinquante-cinq et vous, docteur Mathieu, arrivez après elle avec un homme, continua-t-il en avançant la vidéo. Vingt-trois heures trois.

- Oui, se justifia nerveusement Alain, j'étais avec le docteur Zimmer.

- Vous disparaissez vers vos bureaux, semble-t-il, et revenez dans le corridor pour vous rendre vers le labo. Êtes-vous entré dans la salle des matrices, docteur ?

- Oui, dut-il admettre.

- Enfin, vous quittez le département, vingt-trois heures trente-trois. Et cette femme finalement en sort à minuit huit.

- Pour corroborer ces déplacements, voyons maintenant l'appareil optique, celui qui marque l'identité des gens et l'heure d'entrée et de sortie.

Le chef fit un signe à son assistant. Il installa l'appareil optique qui comparerait les trajets.

- Vous allez constater des incongruités au niveau de l'identité, avança le chef.

Alain se redressa comme pour amplifier son attention.

- Notez bien ici l'entrée digitale de Raphaëlle Ducharme.

- Je le savais ! Je le savais qu'elle était coupable de quelque chose, s'enflamma Olivier en se levant.

- Olivier, je vous en prie ! blâma Alain. Raphaëlle pouvait très bien se trouver là depuis longtemps, plaida-t-il.

- En fait, continua le chef, sa carte d'entrée indique vingt-deux heures vingt-sept.

- Je vous l'avais dit qu'elle avait volé des données.

- Mais tu as vu comme moi qu'il ne s'agissait pas d'elle ! Enfin, Olivier, s'offusqua Alain.

- Bien, continua le chef. Votre entrée docteur Mathieu, d'après les empreintes digitales avec mention d'un invité, à vingt-trois heures trois, sortie, vingt-trois heures trente-deux. Enfin, à nouveau, sortie de madame Ducharme à minuit huit. En réalité, la carte indique que votre employée est entrée une fois à vingt-deux heures vingt-sept et qu'elle est sortie deux fois.

- Deux fois ? lâcha Olivier d'un ton toujours accusateur.

- La première fois, elle serait sortie à vingt-deux heures cinquante-trois et la seconde fois, à minuit huit.

- Vous allez nous expliquer l'étrangeté de la chose, j'imagine, fit Alain calmement.

- La seconde sortie semblerait avoir été effectuée par la femme du début, avec la carte de votre employée.

- Comment a-t-elle eu cette carte ? demanda le docteur.

- Vous voyez, attaqua Olivier, elle lui a même fourni sa propre carte d'identité !

- Il est probable que les deux femmes soient entrées ensemble au labo. Raphaëlle Ducharme serait sortie la première avec sa carte, avant de la transmettre à sa complice. Cette femme aurait rebroussé chemin immédiatement pour ne ressortir que plus tard.

- Sa complice ? échappa Alain surpris. Raphaëlle aurait organisé ce vol ?

- Peut-être pas, mais cette femme apparaît comme celle qui a tout détruit.

- Comment pouvez-vous en être certain ?

- Après votre départ, elle était seule dans le labo, d'après notre inspection et selon vos données.

- Nous avions établi l'heure du sinistre aux abords de vingt-trois heures quarante-cinq. Ce qui corrobore le tout, conclut encore l'assistant.

- Après l'incident, l'appareil digital indique la sortie de madame Ducharme, qui comme le montre la caméra de surveillance, était cette femme. Nous comptions sur vous pour l'identifier.

L'assistant retrouva l'image de Nina sur la vidéo. Elle passait devant l'écran alors qu'elle replaçait une mèche de cheveux, rendant du coup son visage moins visible. Il figea l'image et en fit un agrandissement.

- Je n'ai aucune espèce d'idée ! admit Alain pourtant hésitant. En fait, oui… je ne sais plus où j'aurais pu voir ce visage. Non. Non. Je ne la connais pas. Et vous, Olivier ?

- Non, répondit-il sèchement.

- Bien, nous allons vous laisser une copie de l'image. Si vous pensez à quelque chose, laissa flotter le chef occupé à prendre une autre cassette. Nous allons maintenant vous montrer un autre passage vidéo qui pourrait vous intéresser.

Il tendit la cassette à l'assistant. Au bout de quelques secondes, un homme apparut sur l'image.

- Voyez, docteur. Cette cassette a été prise le mercredi précédent l'incident. Le concierge entre. On le voit s'acheminer vers le labo. Pouvez-vous nous confirmer qu'il s'agit bien de lui ?

- Je me souviens l'avoir croisé, confirma Olivier qui se redressa.

- Et vous, docteur ?

- Je n'ai pas beaucoup de contact avec ce concierge, fit-il un peu embarrassé.

- Il était précisément vingt-deux heures trois à la caméra, ajouta le chef.

- Au niveau du bloc digital, énuméra l'assistant, nous avons recensé les empreintes de votre ancien stagiaire, Stewart Cross, à vingt-deux heures deux, sortie à vingt-deux heures vingt-neuf.

- Stewart ? s'exclama spontanément Olivier.

- L'heure d'expiration de sa carte était à vingt-deux heures trente, fit remarquer l'assistant.

- Pourquoi cette visite de Stewart au terme de sa carte ? Nostalgie, intérêt d'étudiant, gangstérisme, vandalisme ? interrogea le chef.

- Mais nous n'avons pas vu Stewart dans la caméra de surveillance, objecta Olivier sans hésiter.

- Exact, répondit le policier. Cela ne correspond pas à son portrait.

- Attendez, fit Alain.

Il se dirigea vers son classeur, l'ouvrit et en sortit une chemise sous la rubrique «entretien».

- Nous n'avons pas de concierge le mercredi soir, trancha Alain.

- Alors si cet homme n'était ni Stewart ni le concierge, qui était-il ?

- Je l'ignore, déclina Alain. Notre stagiaire vient de nous quitter pour retourner aux États-Unis.

- Stewart n'y est pour rien dans toute cette affaire, déclara Olivier.

- À dire vrai, jeune homme, nous avons déjà fait des recherches à ce sujet. Aucune trace de Stewart Cross pour le moment, pas même chez ses parents, confirma le chef.

Olivier bomba le torse. Alain plissa les yeux. L'assistant présenta l'image figée du mystérieux concierge et effectua un plan rapproché. L'image était relativement floue.

- Nous ne pouvons pas faire mieux. Vous le reconnaissez ? demanda l'assistant.

Alain et Olivier ne le purent tandis que le policier continua d'évoquer certains faits.

- Voyez, au bout du corridor, poursuivit l'assistant, on voit le labo à travers la porte vitrée. L'homme entre dans le local C-428 et en ressort au bout de quelques temps. Il n'a rien dans les mains. L'image n'est pas très claire, mais on le suppose en train de fureter dans le labo, en quête de quelque chose. Puis, nous ne pouvons le voir, mais il s'en va dans la direction de l'ordinateur du docteur Miles. Il revient avec quelque chose dans les mains qu'il installe au fond de son sac à roulette.

- Nous supposons qu'il a volé le disque dur, conclut le chef. Avez-vous avez idée de ce qu'il contenait, docteur ?

- Certainement toutes les données portant sur son invention.

- Alors, serait-il probable que cet homme ait cherché à voler l'invention ? soupçonna le chef.

- En effet, dut admettre Alain. Mais comment a-t-il pu entrer en possession de la carte de Stewart Cross ? Et des numéros de code ?

- Stewart, se remémorait tristement Olivier, était un camarade plutôt sympathique.

- En fait, nous avons trouvé ceci dans les affaires de votre stagiaire, lança le chef.

Il montra un bout de papier enveloppé soigneusement dans un sac de plastique.

- Un numéro de téléphone. Il s'agit d'une compagnie de latex, fit le chef, que nous avons visitée. Ils ont attesté avoir fabriqué un pouce de latex pour Stewart Cross, avec facture à l'appui. Il aurait payé comptant et refusé de prendre la facture.

- Mais ! Qu'est-ce que ça prouve ? s'exclama Olivier.

- Qu'il était d'accord pour vendre son identité à quelqu'un, répliqua Alain en baissant la tête.

- Nous sommes aussi allés voir le docteur Jaenson à l'hôpital où se trouve le docteur Miles.

Alain se raidit.

- Son état est stable, mentionna le chef. Mais on nous a rapporté que sa famille avait des réserves sur l'hypothèse d'un accident. C'est tout ce que nous savons pour l'instant.

- Bon. Pour ce qui est de l'identité de la femme, je me penche là-dessus, promit Alain.

- Et sur sa complice Raphaëlle Ducharme aussi ! insista Olivier. Je vais directement au bureau de mon père lui annoncer tout ça.

- Un instant jeune homme, fit Alain. Vous allez me laisser l'appeler d'abord et lui annoncer moi-même. Le plus important pour l'heure serait de trouver l'identité de l'homme. Il me semble que là, nous avons un réel problème. Votre père doit être tenu au courant sur-le-champ.

- Voilà, nous avons cerné l'aspect général du délit. Pour la suite de l'enquête, nous vous renvoyons à l'agent Tanguay, fit le chef en tendant une carte à Alain.

Il la lut.

SPCUM
Service de police de la communauté urbaine de Montréal
Agent Benoît Tanguay, enquêteur

Les policiers quittèrent les lieux. Olivier salua Alain qui, sans plus attendre, empoigna le téléphone. Il allait tout raconter à Vandam, du moins, le plus possible.

*

Nina, qui avait eu envie de décanter toute cette histoire, s'était rendue chez Niko. Lorsqu'elle arrivait préoccupée de telle façon, son ami lui concoctait toujours un revigorant. Nina fixait le vide droit devant elle quand il entra dans l'alcôve et posa le verre. Silencieusement, il s'assit.

- Niko, j'ai fait des bêtises, cracha-t-elle avant de marquer un temps. J'assume, mais…

- Ninella, bois, interrompit le restaurateur. On parlera après.

Son regard revint dans l'alcôve. Elle sourit à Niko qui lui répondit en sourcillant tendrement. Elle but et s'essuya la bouche avec sa serviette de table.

- Je suis en danger, Niko.

- Pourquoi dis-tu ça ?

- Parce que je le sais.

- Ce que tu as fait est si grave ?

- Je ne crois pas. Je te l'ai dit, j'assumerai les conséquences, le temps venu.

- Alors, tu n'es pas en danger, fit Niko en cherchant à comprendre.

- Si. Il y a beaucoup de crapules dans une ville.

- Et que te veulent-ils ?

- Ils veulent que je leur donne une partie de l'invention de Clara, fit-elle sans émotion.

- En échange de quoi ? dit Niko en toute logique.

- Échanger ? Ce sont des crapules, je te dis. Ils volent la propriété des autres.

- Il faut appeler la police, Ninella, fit Niko inquiet.

- Non ! Je ne peux pas.

- Pourquoi pas ?

- Parce que j'ai fait des bêtises et qu'ils vont m'arrêter.

Nina appuya son coude sur la table et se prit le front.

- Je tourne en rond.

- Bois, conseilla Niko.

- Je ne sais plus que faire, avoua Nina.

- Toi ? s'étonna l'homme.

- Eh oui, moi. Je suis venue ici pour faire le point.

- Tu ne veux pas me raconter.

- Je ne peux pas, Niko, il y a déjà trop de gens qui savent bien des choses. Tout ce que je peux te dire, c'est que je ne sais pas où aller, le temps que les choses s'arrangent. Même chez Jamie, j'ai l'impression que c'est risqué. Je ne sais pas pourquoi.

- Alors, tu viens chez moi. Et j'insiste, renchérit Niko.

- Mais ta femme ?

- Laisse. Je m'en occupe. Je te préparerai ta chambre, dit-il en se levant.

- Niko, je n'oublierai jamais ce que tu fais pour moi.

L'homme se leva et ferma la porte derrière lui. La vie s'animait progressivement dans l'établissement. Nina se sentit plus dynamique, mais toujours mentalement lasse. Pour la première fois, elle se demanda à quoi rimait cette démarche. Si Clara pouvait voir dans quel état se trouvait son amie ! pensa-t-elle.

- Je deviens peut-être paranoïaque, s'inquiéta-t-elle.

Elle récapitula les informations techniques. Clara avait avoué être propriétaire exclusive de la boîte noire, n'avait esquissé aucun plan, devait recevoir un pourcentage pour la matrice et... elle avait très mal réagi sur la question de tentative de meurtre.

- Toutes ces preuves ne devraient-elles pas protéger les droits de Clara et du coup m'épargner en bonne partie pour le saccage à l'université ? se dit-elle. Mais maintenant ?

Nina tripota un sachet de sucre. Elle leva la tête vers le restaurant bondé comme d'habitude. Niko qui l'observait, sérieux, lui envoya un clin d'œil. Elle esquissa un sourire las.

- Me cacher. C'est ça que j'ai à faire, conclut-elle.

Elle sortit de l'alcôve et se dirigea vers son ami.

- Nik. Je vais disparaître pour un temps.

- Quand tu veux, tu viens chez moi. Tout est arrangé. Voilà les clés.

- Merci, Niko, merci.

Ils s'embrassèrent. Ragaillardie, elle sortit du restaurant. La porte de l'établissement donnait sur la rue Côte-des-Neiges. Nina tourna sur sa droite, vers Queen Mary. Dès qu'elle eut tourné le coin de la rue, deux hommes s'approchèrent d'elle pour la saisir. Elle détala vers sa voiture.

- Je savais bien, se dit-elle, je savais qu'on me cherchait !

Les deux hommes la suivaient de près. Elle courut vers l'Oratoire St-Joseph où était garée sa voiture et interpella le garçon du stationnement, qui la connaissait bien.

- Paul, prépare ma voiture ! Je reviens tout de suite, fit-elle en continuant de courir.

Paul vit les deux hommes la suivre, se dépêcha dans la cabine et saisit les clés. Nina tourna la tête pour jauger de la distance qui la séparait des truands. Elle emprunta les escaliers de l'Oratoire. La foule était dense sauf la section que les pèlerins montaient à genoux. Les deux hommes s'y lancèrent mais furent vite ralentis par des fervents qui s'écroulaient, l'un d'eux avait perdu pied.

Nina passa devant la tombe du frère André et poursuivit sa route vers la basilique où elle comptait se perdre dans la foule. Les deux hommes la virent sortir de la tombe et tentèrent de la rattraper. Le premier circula entre deux sœurs blanches, suivit du second.

Après avoir gravi plusieurs escaliers et longé un long corridor, Nina s'enfonça dans la basilique. L'affluence la rassura. Une messe suivait son cours. La romancière s'infiltrait avec peine et s'excusait auprès de chaque personne. Elle finit par se trouver une place parmi les fidèles au milieu de la cathédrale. Le prêtre badigeonnait d'encens les âmes en quête de paix et d'amour. Nina admira le dôme de la basilique. Elle sentit réellement une force l'apaiser.

Les deux hommes parvinrent à la basilique. La sécurité les remarqua. Ils durent calmer leur ardeur à la chasse et prétendre vouloir assister à la messe. Ils entrèrent plus réservés. Nina aperçut les gredins s'avancer vers l'autel et dut attendre de longues minutes avant que le prêtre n'invite ses fidèles à se lever. Alors elle en profita pour se faufiler vers l'autre extrémité, s'excusant inlassablement auprès des gens.

L'un des bandits remarqua le léger tumulte engendré par des déplacements, mais ne voyait pas Nina. Elle réussit à sortir du rang et – tête penchée, mains jointes – se dirigea lentement vers la sortie, dans une marche solennelle dont la cadence s'accélérait. Un gardien lui fit un coup de tête.

- Il y a deux bandits à l'intérieur, ils volent des gens, chuchota-t-elle en les pointant.

Les truands aperçurent Nina. À grandes enjambées, ils foncèrent vers la sortie où les attendait la sécurité. Pendant qu'ils se débattaient, Nina regagnait le stationnement. Elle interpella Paul.

- Là ! fit le jeune homme en lui pointant sa voiture du doigt. Elle est en marche.

- Je vous paierai la prochaine fois, lui cria-t-elle, soucieuse de l'équité.

Au pied de l'escalier, les deux hommes virent Nina entrer dans sa voiture. L'un d'eux ouvrit la portière d'un véhicule bleu délavé, força une personne à sortir tandis que l'autre fit évacuer le reste des passagers et saisit le volant. Ils décampèrent. Nina arpentait les rues cherchant à semer ces voyous. Arrivée sur Côte-Ste-Catherine, elle accéléra sans scrupule, ne laissant ni les piétons ni les feux de circulation lui dicter sa conduite.

- Merde ! largua-t-elle, jetant un œil dans le rétroviseur. Comment font-ils pour me rattraper ?

La poursuite n'était visiblement pas son truc. Elle aurait pu décrire la scène, mais la vivre était une autre histoire ! pensa-t-elle.

- La chasse à la femme est commencée ! ironisa-t-elle en appuyant sur l'accélérateur.

William suivait le convoi à distance raisonnable. Il attendait son heure. Parvenue au pied de la montagne, Nina esquissa un virage imprévu sur la droite et disparut dans le Mont-Royal. Les deux hommes arrivèrent au feu de circulation tout juste à temps pour voir le derrière de sa voiture qui montait la pente abrupte. Sur leur droite, un véhicule attendait le feu pour repartir.

- Imbécile ! Allez, recule et passe sur le terre-plein ! fit l'homme à son comparse.

- Facile à dire ! Il y a une voiture derrière.

La lumière passa au vert, l'homme put enfin bifurquer vers la montagne. Il tenta d'accélérer, mais la voiture montrait des signes de vieillesse. Tant bien que mal, ils atteignirent le belvédère et cherchèrent la voiture pourpre de Nina. Rien. Ils poursuivirent la route qui redescendait vers l'autre versant et aperçurent son véhicule qui passait le cimetière. Elle vira à gauche et emprunta Côte-des-Neiges vers le centre-ville. Nina lança un œil dans son rétroviseur. Plusieurs véhicules les séparaient.

- Il faut absolument que je sème ces hommes!

Elle enfonça la pédale et se rua dans le ventre du centre de la ville. Sans anicroche, elle put se rendre jusqu'au boulevard de Maisonneuve. Mais la circulation s'intensifia.

- Dans ces conditions, conclut-elle, je suis perdue!

La voiture des deux hommes s'approchait dangereusement. Le bouchon devint si dense qu'elle décida de plaquer sa voiture et de poursuivre à pied. Elle s'enfouit dans la masse de personnes qui circulait vers la rue Crescent. Il semblait s'y dérouler une activité. Les deux hommes imitèrent Nina, heureux d'abandonner cette vieille machine, et se glissèrent comme la romancière dans la foule.

D'immenses banderoles publicitaires flottaient au gré du vent et s'emparaient des cieux, des immeubles. Et ces voitures ! Les Formules Un, rutilantes, se dressaient au beau milieu de cette rue transformée pour quelques heures en circuit automobile. Les passants donnaient de l'entrain à la rue en délire.

Nina entendit un coup de feu. Des cris s'ensuivirent. Elle se retourna pour savoir d'où provenait ce bruit et aperçut les deux hommes toujours à sa poursuite. Il lui vint à l'esprit qu'ils puissent tirer sur elle. Son cœur lui asséna un bon coup dans la poitrine. Le taux d'adrénaline décuplé, la romancière se fit bousculer dans la rivière tumultueuse de la foule qui précipita Nina au cœur de l'action. L'euphorie à son comble, Nina hurla lorsqu'un homme lui mit la main au collet.

- Lâchez-moi, sale brute !

Comme propulsée par un de ces moteurs puissants, elle détala à toute vapeur et parvint à la rue Ste-Catherine à la vitesse de l'éclair. La rumeur de la foule s'estompait. Un itinérant tendit sa casquette vers elle. Nina prit la monnaie, laissant le vagabond abasourdi. Elle héla un taxi.

- J'en ai pour environ… huit dollars, fit-elle à bout de souffle.

- Alors je vous amène tout droit ?

Nina se retourna et les deux truands l'aperçurent entrer dans le taxi. Ils le poursuivirent à pied. William, qui avait aussi laissé sa voiture dans le trafic, en déroba une rapidement.

- Monsieur, dépêchez-vous, je suis suivie !

Le chauffeur jeta un regard derrière la voiture et constata qu'elle disait vrai. Il fut pris de panique.

- Ah ! Dans ce cas, madame, je vous prie de sortir, dit-il nerveusement.

- Mais ! Ma vie est en danger. Aidez-moi ! Vous pouvez faire quelque chose, supplia Nina.

- Je suis désolé.

Nina, épuisée, examinait quelques issues : sortir, convaincre l'homme, prendre le volant. Trop tard, les deux hommes ouvrirent chacun une portière et enserrèrent Nina qui dut se résigner à devenir leur prisonnière. Le chauffeur affolé dut aussi s'en remettre à leurs ordres.

- Allez, conduisez-nous hors de la ville, fit le bandit en sortant un revolver.

Ils sortirent de la ville et parvinrent à un entrepôt dans un quartier industriel de banlieue.

- Partez ! fit l'un des hommes au chauffeur. Et si vous appelez la police, j'ai votre numéro. Noté ?

L'homme, blême de peur, acquiesça et décampa. Nina chercha à fuir et fut vite rattrapée. L'un d'eux poussa Nina vers l'intérieur de l'entrepôt et tomba sur le sol. Elle scruta les environs en quête d'une sortie de secours. Elle nota une fenêtre ouverte au haut d'une passerelle et, sur le plancher de l'étage, des bidons de métal empilés les uns sur les autres. L'un des hommes braqua son revolver sur elle.

- Tu bouges, je tire, avisa-t-il.

Nina réfléchissait et ne répondit pas. Elle aperçut aussi une porte. Qu'y avait-il de l'autre côté ? D'une main, le costaud tenait son revolver et de l'autre, il fouilla dans sa poche et en sortit des pistaches.

- Mais qu'est-ce que tu fais ? lui demanda l'autre.

- Tu en veux ? Ça passe le temps, dit-il en tendant le sac à son partenaire.

- Tu ne vas pas manger ça ? Il faut que tu braques tes yeux sur cette femme !

- Il faut attendre Will, jeta le costaud au revolver. Il a dit : « Amenez-moi la femme et attendez ». Alors j'attends.

- Bon. Je vais voir s'il arrive.

Tandis que le plus petit sortit et que le costaud fouillait dans son sac, Nina profita de ce moment de distraction pour courir se cacher derrière les bidons.

- Ah ! Mais c'est malin, ça, dit l'homme la main dans le sac. Eh ! Reviens !

Son partenaire revint aussi vite qu'il l'avait quitté.

- Elle a filé. Par là. Aide-moi à la retrouver, dit l'homme en braquant son revolver.

- Ah ! Quel abruti tu fais !

Nina s'était enfuie au plus profond de la pièce et tentait de savoir ce que ces bidons contenaient.

- Décidément, j'ai un don pour les saccages ! railla-t-elle.

Produit inflammable, lut-elle. Au fond de la pièce, elle vit un moteur et une cuve interminable qui longeait le mur. Elle ouvrit une valve et une puissante marre d'eau jaillit qui alerta les hommes. Nina renversa un bidon et le fit rouler en direction de ses agresseurs. L'un d'eux tira sur le contenant d'où surgit un liquide blanc ; un lac de latex se constitua. Les hommes dégageaient les bidons que Nina leur lançait, mais le plancher encore glissant les faisait déraper. La romancière sortit de son sac un paquet d'allumette Chez Niko. Elle sourit.

- Merci, Niko.

Elle en alluma une tandis que les hommes nageaient toujours dans la marre de latex et que l'eau courait à l'intérieur de la longue cuve. Nina lança l'allumette dans le latex qui brûla.

- Là ! cria l'un des hommes.

Nina tourna la tête et eut juste le temps de se jeter dans la cuve. La force du courant l'emporta.

- Bon Dieu ! Où cela me mènera-t-il ? se dit-elle.

Les hommes tâchaient de suivre le circuit de ce tunnel de métal à travers les flammes. Nina vit un orifice dans le mur. Elle pencha la tête et passa au travers. L'eau la propulsa vers l'autre pièce. Elle ressortit la tête et constata qu'elle était seule. Mais droit devant elle, une machine présenta sa gueule. Nina fut amenée dans un gigantesque récipient, muni d'un malaxeur.

- Ils doivent mélanger leur peinture ici, pensa-t-elle.

Elle ferma les yeux et atterrit dans un liquide léger : de l'eau sale. Elle sortit aussi vite qu'elle le put, avant d'être broyée par le mélangeur. Autour d'elle de nombreux autres réservoirs géants qu'elle avait activés travaillaient en cadence, certains se déversant l'un dans l'autre. Elle vit à nouveau cette passerelle près du plafond et chercha une échelle des yeux.

Les deux hommes défoncèrent la porte et aperçurent Nina qui grimpait à l'échelle.

- Ne tire pas ! fit l'autre. William la veut vivante.

- Oui, elle est la seule au monde qui puisse m'aider, fit William qui entrait justement.

Nina regarda en bas et remarqua ce troisième homme. Elle atteint finalement la passerelle.

 - Vous êtes prise au piège, chère dame ! cria William confiant.

Nina savait que la passerelle continuait de l'autre côté, courut vers l'ouverture du mur et traversa. Les flammes montaient vers le plafond et les contenants étaient en feu.

- Qu'est-ce que vous attendez ! Bande d'idiots ! Elle ne doit pas sortir d'ici sans m'avoir tout révélé. Je veux savoir où est cette boîte ! hurla William.

Il venait de perdre le contrôle.

- Être si près du but et voir échapper le chaînon manquant, c'est hors de question !

Il courut vers la porte qui menait à l'autre pièce. Il sortit dehors tandis que les deux hommes tentaient de joindre la romancière par l'échelle où elle était montée. Nina poursuivait son chemin sur la passerelle sans se laisser distraire. À quelques mètres, elle vit la fenêtre et courut vers cette voie de libération. Elle regarda le feu ravageur qui prenait du volume et pensa à la matrice.

Les deux hommes franchirent le mur et William les observait en essayant de se prémunir contre le flammes.

- Dépêchez-vous ! Elle va sortir ! s'impatienta William.

- Mais elle ne peut tout de même pas sauter ! Elle va se broyer les os.

Nina se faufila dans l'embrasure et parvenue au dehors, jeta un œil en bas. Elle vit une voiture en marche, la portière ouverte.

- Cet homme est idiot... Bon. Maintenant, comment sauter sans me blesser ? se demanda-t-elle.

Elle entendit un bruit de l'intérieur qui la pressa. Elle aperçut une poulie à deux mètres d'elle.

- Mon Dieu ! Je ne peux pas l'attraper!

Une voix lui disait : Saute, Nina ! Son cœur battait à tout rompre. La peur lui interdisait de sauter. Mais un homme, depuis l'intérieur, lui saisit le poignet, ce qui la fit bondir. Violemment elle se dégagea et dans cet élan, sauta à la poulie sans réfléchir. Nina se retrouva au sol en moins de deux.

William, qui avait désespéré de ses hommes, était sorti récupérer Nina. Tandis qu'elle se relevait, il se rua vers la voiture. Dans une course sans merci, elle l'atteignit avant William. Au moment où elle ferma la portière, il toucha la voiture et rouvrit la porte. Il était si près d'elle ! Nina recula la voiture en vitesse. William la dévisageait avec hargne. Elle se mit en marche avant et accéléra.

- Tu vas dégager ! fit-elle.

William s'accrocha le plus fort possible à cette portière. Il ne la lâcherait pas comme ça ! Finalement, la portière céda et tomba avec lui. Nina en était quitte pour quelques égratignures.

- Ouf ! Je croyais ne jamais pouvoir me sortir de ça ! lança-t-elle en roulant à toute vitesse.

Elle se rendit sur le pont et seulement alors, elle ralentit le rythme pour se rendre chez Niko.

*

Un doux soleil passait par la fenêtre de la chambre de Clara. Tout était immobile. Une paix fine et blanche enrobait la scientifique encore noyée dans le songe. Ian entra à pas feutrés dans la pièce comme pour ne pas fendiller la coquille du silence. Il contempla sa patiente de loin.

- Quelle est cette réalité que vous ne voulez pas affronter ? chuchota-t-il en avançant doucement vers Clara. Vous devriez revenir et tout nous raconter. Nous pourrions vous aider. Nous allons tous vous aider. Clara Miles... Que se passe-t-il dans votre tête en ce moment ?

Le prisme de lumière se prosterna. Il dessina des courbes qui attirèrent l'intérêt du docteur. Les cristaux échangeaient avec un autre reflet qui semblait provenir de la main de Clara. Le prisme frappait sur l'un de ses doigts d'où un scintillement vert émeraude émergea pour se diffuser dans la pièce.

Intrigué par ce jeu, le docteur s'approcha et regarda la main de Clara. Cette lumière provenait d'une bague que la patiente portait à son doigt et qu'il n'avait jamais remarquée auparavant. Ian fixa le vide. Ses yeux furetèrent vers mille parcours, un souvenir le pressait. Où avait-il vu semblable bague auparavant ? Soudain, l'éclair jaillit dans sa tête. Dès qu'il put formuler un début de réponse, il comprit ce qu'il devait faire et sortit à la hâte.

TANT QUE LE CORPS BERCERA L'ÂME

J'ai vaincu le désir,
mais j'ai ainsi perdu mon plus grand complice sur terre.

Aziza

Un *pakhavaj* faisait vibrer les pierres de son rythme régulier. Aziza entendait une voix cristalline s'insinuer dans les murs du temple de marbre immaculé. Lorsqu'elle ne parvenait pas à faire le vide, elle s'y inventait des voix agrémentées de percussion et pouvait alors atteindre un état de transe. Ces voix élevaient son âme et apaisaient sa respiration. Aziza s'accordait au souffle des autres jaïns. Il lui semblait rassurant de savoir qu'elle n'était pas la seule à faire tous ces efforts. C'est que la doctrine qu'ils s'imposaient exigeait de creuser profond en soi pour ne pas succomber au désir. Une fois apaisée, Aziza se sentait plus digne de contacter les maîtres.

Ceux que l'on considérait comme plus grands que nature étaient des hommes : les *Tirthankara*. Comment ne pas glorifier ces conquérants du Soi plus que toute divinité ? Le travail le plus ardu ne relevait-il pas de cette maîtrise, alors que le monde matériel nous gavait sans relâche d'une substance lourde et sombre ? Cette matière qu'était le karma empêchait l'être d'atteindre la maîtrise du Soi. Les jaïns appelaient ces grands maîtres les « faiseurs de gué » parce qu'ils avaient ouvert un passage entre le monde matériel et le monde spirituel, l'enchaînement et la liberté. Ces vainqueurs de la transmigration, adorés par les nombreux fidèles, étaient gravés dans la mémoire collective. Les jaïns vénéraient des hommes de chair et d'os qui avaient transcendé les affres de la matière karmique.

Ces Tirthankara avaient transmis des enseignements stricts visant à délivrer l'individualité psychique par une discipline rigoureuse ; par le contrôle des sens et de la pensée, l'ascète pouvait arriver à briser les cycles de vie et de mort. Au nombre très restreint de vingt-quatre, seuls ces faiseurs de gué pouvaient inspirer les ascètes dans leur conduite juste.

Les statues des Tirthankara représentés nus évoquaient la perfection de leur âme. Cette pureté, pensa Aziza, c'est si difficile ! Tout jaïn cherchait à l'atteindre. Mahavira avait été le vingt-quatrième Tirthankara à avoir vaincu le Soi. Au moment où il atteignait le nirvana, Bouddha, qui avait aussi pratiqué le jaïnisme, commençait de son côté à transmettre sa philosophie. Des siècles s'étaient écoulés depuis. Les bouddhistes étaient devenus plus nombreux, surtout à l'extérieur du pays du karma, et les jaïns s'étaient dispersés en très grand nombre dans les régions de l'Inde. Était-ce à cause de l'austérité de la pratique ? Nullement rebutés par la tâche, les jaïns s'y astreignaient avec une ardeur sans fond, comme si en leur âme l'urgence de se libérer de la roue infernale des vies et des morts consumait toute autre ambition. D'aucuns chez les ascètes savaient le pénible labeur qui les attendait avant de se présenter au temple. Mais rendre son âme libre relevait de l'absolue nécessité.

Une dizaine d'hommes et tout autant de femmes se tenaient debout, les yeux fermés, les bras le long du corps. Tous vêtus de blanc et regroupés par sexe, les *shvetambara* s'entraînaient en vue du plus grand combat d'une existence : devenir maître du Soi. Il fallait d'abord vaincre la violence afin de se débarrasser de cette substance aqueuse et noire qui produisait la matière karmique. Cette dernière était la cause du cycle des renaissances.

Le calme s'approfondissait dans l'esprit d'Aziza et des ondes de paix commençaient à faire des vagues dans son dos. Elle voulut sourire de sa victoire, mais sa doctrine lui interdisait toute expression du visage. Elle dut réprimer cette joie incongrue qui venait de s'incruster dans sa poitrine comme une tache d'encre de Chine sur du papier de riz. Elle fronça les sourcils, bien sûr, par mégarde, car son visage devait demeurer le plus neutre possible. Donc, se dit-elle, même la joie pourrait produire une matière karmique ? Il faudrait qu'elle en parle au maître. Certains jours, elle ne parvenait pas à maîtriser tous ces réflexes de l'expression.

Aziza se trouvait à côté de la gigantesque statue de Mahavira. Il était, entre tous, celui à qui elle parvenait le mieux à s'identifier. Son omniprésence l'inspirait et lui donnait l'espoir qu'un jour elle aussi parviendrait à cette sagesse parfaite. Tous les ascètes se tenaient là, debout, exactement dans la même position que les vingt-quatre statues. Ces vies figées dans la pierre exhibaient un visage marqué du détachement absolu. Un maître pouvait-il exister à travers ces pierres ? Aziza essayait de graver cette image chaque jour plus profondément dans sa mémoire afin de la reproduire dans sa chair. Les respirations se coordonnèrent. Aziza sentit sa chair se fondre dans le sable des statues. Elle percevait tout de même la démarcation du monde matériel et spirituel, et une parcelle de son esprit s'échappa vers l'autre monde. Aziza le suivit autant qu'elle le put. Son visage, à la ressemblance des Tirthankara, devint impassible mais toujours vibrant. Si elle avait pu se voir à cet instant précis, elle aurait été touchée en son cœur : son espace intérieur laissait s'évaporer quelques nuées karmiques. Son âme savourait le splendide élan de liberté et la musique inventée par l'ascète laissa place à un somptueux silence qui envahit l'espace méditatif commun. Pendant les longues minutes qui suivirent, un calme total imposa le respect.

*

La maisonnée se résignait au départ proche du père. Sur la jolie balustrade, Ramajustra balayait des yeux ses terres fertiles et sa maison de pierres. Il fixa son attention sur sa femme et ses nombreux enfants ; cet homme bon et sans tache, avait eu l'honneur de vivre heureux et il l'avait mérité. Cette longue ascension qui irradiait sur sa famille, il l'avait travaillée depuis plusieurs vies. Au sommet de sa gloire, il était l'heure pour lui de tout quitter pour s'affranchir de la part la plus importante de son existence : retrouver les faiseurs de gué. C'était l'étape la plus élevée dans la vie d'un jaïn, mais l'heure le choisissait plutôt que le contraire. L'épouse de Ramajustra le savait. Aujourd'hui, il n'y avait plus moyen d'échapper au chagrin qui les rattrapait dans chaque repli de la maison. Les pierres murmuraient déjà son absence.

Son mari rendit ses vêtements ordinaires à sa femme et enfila la robe des ascètes. Elle lui tendit, un à un, son pagne, sa pèlerine, le pot à eau, le balai à plumes de paon, son livre sacré, et ainsi jusqu'aux quatorze possessions autorisées par le temple. Les époux éprouvaient une profonde difficulté à défaire l'esprit même de la communauté qu'ils avaient créée. Quoiqu'ils se préparaient depuis des mois, voire des années, à cet éventuel passage, la douleur persistait en leur cœur, comme une piqûre d'insecte qui relance par à-coups son venin.

Ramajustra était prêt. Son épouse dût se rendre à l'évidence que l'heure du départ venait de sonner. Des larmes jaillirent de ses yeux. Ramajustra s'approcha d'elle et l'enlaça. Les pleurs se firent plus abondants et l'épouse ne fit rien pour empêcher sa douleur de s'exprimer. Il valait mieux qu'elle se manifeste plutôt que de se graver au fond d'elle et devenir une substance plus difficile à purifier. Ramajustra sentait le corps frêle de son épouse trembler dans ses bras et, malgré sa force, le reflet du jour frappa la marée de ses yeux.

Ramajustra avait réussi avec sa femme à pratiquer l'abstinence, mais à cet instant même, son corps palpitait d'une pulsion connue. Il produisait du désir. Ramajustra se concentra sur une longue inspiration et laissa aller le poison. Sa femme avait cessé de pleurer. Toujours enlacés, ils s'éloignèrent et se dévisagèrent sans parler. Dans le puits de leur noires pupilles, les émanations de leur destin se séparaient et leur cœur se sépara vers des horizons différents. L'épouse sourit en premier. Ramajustra lui en fut reconnaissant. Sa femme n'avait rien eu à dire. Ils se tinrent enlacés dans un silence ému qui dura longtemps.

Le père sortit de la maison. Ramajustra se tenait avec le sac de son avenir, rempli d'un monde mystérieux. Les plus jeunes ne comprenaient pas encore tout à fait ces nécessités ni pourquoi déménager avec un si petit sac ! Les non-dits se transformèrent en allégories. Le plus vieux des enfants étreignit son père de tout son amour.

- Le chemin est long. Et j'entreprends encore le plus difficile, mais je sais que toi aussi, tu deviendras un ascète. Et peut-être toi aussi, ma femme. Mon fils, conclut Ramajustra, à toi toutes ces terres. Tu prendras soin de la famille.

Les petits se mirent à pleurer et la contagion s'empara des plus vieux. Tous pleuraient ce père exemplaire. Ramajustra plongea dans les yeux de son épouse, sachant qu'ils s'y abandonnaient pour la dernière fois. Ils surent à cet instant que leur lien se coupait pour toujours. Il n'y aurait pas de retour, du moins jamais dans les conditions d'époux. Ramajustra réprima son chagrin et tourna les talons brusquement. Son corps entre deux eaux éprouvait des difficultés à passer sa vie de l'autre côté du monde, tandis que son esprit percevait déjà tous les enseignements du maître.

- L'homme est capable de vaincre sa nature matérielle, entendait Ramajustra. En ce sens, il est seul responsable de son avenir.

*

Le maître poursuivait l'enseignement auprès des ascètes. Il sortit un livre ancien et l'ouvrit. Aziza scrutait l'horizon depuis la fenêtre. Le soleil répandait quelques rayons qui réchauffaient la pièce. Quel enchantement que ce paysage juché au plus haut du ciel. Aziza rêvait qu'elle n'avait qu'à lever le doigt pour toucher les nuages. Son esprit était transporté par la magie des lieux. Elle qui depuis plusieurs années faisait son apprentissage quotidien s'étonnait de son propre ravissement renouvelé. Comment se lasser d'avoir sous les yeux une telle merveille ? Et pourtant, elle allait bien un jour devoir quitter tout ce monde…

Tous les élèves assis par terre jambes croisées étudiaient leur livre de base. Aziza revint à elle lorsque le précepteur sortit le livre de son rayon. Il regagna sa place pour continuer la leçon.

- Le texte le plus sacré des jaïns, le *Tattbvartha-dhigama-sutra*, poursuivit le gourou, présente la règle des trois joyaux : la foi juste, la connaissance juste et la conduite juste. Ces *ratna-traya* nous montrent la voie du salut.

*

Ramajustra n'avait pas voulu prendre le bateau pour profiter du paysage et avait dû passer par la grande ville d'Ahmadabad. Il marchait depuis trois heures réfléchissant sur sa vie passée. Il constatait le poids significatif des années derrière lui, les bonnes périodes succédant aux mauvaises. Tout était cyclique. Homme libéral, fils de banquier, Ramajustra avait fait commerce dans le diamant et sa réputation avait dépassé les frontières de l'Inde. Cette richesse revenait aujourd'hui à ceux qui l'avaient épaulé, sa famille et les jaïns. La misère de sa nouvelle vie ne procéderait-elle pas de la difficulté à chasser de ses souvenirs trop de bons moments passés à la maison ? Comment allait-il faire pour s'en détacher ?

Le père en deuil de sa famille s'arrêta pour manger. Il s'assit par terre près du marché et sortit son *roti*. Chaque bouchée de ce pain de pâte bourré de légumes, il l'avalait en pensant aux siens. Le goût de la maisonnée lui assiégeait le palais et donnait presque des regrets d'avoir quitté cette douce et pleine existence.

Pendant que le gourou instruisait patiemment les fidèles, Ramajustra jaugeait du contraste que lui peignait sa vie future. Il en assumait le coût pleinement.

- C'est comme une échelle, disait le maître. Les deux montants seraient la foi et la connaissance justes, les échelons sont les étapes graduelles de la conduite juste. Vous avez gravi certains échelons en tant que laïc et vous poursuivez votre démarche en délaissant votre vie familiale et sociale réussies. Les ascètes apprennent à contrôler leurs sens et à dominer leurs passions.

Depuis un bon moment, Ramajustra observait un marchand de drogues dans son échoppe, impressionné de le voir faire sortir ses serpents de leur urne, comme d'une boîte à surprise. Il n'avait jamais pris le temps d'admirer cette prestidigitation auparavant et considéra l'importance de vivre le moment présent. Il fit le tour du marché attentif aux rencontres auxquelles il n'avait jamais donné de sens. Conscient de ce changement d'attitude, Ramajustra savait qu'il allait avoir besoin de ce profond respect du temps présent pour conquérir le Soi.

*

Au sortir de la forêt de Gir, emplie de lions sacrés, la pente abrupte de la montagne Shatrunjaya conduisait au village Palitana, qui dévoilait, après trois heures de marche, la somptuosité de l'une des grandes merveilles du monde : les temples jaïns. Né d'un enchantement céleste, ces temples de marbre blanc, de pierre et de bronze sculptés avec une rare magie, laissaient dominer l'âme des artistes plutôt que la verticalité sans surprise de l'architecte, comme si chaque temple eut fait l'objet d'une incantation particulière. Cette attention pressentie au travers chaque geste des artisans, n'était-elle pas le reflet de la pensée jaïne traitant chaque âme comme unique ? Comment parvenir à de telles splendeurs sans y mettre toute son attention ?

Les ascètes revenaient de pratiquer l'attention de la marche. Quotidiennement, ils s'appliquaient à fouler le sol sans faire de mal à ses habitants lilliputiens. Un grand émoi les avait sortis de leur calme habituel : Aziza avait rencontré un lion. La grosse patte griffue de la créature avait tenté de la caresser. Elle avait poussé un cri. Ces balades des grands félins sacrés étaient peu coutumières à l'orée des temples. Tous avaient foulé le sol, oubliant du reste les préceptes de non-violence qu'ils devaient appliquer. Ne s'agissait-il pas de légitime défense ?

Le corps plutôt maigre de ses trente-deux ans avait poussé Aziza à questionner le gourou. Son visage long révélait une étincelle unique accrochée en permanence à son regard. Cette lueur était son principal attribut. Ses cheveux lisses brun foncé, le plus souvent attachés en queue-de-cheval, ne la distinguaient en rien des autres.

Tous vouaient un respect profond au sens sacré accordé à chaque restriction. Cet émoi provoqué par le lion entraîna la fin abrupte de leur marche en forêt et chacun retourna dans sa cellule. Le maître les invita à méditer sur l'attention vouée aux animaux selon le principe de non-violence. Aziza marchait dans les rangs avec les autres femmes tandis que les hommes avançaient ensemble.

Ramajustra parvint enfin au sommet de Palitana. La beauté des temples pesa sur le corps du laïc, il ne put que s'incliner pendant de longues minutes. Il s'achemina vers le temple où l'accueillit un précepteur. Les ciselures étaient gravées dans le marbre blanc telle une fine dentelle. Les voûtes parlaient presque, avides de disserter sur la beauté. Ça et là s'activaient charpentiers, sculpteurs, orfèvres et tous ceux qui allaient contribuer à éblouir une modernité présomptueuse.

- Nous sommes heureux d'accueillir un nouvel ascète, fit un homme chauve et sobrement vêtu de blanc.

Ramajustra expira un long souffle pour chasser les derniers souvenirs qui retenaient encore son âme.

- Je suis prêt, déclara-t-il enfin, satisfait.

Ils pénétrèrent à l'intérieur du temple et le jeune maître lui fit quelques recommandations.

- Vous dormirez avec les autres hommes, sur le plancher pour les austérités, dit-il gentiment et d'une voix mélodieuse.

Le jeune gourou ouvrit la porte de la chambre plutôt dénudée : deux pots à eau et deux balais à plume de paon rangés sur le plancher, deux couvertures pliées et quelques autres effets personnels en constituaient le mobilier. Ramajustra ajouta ses affaires à celle des autres. Il partagerait sa chambre avec deux hommes. Le gourou le laissa patiemment installer ses biens.

- C'est l'heure de l'étude des écrits.

Ramajustra se précipita à la bibliothèque où il rejoignit les autres. Assis au dernier rang des hommes, il ouvrit son livre. Tous étudiaient depuis quelques minutes. On aurait pu entendre voler une mouche tellement la rigueur tenait les corps en respect. Ramajustra brisait l'équilibre du nombre des vingt ascètes. Quoique ce fait fut sans importance, il le remarqua lorsqu'il prit part au groupe et cela le fit sourire. Aziza se trouvait assise à trois places à côté de lui, dans la dernière rangée des femmes. Jusqu'alors très concentrée, elle prenait plaisir à lire lorsque le gourou s'approcha de Ramajustra pour lui remettre un livre. Elle leva la tête et remit le nez dans son livre, mais releva la tête à nouveau attirée malgré elle par cette présence nouvelle. Qui était cet homme ? Allait-il franchir le gué comme tous l'espéraient ? Tandis que le maître retournait vers l'avant, Aziza s'amusa à sonder les capacités de l'homme. Ramajustra tourna sa tête et elle sentit ses joues brûler et son cœur se gonfler comme un torrent de pleine lune. La confusion la fit hésiter entre se dérober ou lui sourire. Ramajustra remarqua immédiatement l'étincelle au fond du regard de la femme de la dernière rangée. Était-ce la féerie du temple ? Le nouvel ascète oublia d'un seul coup d'où il venait. Le souvenir de sa famille s'évanouit dans la lumière de prunelles étrangères. Oui, se dit-il, il y a quelque chose de magique ici, au sommet de la conquête du Soi.

Lorsqu'il revint dans le présent, son corps avait changé d'état. Il devina un voile subtil menacer son ambition spirituelle, mais il connaissait sa force, lui qui s'était entraîné avec la mère de ses enfants, à une rigueur du corps. Il savait qu'il pouvait résister à ce genre de tentation. Une bouffée de reconnaissance envers son épouse vint balayer le nuage de désirs frais qui venaient de l'assaillir. Ramajustra et Aziza finirent par se sourire timidement. Cette douce épreuve vint leur rappeler que rien n'est jamais tout à fait acquis et qu'il ne fallait surtout pas s'endormir dans la complaisance. Tout au long de leur lecture, ils eurent du mal à rester concentrés. Ramajustra entendit la flûte du charmeur de serpent du marché accompagnée de percussions sensuelles au goût de cumin.

*

Des musiciens exultaient dans la cour externe du temple. Leurs chants et rythmes colorés et doux aidaient l'âme des ascètes à s'élever. Lorsque les vingt et un ascètes arrivèrent, ils interrompirent la transe musicale. Les hommes et les femmes se placèrent parmi les vingt-quatre statues géantes debout, les bras le long du corps, les yeux fermés. La vénération des vingt-quatre Tirthankara était un moment solennel ; chacun méditait sur les qualités profondes des Vainqueurs du Soi pour se les approprier. Les ascètes se prosternèrent. Un brouillard léger enrobait la cérémonie d'un halo surnaturel inspirant les âmes au mysticisme profond. Cette nuée rôdait comme mille fantômes de saints et de prophètes venus sur terre montrer le chemin aux plus jeunes âmes. On eut dit que ces nuages flottaient pour transporter l'esprit au plus haut des cieux et faciliter le détachement. La crainte d'être pénétré par les émotions du quotidien soulevait des passions déchirantes. Cette matière karmique était l'ennemi premier. Ainsi, ce moment enveloppant dans la blanche brume recelait un aspect de guérison, comme si les faiseurs de gué entendaient la détresse des ascètes. De fait, ils n'y pouvaient rien et chacun le savait. Malgré la sensation de baume qu'exerçait ce matin de rosée suave, il fallait demeurer vigilant. L'attention était l'arme absolue des ascètes.

Malgré cette attention, Aziza laissa tout de même libre cours à cette pulsion carnée qui érodait des pans de sa conscience. Elle savait, après toutes ces années de discipline, qu'elle pouvait se permettre quelques sucreries, sans pour autant plonger la main dans le sac. C'était là le privilège d'une personne qui avait travaillé fort pour gagner en maturité d'esprit. Pour les mêmes raisons, Ramajustra s'émerveillait sans retenue du regard de cette femme ; cette étincelle dans ses yeux lui fournissait une manière d'effacer le souvenir de sa famille. La douleur persistante de sa rupture lui rongeait encore les viscères et trouvait à se consoler en plongeant dans la beauté de cette âme nouvelle.

Les vingt et un ascètes étaient en position de vénération. Ramajustra et Aziza l'un à côté de l'autre, comme si la vie en avait voulu ainsi, s'épiaient sporadiquement. Tout au long du rituel, le maître sentit ce jeu de corps : dès que leurs regards se croisaient, ils se cachaient, jusqu'à ce que Ramajustra vit le maître qui les observait. Il prit un air grave qui inquiéta Aziza.

*

Manger était chose plaisante même pour les ascètes. C'est pourquoi si fréquemment ils s'en passaient, afin d'habituer le corps à la privation. Des chants et des percussions accompagnaient le groupe dispersé autour de plats de riz et d'arachides. Aziza, le cœur en fête, mangeait près de Ramajustra sous le pipal. Cet arbre apparenté au figuier allait bientôt produire ses fruits.

- As-tu déjà goûté un de ces fruits ? demanda Aziza à Ramajustra.

- Mais!

- Mais quoi ?

- Non ! Bien sûr que non ! fit Ramajustra surpris par cette question.

Il regarda Aziza en fronçant les sourcils. Elle riait à pleines dents en prenant soin de mettre sa main devant sa bouche; elle aurait pu avaler une mouche et ainsi la tuer. Aussi lorsqu'ils ne mangeaient pas, plutôt que de s'occuper de cette question, ils accrochaient devant leur bouche un morceau de mousseline blanche qui couvrait l'orifice.

- Toi ? fit Ramajustra qui soupçonnait déjà la réponse décevante.

- Écoute, ne crois pas que je sois indigne aujourd'hui. C'était avant même que je n'observe les règles strictes comme laïque. Oui, j'ai…

- Mais, l'interrompit tout de suite Ramajustra, ce fruit est réservé aux ascètes!

- Je sais. Mais je voulais savoir si en le mangeant, j'allais obtenir sur-le-champ la sagesse parfaite du Tirthankara. J'aurai tellement aimé ça, dit-elle à la fois remplie de candeur et d'embarras.

Ramajustra éclata d'un rire qu'il s'était rarement entendu. Il fut aussi surpris de lui-même que les autres, qui avaient déjà établi sa réputation d'homme sérieux. Mais comment ne pas rire devant la naïveté de cette jeune fille qu'elle avait été ! Il raconta l'histoire à tout le monde et le gourou dut mettre de l'ordre dans ce gentil chaos, mais il sourit devant leurs explications. Le maître était d'une profondeur humaine rare. Sa capacité de pardon incommensurable était à l'égal de sa rigueur pour les austérités. La vie d'ascète relevait du prodige et les graves obstacles qu'une âme rencontrait, le gourou les avait aussi rencontrés, si ce n'était dans cette vie, dans une autre. Sa compréhension des limites de l'âme était sans borne.

*

De retour dans la bibliothèque, Ramajustra avait du mal à oublier l'éclat de rire qu'avait provoqué Aziza et il en était bouleversé. Il avait beau se convaincre que l'émotion n'était que suie ténébreuse qui ne devait pas adhérer à son âme, ce sentiment neuf plutôt léger le faisait littéralement chavirer. Tout au long de l'exposé, les visages de Ramajustra et d'Aziza demeurèrent troublés. Aziza, d'ordinaire suspendue aux lèvres du maître, ne parvenait plus à se concentrer sur l'esprit de la doctrine. Il n'y avait que Ramajustra qui la questionnait. Elle avait attiré l'attention d'un homme par la voie du cœur. Toute sa jeunesse, elle en avait rêvé. Ses sœurs étaient toutes mariées, mais Aziza avait pris le chemin de l'ascèse pour ne pas rester seule. Non qu'elle en fut fâchée, au contraire, ce destin lui seyait bien, avait formé son caractère et élevé son âme. La conquête du Soi était devenue pour elle une bataille naturelle et son âme aujourd'hui ne tolérait aucune comparaison avec celle d'hier. Elle parvenait à ressentir la pureté jusque dans le tréfonds de son âme même si elle ne pouvait encore en soutenir l'éclat trop longtemps. Depuis longtemps, elle avait renoncé à l'exhortation de la chair. Elle ne supportait plus les excès karmiques et, du fond de ses yeux étincelants, chacun savait qu'elle dansait la nuit avec les adorés. Aziza et Ramajustra se regardaient tandis que le maître rappelait à ses élèves quelques rudiments de base.

- Le cosmos contient trois mondes en superposition, dit-il en caressant toute la classe du regard. Dans le monde médian, en Inde, règnent les lois du karma. Quand la vie pénètre l'âme, elle devient karma parce qu'elle se confond avec la matière subtile, résultat de vos intentions, insista-t-il en regardant Aziza et Ramajustra. Tant que la vie est enchaînée à la matière, l'âme se loge dans votre organisme personnel. Nous sommes ici pour achever la purification de la matière karmique dans votre corps. Plus nous approchons, plus il faut demeurer attentif.

Le groupe sortit de la bibliothèque en silence après les enseignements. Deux élèves se dirigèrent vers les rayons de livres pour poursuivre leurs études. Ramajustra et Aziza sortirent avec les autres et se lancèrent un regard franc avant que les deux groupes ne se séparent.

*

Ramajustra faisait un bilan et triait les karmas effacés naturellement de ceux qui devaient encore quitter son âme, à l'aide des austérités. C'était sa raison d'être en ce lieu sacré. Il revit sa femme et la douceur de sa vie. Le contraste lui pesa. Il se ravisa, se rappelant l'honnêteté avec laquelle il avait toujours mené ses affaires, ce qui le rassura sur sa capacité à dépasser toutes les ascèses. En se tournant sur le côté, il sentit ses os sur le plancher et prit la couverture pour couvrir son épaule. Il vit les silhouettes des autres hommes dans la pénombre. Sitôt qu'il ferma les yeux, apparut Aziza, immaculée de grâce avec toujours cette étincelle au fond des yeux. L'enviait-il ?

Aziza s'interrogea sur le sens qu'elle avait donné depuis toujours à son futur : une ambition toute spirituelle. Elle comprit qu'une part de son ardeur au travail lui était venue du fait qu'elle n'avait pas eu ce qu'elle voulait : un mari. Elle avait jeté tout son zèle dans l'ascétisme, agissant presque comme une martyre. Était-ce par dépit ? Elle sentit une impression de substance brunâtre et gluante qui décollait de ses parois épidermiques. Elle ne se couvrait pas. Depuis qu'elle avait découvert cette austérité, Aziza avait remarqué que le confort apporté par la couverture relevait de l'illusion des sens. La chaleur procurée par cette couverture entretenait subtilement, selon ses observations, le désir d'être couvé, à l'encontre de la responsabilité qui incombait à chacun. Cette nuit-là pourtant, sa main fureta autour d'elle pour attraper sa laine sur le plancher.

*

À l'aurore, les ascètes méditaient debout, les bras le long du corps. Une douce voix se mit à chanter dans la tête d'Aziza. Sa disposition d'esprit se pondérait, elle s'entendait respirer. Un souffle se superposa soudain au sien. Elle tenta d'ajuster sa respiration avec cette inspiration divine qu'elle entendait comme on voit monter la brise au cœur du désert, présage d'une tempête éminente. Ce souffle prenait autant de plaisir qu'elle à confondre leurs aspirations. Le corps d'Aziza dessinait des vagues. Elle se surprit à sentir la présence de Ramajustra et perdit l'attention. Ramajustra s'approcha d'elle, nu comme les Tirthankara. À la vue de ce nouvel ascète de chair dévêtue, Aziza songea qu'il avait atteint la sagesse et n'en croyait pas ses yeux : un vingt-cinquième Tirthankara ! Ce miracle se pouvait-il après tant de siècles ?

Le précepteur leur avait pourtant appris que, depuis que le plan d'où était fabriquée la matière karmique se trouvait monopolisé par les forces de la mort, le contact avec cette source avait été rompu. À partir de ce moment, la conscience humaine fut si réduite qu'il devint impossible pour les êtres de percevoir la matière karmique comme un poison. Ils subissaient la passion, le désir, la colère et la violence comme un mal naturel et à mesure qu'elles dominaient l'être, le brouillard s'épaississait entre l'âme et l'esprit. Le peu de force de l'âme, laissée à elle-même pour se défendre contre cette substance noire, se diluait au point que l'être ne recherche plus que la guerre pour donner un sens à sa vie et le sexe pour y trouver plaisir. Pour maîtriser un tel phénomène de causalité et retrouver la pureté d'esprit, l'ascète devait être pourvu d'une conscience claire.

Aziza, qui rêvait depuis si longtemps de conquérir le Soi, vit apparaître l'impossible ! Ramajustra se plaça face à elle et toucha son épaule nue. Aziza était aussi à l'image des Tirthankara. Apeurée par cette vision, elle reprit l'attention sur sa respiration, tâchant de départager ce souffle qui était le sien de celui qui ne l'était pas. Mais son attention flancha à nouveau, comme bercée par l'ultime plaisir que lui procurait le contact de Ramajustra sur sa peau. Leur deux corps nus s'effleurèrent. Une flamme brûlait les entrailles d'Aziza. Leurs visages si proches ne pouvaient que s'embrasser. Dans cet élan d'amour charnel, Aziza entendit une musique pénétrer ses oreilles alors que les respirations se fondirent à nouveau et que l'amour feutra l'ambiance.

Ranimé par un troisième souffle, désagréable et terrifiant, l'esprit d'Aziza revint dans la pièce. Elle ouvrit les yeux et lâcha un cri étouffé. Le précepteur la regardait droit dans les yeux. Il ne soupira un traître mot. Cet affrontement silencieux du gourou affolait toujours l'âme prise en défaut. Aziza rajusta sa respiration au même titre que son attention. Elle se calma. Elle regarda le maître avec reconnaissance puis referma les yeux. Le gourou alla son chemin vers Ramajustra.

*

La bruine engendrait l'enchantement. Ne rien écraser sur son passage relevait du miracle. Mais certains y parvenaient ; allégés par la grâce, ils flottaient. Allaient-ils pouvoir reproduire cette marche dans le même état de perfection hors des temples ? Les ascètes se divisèrent pour aller prodiguer leurs enseignements chez les familles jaïns du Gujarat. Aziza désirait se rendre à Ahmadabad. Ramajustra emprunterait la route menant à Surat, sa ville natale, où il avait laissé la gloriole de son passé s'effacer pour mieux conquérir son Soi. Il était anxieux, dut-il avouer à Aziza, de revoir sa femme et ses enfants. Les deux amis avaient marché des kilomètres ensemble, échangeant longuement sur la route de terre ferme et sèche. Aziza avait toujours été intriguée par l'idée que le dernier Tirthankara, Mahavira, était né de la brahmane Devananda, de qui on avait retiré l'embryon pour l'implanter dans le corps de Trisala. Ce changement opéré par le dieu Indra, quatre-vingt-trois jours après sa conception, relevait du mystère le plus total pour Aziza. Ramajustra lui avoua n'avoir jamais retenu cet épisode particulier de l'histoire du jaïnisme dans ses réflexions. Comment un être pouvait-il être produit quelque part dans l'éther, attiré par deux êtres remplis de matière karmique, donc de souffrances ?

*

Fatigué par la longue route et le manque de nourriture, torturé de piqûres d'insectes – dont, sans réaction, il avait regardé le dard s'enfoncer dans sa peau – et abattu par la chaleur, Ramajustra succomba au bon traitement de sa femme – que disait-il ! – de cette femme bienveillante qui n'était plus son épouse.

- Père, interrogea son fils, est-ce que les austérités peuvent réellement éliminer le karma ?

- C'est très ardu, décourageant parfois, mais je puis vous assurer à tous que des changements ont commencé à s'opérer. Je vois même parfois des voiles de tissus grisâtres sortir de mon corps.

- Est-ce de la matière karmique ? demanda un voisin.

- Oui, fit Ramajustra, qui retrouvait un calme profond.

Transmettre ces enseignements lui permettait d'approfondir lui-même quelques notions. Et le contact avec les autres, rempli d'amour, mettait un baume sur les plaies fraîches laissées par les austérités. Ramajustra se prit à sourire et contint l'impulsion d'une joie naissante dans sa poitrine pour ne pas trahir les vainqueurs, les Tirthankara imperturbables. Après d'inlassables heures d'enseignement dans cette maison qui avait été sa propriété, il se tut et regarda tous ces jaïns autour de lui. C'était l'heure de partir pour lui. Il gagna le seuil où tous lui firent leurs adieux. Sa famille le quitta en dernier. On entendit un chœur de femmes fredonner d'une voix unie, pleine et bien tournée. Ramajustra avait le sentiment de mettre les pieds chez lui pour la dernière fois. Lorsqu'il fut assez loin, l'aîné, qui avait lu les sentiments sur le visage de sa mère, l'interrogea sur le sujet de ses préoccupations.

- Qu'y a-t-il, mère ? demanda-t-il simplement.

- Rien, fit-elle sans plus de détails.

Il y avait des choses dans la vie que seule une femme pouvait comprendre et qu'il était fastidieux d'expliquer. La mère jeta à son fils un regard de résignation mêlée de compassion. Il la prit par les épaules et ils entrèrent à l'intérieur.

Le chemin du retour fut ardu. Ramajustra ne pouvait plus se raccrocher à l'excitation de revoir sa famille. La douceur de son foyer l'avait replongé dans le plaisir qu'il devait faire disparaître de sa mémoire pour maîtriser ses souffrances ; les austérités allaient être difficiles. Ramajustra se prit à penser que l'enseignement des ascètes était pure hypocrisie. Comment pouvaient-ils encourager les laïcs par le renforcement de dogmes aussi rigoureux ? En réalité, arguait-il au fond de lui, l'ascétisme ne tend-il pas l'âme au point qu'elle perpétue son karma plutôt que de s'en libérer ? Ramajustra commençait à se convaincre que ces souffrances, parfois très aiguës, accentuaient la pénétration de matière karmique au lieu de la décourager.

L'ascète sentit une douleur brûlante au centre de sa poitrine. Pour la première fois, il mettait en doute les enseignements reçus toute sa vie, ceux qu'il avait pris soin d'appliquer avec une attention zélée pour parvenir à la liberté de l'âme. Il songea à la fatigue éprouvée par les postures. Il en avait mal aux os rien que d'y penser. Il se revit couché sur le sol dur essayant de trouver le sommeil. Et le manque constant de nourriture ; fallait-il jeûner si régulièrement pour éliminer le karma ? Fallait-il aussi endurer stoïquement toutes les vexations pouvant hâter la purification de l'âme ? Pourquoi vouloir à tout prix accélérer ce chemin vers l'élévation ?

Était-ce le reflet d'une mauvaise acceptation du temps ou le véritable chemin de la délivrance ? Après d'aussi grands sacrifices, Ramajustra se demandait s'il s'agissait de la conduite juste pour purifier l'âme. Ses jambes cessèrent de le porter pendant quelques secondes et il se laissa choir. Jamais il n'avait éprouvé la moindre envie devant les Tirthankara. Il avait choisi cette voie rêche, sans égard pour les résultats, par simple conviction ; mais le nez enfoncé dans la terre argileuse, il humait aujourd'hui l'âcreté du doute enfoui en son âme.

Dans sa clairvoyance, il s'avoua finalement une jalousie envers les puissants Vainqueurs du Soi. Il voulait déjà y être ! La terre se mouvait sous son corps comme de la matière karmique cherchant à salir son destin. Il avait adoré ses modèles, célébré avec vénération chaque victoire des âmes sur le cycle infernal des vies et des morts. À présent, il était brisé. Le contrôle des sens l'avait mené à une conduite juste au point qu'il n'éprouvait plus ni joie ni peine. Il se demanda donc : qu'est la différence entre vivre ainsi et se laisser mourir ? Le plaisir est-il nécessairement un poison pour l'âme ?

Déchiré, Ramajustra demeura longtemps face contre terre. Cela apaisait le feu que sécrétait son labeur peut-être trop ambitieux. Qui allait gagner de la fatigue ou de sa pureté d'âme ? L'homme était épuisé par ses années de rigueur, mais pis encore, rongé depuis quelques jours par ce nouveau venin qu'il avait laissé pénétrer sans l'entraver. Se croyant à l'abri, habitué aux austérités, il n'avait pas empêché cette substance de noircir ses reins, bien qu'il l'eut sentie. Ramajustra ne pesait pas encore l'entière conséquence de ce fait. Le contrôle des sens devenait inutile s'il n'était pas soutenu par le contrôle de la pensée. Il avait joué avec Aziza, il avait joué avec le feu. Aveuglé par la fatigue extrême, ce soulèvement contre les règles d'austérité lui paraissait soudain et incontournable. Il y avait quelques jours que Ramajustra avait posé cette question au gourou : plutôt que de subir toutes ces épreuves de souffrances, tous ces parisaha, ne devrions-nous pas simplement tuer le désir et pour ainsi dire affranchir l'âme une fois pour toutes de ses karmas ?

- Vous êtes violent, lui avait répondu le maître.

*

Aziza, seule dans la bibliothèque, cherchait un livre. Elle venait de traiter avec le précepteur de la résonance de la pensée dans le corps. Lorsqu'une personne activait une pensée, une parole, celle-ci organisait une succession d'actions dans le but premier de conserver la mise en vibration de l'âme sur terre, sans quoi la personne s'éteignait. La pensée, disait le maître, était le carburant premier de l'humanité. Seulement, ce processus entraînait aussi immédiatement la création d'une substance polluante dont la texture se situait à l'orée de la matière et de l'éther : la matière karmique, conséquence de la mise en forme des événements et des choses. Cette matière venait se déposer dans le corps de l'individu, alourdissant ainsi la lumière d'origine de son âme. Or, la qualité de la vie sur terre dépendait de la préservation de cette lumière.

Ramajustra entra dans la pièce. Surpris de voir Aziza, il sentit un frétillement dans son ventre. Il se déplaça sans bruit vers les hauts rayons où il entama sa recherche. Il mit sa main dans l'espace qui régnait à la place du livre convoité, et réfléchit sur les possibilités de le trouver ailleurs.

- C'est celui-ci que tu cherches ? demanda Aziza tout bonnement.

- Oh ! Euh, oui, fit Ramajustra en sursautant.

- Je peux te le laisser, si tu me promets de me le remettre.

- Mais, tu n'en as pas besoin ? s'inquiéta-t-il.

- Si, répliqua Aziza en toute franchise, mais j'ai ces deux livres à étudier d'abord.

Ramajustra s'approcha alors d'elle. Sans savoir pourquoi, Aziza enserra le livre de ses doigts. Des deux corps face à face émanait une aura faite de bruines envoûtantes. Ramajustra et Aziza sentirent un courant traverser leurs pupilles noir profond. Elle décrocha la première.

- Tiens, dit-elle plus nerveuse, en lui tendant le livre.

Ramajustra éprouvait une pulsion infernale pour Aziza – réciproque d'ailleurs ; ils le savaient tous deux. La transparence qu'ils avaient développée rendait vite le mensonge insoutenable. Tous deux avaient essayé de demeurer attentifs aux nouvelles pénétrations de karma lorsqu'ils se voyaient. Jusqu'à maintenant, la maîtrise avait été quasi parfaite. Aziza avait bien vécu son lot de fantaisies et en toute conscience elle avait laissé libre cours à la scène d'amour avec Ramajustra lors de la dernière méditation. À peine avait-elle éprouvé une culpabilité parmi ces conquérants du Soi. Aziza avait une bonne capacité à se pardonner ses erreurs. L'aridité de ce travail d'ascète méritait parfois quelques friandises pour préserver son équilibre : délibérément, elle avait laissé ce nectar délectable réchauffer ses entrailles qui le réclamaient depuis si longtemps.

*

Aziza et Ramajustra marchaient dans le jardin où d'autres couples pratiquaient l'attention. Le maître avait assigné un partenaire à chacun. Ainsi, ils devaient parcourir les sentiers des montagnes, en jeûnant pendant trois jours. Aziza et Ramajustra se trouvaient au sommet de la montagne pour la nuit, tel que convenu. Il était risqué de dormir dans la forêt à cause des lions. La journée avait été dure, parsemée de nombreux obstacles naturels, mais le plus difficile restait encore cette fatigue des austérités pour Ramajustra. Il devenait irrité et s'en inquiéta. Aussi, dans la journée, il en avait fait part à sa compagne, qui l'avait rassuré à ce sujet. Ramajustra lui en avait été très reconnaissant. Ils s'étaient émus comme deux amoureux qui ont traversé des fleuves de tourments. Ils s'étaient contemplés comme ces amants qui, faisant chavirer leur cœur dans la mer des passions, avaient réussi à ne pas se noyer, malgré les ouragans.

- Tu avais une famille ? fit Ramajustra après un long parcours de silence.

- Non. Toi, tu étais un laïc idéal ?

- J'ai travaillé dur. Surtout ces dernières années, pour commencer à me débarrasser du karma.

Ramajustra aurait voulu lui dire combien il était obligé envers sa femme. En même temps, avec toutes ses remises en questions, il se demandait parfois s'il avait bien fait de tout quitter pour cette quête. La lumière devint plus feutrée. Les rayons de la lune éclairaient leurs visages. Ils venaient d'arrêter de marcher et tentaient de trouver un endroit où dormir. Aziza se tourna vers lui. Le clair de lune fit émerger de la pénombre cette lumière étincelante qui collait à son regard. Ramajustra se sentit enveloppé par un chaud halo. Il se laissa pénétrer tant il fut distrait par la beauté de ces yeux.

- Du contrôle de l'esprit, *mano-gupti*, du contrôle de la parole, *vag-gupti*, commença Aziza.

- Et du contrôle de l'activité corporelle, se prit à susurrer Ramajustra.

- *Kaya-gupti*, répéta Aziza, qui se laissa bercer par la tiédeur de ce moment.

Elle chercha les yeux de Ramajustra dans le clair de lune, comme pour y lire une vérité cachée. Elle avait un instinct très clair de la souffrance des autres. Elle vit apparaître dans les yeux de Ramajustra une lumière soudaine et mouvante.

- Tu pleures ? demanda-t-elle doucement.

Ramajustra continuait de la regarder, laissant les larmes s'échapper sans les retenir. Il sentit l'envoûtement dans son mental. Il tenta de résister, mais depuis les trois derniers jours, le doute, qui s'imprimait plus fort dans son corps, le privait de sa pleine rigueur, de sa confiance habituelle, de son naturel désarmant à tuer les sensations qui enflammaient son ventre. Aujourd'hui, c'était différent.

Ramajustra ressentait de la colère et le désir s'y collait. L'envoûtement complet à l'intérieur de lui, Ramajustra avait à peine l'attention utile pour respecter cette femme en face de lui. Il avait envie de lui parler du désir, de la charmer, de la convaincre de se laisser aller. Il s'approcha d'Aziza. Elle frémit de tout son corps. Puis elle ferma les yeux. Elle n'avait pas peur de ce désir-là, comme si elle avait toujours su l'arrêter au bon moment. Elle rouvrit les yeux.

- Qu'est-ce que tu as ? fit Ramajustra soudainement incapable de renoncer à cette pulsion.

- J'ai du mal à résister à ce qui veut pénétrer mon âme, avoua-t-elle franchement.

- Moi aussi, fit-il en capitulant devant la rigueur de ses solides valeurs.

Cette fois, Aziza ne comprit plus rien. Elle ne put rien empêcher. Ramajustra l'embrassa et elle le laissa faire. Il était prisonnier du désir et de la colère. Il avait renoncé au supplice de l'austérité. Il respirait plus fort. Aziza s'abandonna à cette respiration brute et se vit transporter au pays de l'exaltation. Ses sens s'éveillèrent comme jamais auparavant. Elle qui n'avait jamais connu mari goûtait pleinement à la signification de la chair. Comme elle n'était pas la plus jolie des filles, toute sa vie elle s'était permise d'en rêver, certaine que la chose ne se produirait jamais. Elle n'avait jamais eu peur de laisser libre cours à ce désir. Mais à ce moment précis, Aziza s'aperçut que la chose était en train de se produire, réellement, dans ses entrailles. Elle eut une nausée. Ne sachant si ce mal tenait de l'excitation ou de la peur, elle cherchait une réponse à cette question qui martelait son esprit défait ; elle ne put plus accéder à sa raison. Aziza devint si nerveuse qu'elle finit par se raidir. Mais déjà pour Ramajustra, il n'était plus question de s'arrêter.

- Nous ne devrions pas, murmura-t-elle sans conviction.

Ramajustra, totalement enflammé, hypnotisé par l'euphorie du désir, ne contrôlait plus rien. Son corps ne vibrait que pour une seule chose : aller jusqu'au bout de l'amour.

351

- Juste un peu. Laisse-moi te goûter un moment.

Aziza tremblait de tout son corps devant la réalisation de ce fantasme impossible. Elle débattit pendant de longues secondes du pour et du contre, mais la langue de Ramajustra sur sa peau, la chaleur de ses mains qui serraient les reins d'Aziza sur son corps hâlé et doux, elle ne put que se confondre aux désirs de son compagnon en pleine transe. Des tambours scandaient un rythme qui égarait l'esprit. Dissimulés dans les buissons, les amoureux succombèrent à l'ivresse de suaves effleurements, qui pénétraient leur peau comme des milliers de voiles d'injures sur leur âme.

Une main écarta les buissons. Le précepteur découvrit les deux corps enlacés sur le sol. Ramajustra se retourna brusquement et exposa à la vigilance du maître le corps moite d'Aziza à demi dévêtue. Le gourou les regarda l'un et l'autre sous l'éclairage sélène de la nuit. Pas un mot. Pas un seul. Aziza l'affrontait du regard, sans pudeur ni scrupule, assumant la totalité de son geste. Le maître relâcha les buissons qui se refermèrent sur les amoureux. Ramajustra éclata en sanglot en se cachant le corps. Aziza ne sut que faire de cet homme qui ne cessait de pleurer.

*

Au lendemain de cette catastrophe, le groupe d'ascètes sortait de la cuisine. Ils venaient de préparer le repas des maîtres et invités pour la consécration d'un nouvel ascète, une fête magistrale. Ramajustra se rappela la sienne et l'émotion qui l'avait gagné ce jour-là. Aujourd'hui, il n'enviait personne. En passant tout près de la dernière table de la cuisine, il empoigna un couteau tranchant et le dissimula dans son vêtement. Aziza, au tout dernier rang des femmes, l'aperçut et s'en inquiéta. Elle ralentit le pas et quitta son groupe pour le suivre.

Ramajustra entra dans sa chambre et prit le temps de placer en ordre son pot à eau, son balai, son livre et sa couverture ainsi que sa pèlerine, son pagne et ses autres possessions. Il s'étendit sur le dos, directement sur le plancher. Il pensait à sa famille, au déshonneur, à sa réputation d'homme déchiré et trahi par le désir. Il sentait la matière karmique lui macérer les entrailles. Cette souillure opaque, il ne parvenait pas à la faire décoller. Ce noir de jais prenait plaisir à s'incruster dans sa chair profonde et lui consumait les viscères tel un sarcasme écumant sa rage. Sa respiration devint pénible. Il haleta.

Aziza entendait le rythme effarant de ses pas se faire l'écho d'une musique décadente. S'attendant au pire, elle entra dans la pièce sans s'annoncer. Elle voulait arrêter à tout prix celui qui lui avait offert le plus délicieux moment de sa petite histoire. Elle lui en serait éternellement reconnaissante. Il devait savoir qu'il avait fait du bien à quelqu'un, même en se faisant mal.

Ramajustra n'attendait plus rien de lui-même. Aussi, avait-il hâte d'en finir avec cette vie, cette mort. Il ne voulait maintenant qu'une seule chose : dormir. Il se planta le couteau dans le ventre et lâcha un cri d'horreur. Aziza se précipita sur lui, le cœur arraché de douleur. Il râla. Enfin, il inspira profondément avec soulagement et regarda Aziza avec une fierté réelle.

- J'ai tué le désir.

Et il s'éteignit dans les bras d'Aziza. Le gourou se présenta sur ces entrefaites dans le cadre de la porte. Il pénétra en silence dans la pièce, affecté d'un air grave.

- On ne peut pas tuer le désir, n'est-ce pas ? Dites-le-lui ! Je sais que j'ai raison, hurla Aziza.

Il regarda Aziza sans jugement aucun et ne dit mot sur la passion qui avait souillé sa robe psychique. Il finit par lui sourire malgré la matière karmique qui s'étendait en elle comme du beurre qui fond.

LA VOIE DE LA FACILITÉ

Joan bouclait ses valises. Elle partait pour une semaine à l'étranger. Les conférences qu'elle donnait se terminaient toujours à l'hôtel en compagnie de ses seules revues spécialisées. Ce qu'elle détestait ces nuits ! Elle vérifia son sac – passeport, cartes de crédit, billet d'avion – fixa sa montre et prit le téléphone.

Ian garait sa voiture à l'entrée. Il éteignit la radio, retira la clé de contact et demeura là, pensif, tandis que les secondes se perdaient.

Les valises sur le bord de la porte attendaient Joan qui, sur le divan du salon, étirait le temps en parlant. Elle humecta ses lèvres à son verre d'eau et se hâtant d'avaler, se rebiffa.

- Je te le dis, j'ai l'impression qu'il a une maîtresse. Écoute, dit-elle à son amie, tu le sais, ce ne serait pas la première fois. Ian a toujours eu un problème avec son charme. Et puis qui sait, peut-être même qu'il en a plusieurs. Mais non ! Je ne suis pas folle…

Ian entra préoccupé dans la maison et surtout, pressé. Joan fut surprise par cette visite impromptue.

- Je, euh… tu sais, la recette de bourguignon de ta sœur ? Bonjour, mon chéri, lança-t-elle à son mari. Que fais-tu ici ?

- J'ai oublié un document important. Je repars aussitôt.

Il escalada les escaliers à toute allure.

- Tu n'es pas encore partie ? cria-t-il à sa femme. Tu vas rater ton avion !

- Dans cinq minutes ! lui répondit-elle de la même manière. C'est bizarre, chuchota-t-elle à sa copine. Mais non, je ne suis pas paranoïaque ! Je ne vais quand même pas le suivre.

Ian arriva dans la chambre à coucher comme un ouragan et fouilla sans précaution dans le haut de sa garde-robe. Le docteur n'avait pas l'habitude de traiter ses affaires avec autant d'indélicatesse. Enfin, il trouva une boîte à chapeau parée de rayures noires et dorées, la prit et l'amena sur le lit. Il en fit surgir de petits contenants de verre qui dévoilèrent la richesse de mille et une pierres précieuses et, en tout dernier, une boîte vert émeraude. Le cœur du docteur battait comme s'il s'agissait du jeu de la vérité et du mensonge. Sa mémoire l'aurait-elle trompé ? Avec hâte, il ouvrit ce coffret et en sortit une émeraude rectangulaire montée sur un anneau atlante. De son arrière-grand-père, il avait hérité cette bague, revenue de droit non sans susciter quelques jalousies. Il avait longtemps souffert de cette injustice qui souilla sa fierté pour cette bague. Depuis lors, elle était demeurée enfouie au plus profond de ses tiroirs. Pourquoi avait-il eu besoin de rencontrer cette femme ? Pourquoi devait-il se souvenir de cette bague d'émeraude ? Il la porta à son doigt et frémit.

*

Des gyrophares tournaient silencieusement en face de la maison de Michaël, dissimulée par une haute palissade luxuriante. Un policier saisit d'une main le collet d'un homme qui grimaça. Il souleva et poussa violemment son corps sur le capot du véhicule.

- C'est qui ?

L'homme ne disait rien.

Le policier lui enfonça un coup de poing entre les omoplates et tira son dos vers l'arrière.

- Si tu ne parles pas maintenant, tu vas parler au poste.

La brutalité contrastait avec le crépuscule vêtu de ses plus jolis atours. L'autre agent lui fit signe de ne pas insister. Le policier menotta l'homme avant de l'expédier sur la banquette arrière.

De retour du travail, Michaël allait garer sa voiture comme d'habitude, mais son cœur palpita à la vue de la police. Un agent vint à sa rencontre.

- Vous êtes monsieur Lemire ?

- Oui.

- Des actes de vandalisme ont été pratiqués dans votre maison. Si vous voulez me suivre.

Michaël passa devant la voiture de police et aperçut un homme à l'arrière.

- Est-ce que c'est le voleur ? s'aventura-t-il timidement.

- Nous l'avons attrapé en flagrant délit. Une dame nous a téléphoné pour nous avertir de mouvements inhabituels à la grille d'entrée.

Dans la maison, tout avait été saccagé ! Des sculptures étrusques aux moindre disques de musique, des fauteuils transpercés aux éclats de la verrerie. Désastreux ! Pièce par pièce, il constata l'ampleur des dommages. Il s'assit un instant parmi les décombres. Les épreuves s'accumulaient. Égaré, il se passa la main dans les cheveux et sur la nuque.

- Avez-vous une idée de qui a bien pu faire pareil dégât ? tenta le policier.

- Oui et non, largua-t-il très las.

- D'après vous, que cherchaient-ils ?

- Je ne sais pas, prétendit Michaël.

- Pouvez-vous nous donner des détails ?

- Je vais essayer, s'évertua Michaël.

- Vous cachez des choses importantes ici ?

- Non, pas moi. Ma femme. Elle est dans le coma. Ils cherchent son invention.

En se relevant, une foudroyante exaspération s'empara de lui. Il pensa pouvoir la contrôler, mais déjà ses bras se projetaient dans les airs.

- Tout le monde cherche son invention ! Ils la cherchent tous ! Partout ! Il n'y a rien d'autre pour eux que cette foutue matrice ! Bon sang ! S'ils pouvaient juste nous laisser tranquille.

- Monsieur, vous devriez tenter de garder votre calme.

- Mon calme ? Vous me demandez d'être calme ? Ma femme est dans le coma et tout le monde en profite pour la voler. Qu'ils viennent donc nous faire une offre plutôt que d'empoisonner la vie de gens paisibles !

L'agent de police quitta la pièce pour laisser Michaël digérer les événements. Plein de ressentiment, il regardait le vide et ne parvenait plus à réfléchir sur ce qu'il devait faire en de telles circonstances. Au passage, le gyrophare aspergea la fenêtre de sa lumière tournoyante.

Michaël empoigna son téléphone cellulaire dans la poche intérieure de son veston et composa le numéro de Nina, tout en se dirigeant vers les escaliers. Le téléphone sonna un coup. Il monta les marches, deux coups. Il arriva en haut, trois coups, et constata les dégâts à l'étage. Tout était sens dessus dessous. Quatre coups...

- Bon sang ! fit-il en se remémorant son départ précipité à l'hôpital. J'espère qu'elle n'est plus fâchée.

-Allô ! fit la romancière.

- Nina, c'est moi, Michaël.

- Oui, je sais.

- Nina, ils ont tout saccagé, à la maison.

- Et moi, ils m'ont pourchassée.

- Quoi ? Comment vas-tu ? Où es-tu ?

- Écoute, je t'expliquerai tout ça plus tard. Ils ont saccagé quoi ?

- Tout. Nina, je dois parler à la police.

- Tu rigoles ?

- Mais ils vont m'interroger d'une manière ou d'une autre.

- Et j'aurai l'humiliation de passer pour un bandit ? Pas question.

- C'est devenu beaucoup trop dangereux. Écoute, Nina, je sais que tu as agi pour le bien de Clara.

- C'est gentil, mais je ne crois pas que le tribunal ne l'entende comme ça. J'ai détruit un bien et j'en ai volé un autre ! fit-elle remarquer.

- Nina… Je veux juste que ma femme revienne à la maison. C'est tout. Le reste je m'en contrefiche.

- Comment peux-tu être si indifférent à toutes les années de travail de Clara ?

Un homme apparut dans le cadre de la porte. Michaël leva les yeux. Tanguay cherchait le propriétaire de la maison.

- Oh ! Excusez-moi, chuchota l'intrus.

Il lui fit signe qu'il l'attendrait dans le corridor. Michaël bondit de son lit où il s'était assis.

- Ce n'est pas ce que je veux dire, tu le sais bien. Je préfère la voir vivante et auprès de moi que menacée de mort. Tout ça pour une expérience scientifique qui rapportera des millions qu'elle-même ne touchera pas !

- Jamais je ne rendrai la boîte ! Tu m'entends, Michaël ? Tant que nous n'aurons pas pu la protéger entièrement. Promets-moi de ne rien dire à la police.

Cette dernière phrase fit monter la pression de Michaël. Qu'allait-il dire à la police ? Comment allait-il réussir à filtrer la vérité ?

- Bonjour. Monsieur Lemire ? fit l'agent en montrant son insigne de police. Benoît Tanguay.

- Oui, répondit Michaël.

- J'enquête actuellement sur l'affaire de la matrice, informa-t-il. Si vous savez des choses, ça pourrait nous aider à y voir plus clair, dans l'intérêt de votre femme.

- Elle est…

- Je sais, l'interrompit l'agent avec une compassion étudiée. Je suis désolé. Ça complique aussi les choses.

Michaël conduisit Tanguay dans le boudoir à l'étage où il l'invita à s'asseoir. L'agent refusa, les deux hommes échangèrent debout.

- Vous savez ce qu'ils cherchaient ?

- Oui. Une partie de l'invention que ma femme a conçue ici par elle-même.

- Elle n'était pas ici ?

- Non.

- Comment pouvez-vous en être certain ?

- Ma femme me l'a dit, s'entendit dire Michaël.

Il s'inquiéta un peu de ce mensonge qui visait somme toute à faire gagner du temps à Nina.

- Et vous ne savez pas où est cette invention ?

- Si je le savais, monsieur l'agent, je la détruirais, comme l'a été la matrice. Tout ça n'apporte strictement rien à notre vie ! Que des problème !

- Vous devez bien avoir une idée sur la ou les personnes qui s'y intéressent, non ?

- Je sais juste qu'il y a trop de monde.

- Trop de monde ?

- C'était plus clair avant.

- Avant quoi ?

Michaël s'aperçut qu'il venait de trop parler. Comment stopper l'information ? Il songea à Clara, à l'inhibiteur de vérité qui s'activait dans nos cerveaux, et souhaita simplement pouvoir tout oublier. Mais cela lui était impossible ! Il se sentit soudainement fatigué.

- Avant que… Avant, après que la matrice soit détruite.

- Voulez-vous dire qu'il y avait moins de gens intéressés par l'invention avant qu'on ne la détruise ? Étrange tout de même. Pouvez-vous m'expliquer ?

- Ah ! Je ne sais pas ce que je veux dire. Avant, il y avait le docteur Mathieu et maintenant, il y a toute une bande de voyous qui rôdent.

- Je vois, fit l'agent en prenant des notes. Et avant que la matrice ne soit détruite, on en voulait aussi à votre femme ?

- Tout ce que je sais, c'est que l'accident s'est produit avant qu'on ne la détruise, déclara-t-il impatient que l'agent ne termine son interrogatoire.

- Et d'après vous, quelqu'un s'intéressait déjà à la matrice ?

- Mais c'est certain ! Le docteur Mathieu s'y intéresse depuis toujours !

- Oui, je comprends.

Michaël brûlait de dénoncer le docteur. Il essayait de tenir sa langue au nom de la promesse qu'il venait de faire à Nina.

- Et, le docteur Mathieu, vous lui faites confiance ?

- Non ! s'écria spontanément Michaël.

S'apercevant de cet éclat de voix suspect, il se ravisa, d'un ton plus doux.

- Non.

- Je vois.

L'agent prit encore quelques notes.

- Croyez-vous qu'il a cherché à lui reprendre sa partie de l'invention ?

- Non. Enfin, ce n'est pas sûr, fit Michaël. Je sais simplement que Clara a passé de nombreuses années à peaufiner son invention au sous-sol, au prix parfois d'heures de loisirs avec sa famille et...

- Croyez-vous, reformula Tanguay, que le docteur Mathieu a voulu voler votre femme ?

- Je ne sais pas, fit Michaël soudainement nerveux. Je ne sais pas. Alain est un homme réservé et brillant. Il est passionné par la recherche.

Tanguay savait qu'il venait de toucher juste. Michaël savait quelque chose : s'évertuer sur des détails inutiles lui permettait de cacher des informations pertinentes. L'agent essayait maintenant de savoir où se situaient les intérêts du docteur Mathieu. Et le mari de la chercheuse semblait avoir une réponse pour lui.

- Vous connaissez bien le docteur, à ce que je vois, poursuivit Tanguay.

- Pas tant que ça, dut admettre Michaël qui aujourd'hui le détestait.

- Votre femme et lui avaient-ils signé une entente sur les droits d'invention ? demanda l'agent.

- Je pense que oui.

- Vous devez bien être au courant, monsieur Lemire. Ce sont les affaires de votre femme, après tout.

- Clara est devenue très secrète avec ses expériences.

- Mais vous devez bien savoir si ses intérêts étaient protégés à l'université ?

- J'imagine que oui. Pourquoi ne pas demander à Alain lui-même, lança Michaël. Je ne sais pas quelle est la part réelle du pourcentage qui revenait à chacun.

Pourquoi monsieur Lemire avait-il appuyé sur le mot réelle ? L'interrogé tentait-il de le mettre sur une piste sans s'approprier le poids d'une révélation ?

- Oui, c'est ce que je vais faire, fit Tanguay. Votre femme et lui ont dû signer un papier, avec un pourcentage. C'est ce que vous pensez, monsieur Lemire, n'est-ce pas ?

- Je suis certain que Clara aurait signé une telle entente. Certain. Mais pour ce que ça vaut...

Cet homme brûlait d'envie de parler ! Ils entendirent une sonnerie de téléphone.

- Excusez-moi, fit l'agent.

Il se saisit de son téléphone cellulaire.

- Tanguay.

L'agent écoutait l'information qu'on lui transmit au bout du fil pendant que Michaël soufflait, sauvé par la cloche !

- J'arrive, fit l'agent. Monsieur Lemire, je vous suis très reconnaissant pour ces renseignements.

- Mais je ne vous ai rien dit, moi.

Michaël regarda Tanguay regagner rapidement le rez-de-chaussée. Il retroussa ses manches pour ramasser les objets qui obstruaient le passage. Il en aurait pour des jours !

Tanguay posa les yeux sur l'immense étendue de livres qui couvrait le plancher de désolation. Attiré par l'un d'eux, il le prit et l'examina. C'était elle ! C'était bien la femme de la caméra de surveillance. Une romancière ?

*

Tanguay entra dans le bureau comme un coup de vent. Il lança le roman sur la table.

- Trouvez-moi cette femme. Sa relation avec l'université, avec Clara Miles ou je ne sais qui.

L'un des agents prit le livre.

- Mais c'est un excellent bouquin, patron ! Elle a vendu à des milliers et des milliers d'exemplaires. Sans vouloir vous décevoir, je crois que presque tout le monde peut en avoir un chez lui.

- Bon, allez. Au travail.

Tanguay prit le contrôleur à distance et avança les images de la caméra de surveillance.

- Pourquoi une romancière aurait-elle agi de la sorte ? fit Tanguay.

Il écouta son assistant lui faire part de la fiche de Stewart Cross. Rien de convaincant. Il regardait les images de la caméra de surveillance défiler, et les faisait avancer et reculer.

- C'est elle, fit Tanguay en comparant l'image du roman et de la caméra. C'est vraiment elle : Nina Bel.

- D'après le rapport, poursuivit l'assistant, les parents du jeune Cross ont été contactés. Il semble bien que le revenu de la famille soit insuffisant pour payer les frais d'université de leur fils. Ils étaient acquittés par mandat-poste.

- Qui a payé ce stage ? demanda Tanguay.

- On ne le sait pas.

Tanguay se rassit et mit ses pieds sur son bureau. Il avala une gorgée de café et se frotta la mâchoire. Ses yeux furetaient le vide.

- Le mari du docteur Miles m'a bien fait comprendre que l'invention de sa femme avait été menée en deux parties distinctes. L'une au laboratoire de l'université et l'autre chez elle.

- Le docteur Mathieu nous a confirmé ce fait. Il croit que cette femme, fit l'assistant en montrant Nina sur la caméra vidéo, se serait emparée de l'objet qu'il appelle la boîte noire.

- Qui sont les ennemis de Clara Miles ou de l'université ?

- Attendez. Le principal investisseur du département est, fit l'assistant en vérifiant sur une feuille, la Vandam-Med. Son principal compétiteur : la Zimmer Contraceptive.

- L'invention pourrait-elle les intéresser ? Au point d'écarter Clara Miles ?

- Ce n'est pas impossible.

- Qui d'autre que le docteur Miles, la chimiste et cette femme connaissaient l'existence de la boîte noire ? demanda encore Tanguay.

- Le docteur nous a dit qu'il avait accès aux matrices mais pas à cet objet.

- Il doit bien y avoir des gens qui ont aidé à sa fabrication, releva Tanguay.

- Oui. Je vais voir ça tout de suite, fit un des agents en sortant.

- Pourquoi une romancière irait avec l'assistante de Clara Miles voler la boîte noire et détruirait ensuite les matrices ? Elle doit être une proche du docteur, continua Tanguay. Son mari pourra nous le dire.

- Le docteur Mathieu pourrait-il aussi vous éclairer là-dessus ? fit un autre policier.

- Oui, c'est vrai, je dois passer le voir, fit Tanguay en regardant sa montre. En tout cas, où se trouve la boîte noire, nous trouverons notre homme. Et si cette Nina Bel est réellement la personne qui la détient, il faut la trouver !

*

Deux jours plus tard, William sortit de l'immeuble. Pendant un moment, il aspira les bouffées du quotidien dont les banalités lui échappaient le plus souvent. Il habitait le quartier depuis des mois et seulement maintenant il remarquait les fleurs. William ferma les yeux, aveuglé par le soleil.

Il se mit à la recherche d'une cabine téléphonique qu'il n'avait pas encore utilisée. La chose faite, il composa le numéro de Zimmer.

- C'est William, fit-il à la secrétaire.

Comme le rituel le voulait, il attendit quelques secondes avant de parler au grand patron.

- Je vous écoute, fit Zimmer.

- Je l'aurai sous peu.

- Excellent.

Ils raccrochèrent. William regarda l'heure.

- Juste le temps de l'attraper, se dit-il satisfait.

*

Raphaëlle cherchait William. Depuis leur rencontre, elle avait souvent pensé à lui. Quelle délicatesse. Un homme bien sculpté s'installa à côté d'elle, le sourire charmeur. La chimiste détourna les yeux, dégoûtée et fit mine de ne pas l'avoir vu. Elle sortit de la salle et se rendit au vestiaire, en désespoir de cause. Raphaëlle se déshabilla le plus lentement possible, pour échapper aux secondes inutiles. Elle se coiffa de son bonnet et entra sous la douche, se frotta mollement, prenant soin de bien faire mousser le savon ; elle s'essuya longuement, asséchant sa peau jusque dans les moindres replis ; s'aspergea de lotion, indolemment, frottant sa chair qui s'échauffait d'un plaisir rassurant. Puis, elle se revêtit de ses pantalons droits, passa une fine blouse de soie, enfila ses chaussures, referma son sac bourré de vêtements encore tièdes et regarda sa montre en replaçant une mèche sur son front. Raphaëlle constata avoir juste le temps de se rendre chez Christophe Lanthier. Elle dut accélérer le rythme pour éviter un retard.

Les cheveux encore mouillés au sortir du vestiaire, elle salua les gens de la réception et descendit les escaliers. Elle se sentait si lasse de ne pas pouvoir travailler. Désœuvrée. Sa solitude lui pesa soudain. Raphaëlle se rendait compte à quel point elle avait tout misé sur son travail.

William l'observait au dehors dans une voiture brun sale. Il attendit qu'elle parvienne à sa voiture pour démarrer la sienne.

- Me conduiras-tu à Nina Bel ? soupira-t-il.

Raphaëlle fila à son rendez-vous. Elle examina l'adresse jetée sur un bout de papier. Autant elle avait été ordonnée à son travail, autant, depuis qu'elle n'y était plus, elle se laissait aller. Raphaëlle parvint à un triplex luxueux, en face du Mont-Royal. Le carillon annonça sa présence et un homme lui ouvrit à l'étage. William l'avait suivie à la trace. Il attendait son heure. Une voiture noire se gara à quelques véhicules derrière lui. D'un œil vigilant deux hommes observaient le va-et-vient de l'immeuble.

Nina marchait sur le trottoir. William ouvrit les yeux, ravi. Il ne pouvait rêver de mieux.

- Alors, c'est le jour du grand rassemblement, se dit-il. C'est probablement ici qu'ils vont mettre sur papier les plans de la boîte noire.

Nina sonna puis monta à la course jusque chez Christophe. Raphaëlle se trouvait derrière lui et fit les présentations.

- Je vous remercie d'avoir accepté de nous aider à faire les plans, fit Nina.

- Je la connais bien cette petite boîte, fit-il humblement.

- C'est magnifique ici, fit Nina en regardant par la fenêtre, et vous êtes juste en face du cimetière. C'est pratique !

- Pratique pourquoi ? fit Christophe qui ne saisissait pas l'humour de Nina.

- Bien, ce n'est pas trop loin pour le jour où... Ah ! Laissez tomber. Alors on commence ? entonna-t-elle sous le regard amusé de Raphaëlle.

Ils s'assirent autour d'une grande table parmi les papiers et les outils. L'homme démantela la boîte noire.

- Christophe a vraiment fait des miracles avec Clara. Il est un expert, c'est notre fournisseur favori ! s'exclama gauchement Raphaëlle.

Cette maladresse fit sourire Christophe. Il passa une vis à Nina qui la rangea dans un petit pot. Raphaëlle se tenait prête, avec son papier quadrillé, à croquer les moindres parties de la boîte noire. À chaque morceau que traitait Christophe, il en expliquait la fonction et la chimiste en résumait l'application méticuleusement.

- Ça va être long, vous croyez ? demanda Nina. Pas que je suis pressée, mais…

- Relativement, il faut aussi compter la reconstitution, répondit-il en regardant Nina par-dessus ses lunettes fines et ovales.

Ses cheveux lissés et tirés derrière lui donnaient une allure quasi austère, mais il demeurait sympathique.

Raphaëlle empilait les feuilles descriptives les unes sur les autres. Nina tentait de décrypter le formulaire de brevet pour savoir où introduire les informations. Au bout de quelques heures, une partie des plans fut exécutée et Christophe s'attaquait à la reconstitution de l'invention.

- C'est merveilleux ! Merveilleux, s'enchantait Nina.

- Oui, fit Raphaëlle ravie du travail accompli. C'est du bon boulot, Christophe.

- Bah, laissa-t-il tomber encore concentré à la reconstruction.

- Dire qu'elle a tout ça dans sa tête ! renchérit Nina en parlant de Clara.

- C'est vrai, tiens ! Je ne sais pas comment elle peut mémoriser ce genre de truc, répliqua Raphaëlle. Je trouve ça tellement froid toutes ces choses de métal.

La chimiste cacheta la première ébauche du plan et ouvrit son sac pour ranger le précieux document.

- En tout cas, si Clara savait tout ce qui se passe pendant qu'elle dort ! ajouta-t-elle.

- Elle ne dort pas ! défendit Nina. Et d'ailleurs, je me demande tout ce qui se passe dans sa tête pendant que nous faisons ça ! Le docteur dit que maintenant elle devrait revenir dans notre monde.

- Mais si elle est parvenue à vous parler, c'est qu'elle peut encore utiliser sa conscience, non ? Donc pourquoi ne revient-elle pas pleinement ? réfuta Raphaëlle.

Nina haussa les épaules signifiant la démission. Raphaëlle rassembla ses affaires.

- Bon. Je cours porter ce travail à l'abri !

- Et moi, fit Nina en montrant la boîte noire, dès qu'elle est reconstituée, je la ramène dans son coffre !

- Crois-tu, Christophe, que nous pourrons terminer la prochaine fois ?

- Je ne peux pas le garantir mais je le souhaite, répondit-il.

- J'espère que personne ne va nous devancer, s'inquiéta Raphaëlle.

- Ne m'as-tu pas dit qu'il n'y avait qu'une seule réplique ? nota Nina.

- Oui, c'est vrai, souffla la chimiste. Où avais-je la tête ? Allez ! J'y vais.

Elle embrassa Nina et serra la main de Christophe.

- Ne parle à personne, tout de même, les loups prennent toutes les formes ! railla Nina.

Raphaëlle disparut dans l'escalier. Nina se retourna vers Christophe, pressée d'en finir.

- J'en ai encore pour environ une heure, lui dit-il, sentant son agitation.

- C'est raisonnable, rétorqua Nina.

Raphaëlle sortit de l'immeuble. William alerta l'un de ses hommes qui sortit de la voiture noire et s'engagea sur le trottoir. La chimiste longea la rue Côte-des-Neiges. Sentant une présence, elle tourna la tête et vit un homme qui tentait de lui saisir l'épaule. La chimiste lâcha un cri et décampa droit devant sans réfléchir. L'homme lui effleura le dos et la suivit en courant dans la rue abrupte. Raphaëlle se rendit dans la rue et héla un taxi au beau milieu du trafic. Un grand vacarme fit retentir son écho. À peine la chimiste ferma-t-elle la portière que le taxi détala laissant le brigand derrière parmi l'émeute des klaxons.

Alertée par le bruit, Nina fourra son nez à la fenêtre. Rassurée, elle ne vit la chimiste nulle part et se rassit pour boire son café pendant que Christophe terminait son ouvrage.

Raphaëlle, fermement enfoncée sur la banquette arrière, n'avait pas encore réussi à souffler mot. Le chauffeur de taxi avait réagi très vite, pensa-t-elle tout au plus, reconnaissante.

- C'était votre petit copain ? fit le chauffeur philosophe.

- Non, c'était un brigand, fit Raphaëlle blafarde.

- Un voyou ?! Alors je suis content de vous avoir vue en plein milieu de la rue. Vous avez vu le désordre qu'on a créé ? J'aimerais pas y être.

Raphaëlle ne l'écoutait pas. L'homme le savait. Il essayait seulement de balayer le déluge intérieur de sa cliente tandis que la chimiste recouvrait ses esprits. Elle inspira longuement. Achever cette mission apaisait encore son cœur.

*

Assis dans le fauteuil de son bureau, Alain fixait une photo. L'agent lui avait passé le roman de Nina. Les doigts en éventail sur sa joue, il prenait le temps de déchiffrer ses moindres traits. Préalablement avisé sur ses droits, le docteur avait accepté de bonne foi de livrer quelques informations à Tanguay.

- Oui, c'est bien elle. Je l'ai rencontrée ici même, elle venait retrouver le docteur Miles.

- Bien, fit l'agent. Maintenant, pouvez-vous comparer cette photo à celle-ci ?

Il lui montra la photo que la police avait fait agrandir à partir de la caméra de surveillance. Alain plaça les deux photos une à côté de l'autre. Celle de la caméra était nettement moins claire, mais le docteur put reconnaître des particularités de Nina.

- La manière dont elle a placé ses cheveux, ses lunettes sur sa tête et la forme du visage aussi. Je crois que ça lui ressemble beaucoup, en effet, put-il dire.

- Voyez tout de même à son cou, fit remarquer Tanguay, cette amulette, ici et ici.

Il lui montra sur chaque photo le collier en question.

- Mais enfin, pourquoi aurait-elle détruit la matrice ? demanda Alain excédé.

- Elle devait avoir de très bonnes raisons, qu'en pensez-vous ? relança l'agent.

- J'imagine, fit Alain un peu nerveux.

- Et pourquoi aurait-elle volé la boîte noire ?

- Je ne sais pas, je ne comprends pas ses motifs. Cette femme est simplement romancière à ce que je sache. Elle venait seulement chercher Clara pour déjeuner, releva Alain.

- Cette boîte noire, docteur, y aviez-vous accès ?

- J'aurais pu. Mais j'ai toujours laissé Clara et Raphaëlle s'occuper de cette partie spécifique de l'invention. Au fait, comment cette femme est-elle entrée en contact avec mon employée ?

- Pourquoi, selon vous, l'aurait-elle fait ? demanda encore Tanguay.

Alain eut un léger mouvement de recul.

- Pourquoi Raphaëlle aurait-elle accepté de la conduire au labo ? reprit Alain cafouillant.

- Il ne s'agit pas d'un simple labo, docteur Mathieu, c'est un labo où se trouve une invention protégée, rajouta Tanguay.

- Raphaëlle connaissait tout des expériences de Clara.

- Et elle semble avoir transmis tout ce qu'elle a pu à cette femme. Pourrait-elle maintenant reconstituer l'invention ?

- Sans les connaissances ni les plans, ce serait très ardu !

- Croyez-vous que parmi les fournisseurs, l'un d'eux pourrait faire les plans ?

- Je ne saurais vous l'affirmer, je suis désolé.

- Vous étiez au département avec un homme, le soir de l'incident. Le docteur Zimmer.

- C'est exact, mais je n'ai rien à voir avec la destruction de la matrice défendit-il.

- Je voulais seulement savoir pourquoi le docteur était venu vous rencontrer. Il s'intéresse aussi à la matrice ?

- Bien, voyez-vous, il ma proposé d'acheter l'invention.

- De l'acheter ?

- Oui, et je lui ai dit que je devais en parler à notre principal investisseur, Vandam, fit Alain, qui évita de mentionner l'argent que Zimmer lui avait offert personnellement.

- Il était d'accord ?

- J'ai été surpris par sa réaction. Il a très mal réagi, mais ne s'y est pas opposé. Pourtant, il s'était déjà querellé avec Zimmer et avait catégoriquement refusé de lui vendre la matrice. Je ne comprends pas sa gestion, vraiment. Il est imprévisible.

- Zimmer est un compétiteur, n'est-ce pas ?

- Exact. Ce n'est pas la première fois qu'il veut acheter la matrice, fit Alain.

- Je suppose que Vandam tenait à garder cette invention.

- En fait, c'est surtout parce qu'il en voulait à Zimmer d'avoir mis le fisc à ses trousses, mais aussi…

- Vraiment ? fit Tanguay en prenant des notes. Et l'autre raison ?

- Lorsque Vandam a su que Zimmer pouvait déjà utiliser la matrice pour commercialiser du sang de cordon ombilical – alors que nous ne parvenons toujours pas à mettre au monde des fœtus – Vandam est devenu très irrité. Zimmer a de très sérieuses raisons de voler cette invention, finalement.

- Mais pourquoi vous aurait-il proposé de l'acheter ? demanda Tanguay.

- Ah ! Les affaires, il semble que je ne les comprenne pas, moi, fit Alain. Et dans l'état actuel des choses, je suis désolé, mais pour moi, elle est invendable.

- Si cet homme de la caméra a volé le disque dur du docteur Miles, à supposé que toutes les informations y sont, ils peuvent déjà reconstituer l'invention, non ? fit Tanguay.

- C'est possible, mais vous savez, un plan n'est toujours qu'un plan. Il y a beaucoup de tâtonnement dans une expérience. Peut-être avec beaucoup de patience…

- Tout de même, j'imagine que Vandam se plaindra.

- Je suppose que oui, fit Alain las de cette histoire.

L'agent prit quelques notes qui permirent à Alain de se détendre un peu. Simple tactique. Au moment où il s'y attendit le moins, Tanguay lui asséna une question pernicieuse.

- Et si ça marchait, elle vous rapporterait beaucoup, cette transaction ?

- À moi ? balbutia Alain. À moi, ça dépend.

Tanguay accéléra le débit.

- Vous avez un pourcentage sur la matrice ?

- Oui.

- Et sur la boîte noire ?

- Non.

- Vous aviez une entente avec le docteur Miles pour la matrice ?

Alain en eut des sueurs dans le dos. Il sentit la peau de son visage devenir chaude et se leva pour passer ce malaise.

- Nous… Oui, elle était payée pour le travail qu'elle faisait.

- Pas de pourcentage ?

- Nous n'avons pas signé dans ce sens.

- Ce n'est pas ce que nous a dit son mari.

- Son mari ? Qu'est-ce qu'il vous a dit ?

- Qu'elle a des droits sur la matrice.

- C'est… Il n'a jamais été question de ça, jeta Alain.

- En êtes-vous bien certain ? insista l'agent.

Tanguay s'approcha du docteur en esquissant un léger sourire et reprit le roman.

- Bien. Vous avez été très patient. C'est une qualité qui se perd de nos jours.

*

Nina remercia Christophe et quitta l'immeuble avec une mallette brune dans la main droite. En traversant le boulevard, elle la resserra instinctivement et s'achemina vers sa voiture. William sortit de la sienne.

- Ce bandit ! Encore ? ragea-t-elle.

William se précipita dans sa direction. Elle dut se résigner à changer son trajet et se propulsa vers le cimetière. Le bandit fut stoppé par la circulation et rageait à l'idée de perdre de la distance alors qu'il était si près. Il ne la lâcha pas des yeux jusqu'à ce qu'il puisse reprendre sa course. Nina cavala jusqu'au lac des Castors. Elle n'en pouvait plus de toutes ces balades trop animées. Lorsqu'elle dut s'arrêter, à bout de souffle, à mi-chemin du lac, une partie de l'étendue d'eau séparait Nina de William.

- Vraiment, ces jeux-là ne sont pas pour moi, haleta-t-elle en déposant la mallette.

William hurla à qui voulait l'entendre et se remit à courir.

- Prenez-lui la mallette ! Elle m'a volé ma mallette.

- Oh ! Voyou ! s'offusqua Nina, en la reprenant solidement.

Des passants contemplaient la scène avec amusement, sans savoir que la vie de Nina pouvait être en danger. La romancière avait repris son souffle. Un jeune homme qui vendait de la crème glacée arrêta son véhicule au milieu du sentier, ce qui obstrua le passage. William perdit encore des secondes précieuses à le contourner.

Accroupie, Nina ouvrit la mallette et en sortit la boîte noire que Christophe avait si patiemment remontée. À l'aide d'un tournevis, elle dégagea tous les endroits stratégiques et ouvrit le ventre de l'inestimable création. La romancière se releva. Au bout de ses bras, elle exhiba l'instrument à l'intention de son assaillant. Un à un, elle catapulta les morceaux de la boîte noire dans le lac.

- C'est bien malin, ça, lui grogna-t-il avec venin.

Nina crut qu'il voulait l'étriper, mais elle fut étonnée de le voir plonger dans l'eau pour tenter de récupérer les morceaux. Lorsqu'elle eut terminé de jeter chacun d'eux en des endroits aussi divers que possible, Nina lança la mallette sur la tête de William. Noir de rage, il revint vers le muret et sortit de l'eau en tordant ses vêtements. Il vida ses chaussures et, gonflé d'adrénaline, entreprit de rattraper sa proie. Il ne voulait plus qu'une chose : l'éliminer.

- Il a le diable au corps ! remarqua la romancière.

Elle tressaillit et prit la poudre d'escampette.

- Vous ne m'aurez pas ! lui lança-t-elle.

William entendit cette phrase qui vint lui écorcher l'orgueil. Jamais il n'encaisserait la victoire d'une femme. Nina ne savait pas exactement comment elle parviendrait à se débarrasser de lui. Et passer aux aveux lui apparaissait une issue moins périlleuse. La romancière, les chaussures brisées par les roches, courait à travers les sentiers romantiques en dévalant le Mont-Royal vers l'avenue du Parc. Elle ressentait des signes inquiétants de fatigue. William la suivait à travers les arbres et les buissons épineux. Il comptait les mètres qui le séparaient de sa victime. Dix mètres, neuf, huit, sept...

- Mon Dieu, fit Nina en se retournant.

Elle parvint à un autre sentier couru par les amoureux et espérait y trouver un passant.

- Au secours ! hurla-t-elle. Au secours !

À trois mètres, comme William allait bondir sur elle, deux chevaux firent entendre leurs sabots. Le bandit resta coi. Nina tourna la tête vers la droite et aperçut deux hommes, des policiers montés. Quel soulagement inexprimable ! William s'engouffra dans la forêt.

- Tout va bien ? questionna l'un des policiers.

- Ça pourrait être pire ! fit Nina haletante.

L'autre agent tenta d'attraper William.

- Que s'est-il passé ?

- Écoutez, cet homme est un escroc, répondit-elle en reprenant son souffle.

L'agent ne fut pas long à revenir.

- Ça ne sert à rien. Il s'est enfui.

- Il a cherché à me voler. J'ai perdu ma mallette.

- On va vous aider à la retrouver.

- Impossible, elle est au fond du lac et à l'heure qu'il est, tous mes papiers sont fichus.

Elle regarda ses vêtements défaits et ses chaussures déconfites. Elle rit.

- Pouvez-vous m'amener au poste de police ? fit Nina déterminée à sauver sa peau.

- Nous devons rester en surveillance ici, mais nous allons faire venir un policier pour vous.

L'agent composa un numéro sur son téléphone cellulaire et dépêcha un agent.

- On va vous conduire au pied de la montagne, un policier va vous amener au poste.

Arrivés en bas, Nina aperçut la voiture de police qui se garait. Ainsi entourée de ces deux policiers montés, la romancière laissa transporter son imagination dans les époques reculées de la chevalerie.

- C'était très romantique lança-t-elle en arrivant en bas.

Ils lui sourirent et Nina laissa derrière elle ses deux nobles chevaliers. Un agent vint à sa rencontre.

- Bonjour madame. Alors, vous voulez venir au poste pour nous expliquer ce qui s'est passé ?

- Oui ! Avant que je ne change d'idée !

*

Après des explications détaillées, les policiers, qui avaient déjà reçu un avis de recherche, contactèrent immédiatement Tanguay. Il apparut au bout de vingt minutes dans le bureau. Nina résuma sa situation habilement et fit part à l'agent de son désir omniprésent d'aider Clara.

- Écoutez, je suis toujours prête à collaborer, si vous me promettez que ce sera dans l'intérêt de Clara. Jamais ces voyous ne devraient être en mesure d'utiliser son invention.

Tanguay conduisait une voiture grise. Il tourna son visage vers Nina.

- Je ne sais pas exactement de quels voyous vous parlez, mais nous allons voir si nous sommes assez chanceux pour en attraper un.

Le feu passa au rouge.

- J'imagine que Christophe Lanthier va être visité par cet escroc, fit Tanguay.

Il devint grave.

- Jusqu'à quel point seriez vous prête à aider votre amie ?

- Je crois que vous savez de quoi je suis capable. Mais je ne suis pas une criminelle, fit-elle en cherchant le regard d'approbation du policier.

- Soit. Écoutez, j'ai une proposition à vous faire.

- Allez-y.

*

William terminait une conversation désagréable dans une cabine téléphonique, angle Avenue du Parc et Laurier. Le genre de mise au point qui tourne au vinaigre.

- Vous êtes tous une bande d'incapables ! ragea William. Une jeune femme si frêle ! Tu ne pouvais pas la rater !

- Écoute, on ne peut pas tout prévoir. Mais pour ce qui est de...

- Je t'avais dit de ne rien démolir ! fit-il. De faire les choses avec discrétion. C'est ça, ma signature.

- Eh bien, moi la mienne, c'est l'aboiement ! répondit l'homme. Tiens-le toi pour dit.

- J'avais dit propre et discret, tête de mule ! s'emporta William.

- Pas mon problème, rétorqua le brigand. La prochaine fois, t'as qu'à pas me sonner.

- Alors tu n'as qu'à oublier ta paye, envoya William furieux.

Il lui raccrocha au nez et sortit de la cabine en marchant lentement, trempé de rancœur. Le mauvais usage de la force l'agaçait et il n'aimait pas devoir déléguer. Mais pire, parce qu'il avait raté sa cible, William devait oublier la boîte noire ! Restaient encore les plans. Qui de Christophe Lanthier ou de Raphaëlle les avait en main ?

William se gara à nouveau patiemment devant l'immeuble de Christophe Lanthier. Il sortit de sa voiture et entra dans le hall. Avec facilité, il ouvrit la porte principale et gravit les escaliers en silence. Il tenta de repérer l'appartement de Christophe Lanthier, d'après l'orientation de l'immeuble. Deux étages, trois étages, face au sud. Voilà.

Il frappa à la porte, le cœur battant. Il était prêt à toute éventualité. Il frappa de nouveau. Devant un autre silence, il regarda l'heure. Dix-huit heures trente-deux. Peut-être était-il sorti pour manger ? pensa William. Pouvait-il être aussi veinard ce soir ? Il frappa une dernière fois. Toujours rien. Alors il décida d'entrer. Il fit obéir la porte à ses doigts agiles et tourna la poignée lentement. Il la referma doucement et pénétra dans le salon.

Un fauteuil pivota sur lui-même et une apparition de Nina le fit sursauter.

- Je vous attendais, fit-elle en souriant.

- Vous ? eut-il pour toute réponse.

- Oui, c'est moi.

Christophe Lanthier sortit de la chambre et fit son entrée dans le salon en allumant le plafonnier.

- Ah ! Bonjour, je suis Lanthier, voici mon amie Nina. Mais je crois que vous vous connaissez, fit-il en jetant un regard à William par-dessus ses lunettes.

- Voyez-vous, poursuivit Nina, j'ai finalement compris que nous avions en notre possession un objet extrêmement précieux. Aussi, vous avez une telle soif pour lui qu'il nous est venu à l'idée de vous le vendre.

- Le vendre ?

- Oh ! Vous n'en voulez plus, c'est dommage.

- Non ! Attendez. Combien ?

- Nous voulons huit millions de dollars, fit Christophe.

William le dévisagea pendant quelques secondes. Il réfléchissait sur une manière de tirer un maximum de bénéfice personnel sur cette transaction.

- Je vous mets en contact avec quelqu'un, si j'ai la moitié de votre part, exigea William qui n'avait jamais songé à cette somme.

C'était dix fois plus que ce que Zimmer lui avait offert !

- Il n'en est pas question ! largua Nina.

- Très bien, on en reste là, fit William.

Il se tourna pour partir.

- On vous donne un million, tenta Christophe.

- Pour trois millions, je passerai un petit coup de fil tout de suite, conclut William.

Christophe et Nina s'échangèrent un regard.

- Marché conclu, fit Christophe. Voilà le téléphone.

Sans lâcher Christophe des yeux, il se dirigea vers le téléphone.

- C'est William, fit-il fidèle à son habitude.

- Je vous le passe, répondit la secrétaire d'un ton routinier.

- Oui, fit la voix de Zimmer. Vous avez ce qu'il faut ?

- Pas dans les mêmes conditions.

- Que voulez-vous dire ? demanda Zimmer.

- Je vais vous passer quelqu'un, dit William

Il tendit le combiné à Nina.

- Expliquez-lui donc votre plan. C'est Zimmer.

- Monsieur Zimmer. Nous avons ici ce que vous cherchez.

- Qui êtes-vous ?

- Nous sommes les fournisseurs de l'invention que vous cherchez et, s'il vous plaît, vos partenaires.

- Je ne sais pas de quoi vous parlez, démentit Zimmer.

- Nous avons l'élément que vous cherchez. Votre collaborateur ne le trouvait pas, alors nous lui avons offert avec le plus grand plaisir. Vous pouvez lui demander…

- Ça va.

- Nous voulons huit millions. Votre collaborateur et Christophe Lanthier vous attendront demain à vingt-deux heures à l'hôtel de la Montagne, chambre deux cent trente-quatre. Et nous aurons tout ce qu'il faut.

Nina raccrocha et deux hommes se ruèrent sur William. Tanguay les suivait.

- Qu'est-ce que vous faites ? ! rétorqua William saisi.

- Je dois vous arrêter. Agent Tanguay, fit-il en sortant son insigne de police.

William sentit comme un poignard lui traverser le cœur. Il leva les bras, dépité. Il s'en voulait à mort de n'avoir pas été plus méfiant :

cette femme s'était présentée comme une apparition salvatrice au beau milieu d'un tas de problèmes. Le piège de la solution facile, pensa William. Pourtant, il avait l'habitude de ce genre de traquenard. Il pestait contre lui-même. Sacrée mauvaise journée ! Comment allait-il se sortir de ce guêpier ?

*

Une voiture de police était venue chercher Nina. Elle rejoindrait Tanguay au poste.

Immédiatement, l'agent alerta le bureau et demanda de faire sortir l'organigramme de l'entreprise de Zimmer. Chaque seconde pouvait être cruciale. Tanguay ne savait pas d'où ni de qui les informations les plus révélatrices pouvaient venir. Quelques minutes plus tard, il reçut l'organigramme sur son ordinateur portable.

- Il faut envoyer une patrouille chez la Zimmer et cibler certaines communications, fit-il à son assistant. C'est tout ce que nous pouvons faire pour l'instant.

Ils descendirent de la voiture. L'assistant s'occupa de faire entrer William dans une cellule où il allait être interrogé et apporta l'appareil vidéo.

*

Sous son regard multidimensionnel une voiture tentait de la renverser. Clara revit un homme, enjoué et sympathique. Un nuage noir la traversa. Elle savait qu'il voulait l'éliminer, d'une manière ou d'une autre.

L'infirmière effleura le bras de Clara qui reprit la notion de son corps lourd et endolori. Son pouls dessinait des courbes sinueuses et régulières. Elle récupérait bien. Il ne lui restait plus qu'à décider du moment de son retour.

Pourtant elle fut saisie à nouveau par les ailes de l'au-delà et se perdit dans une ronde d'anachroniques états d'âme. Saïda lui réapparut

portant le pagne de Ziba. Elle galopait sur un cheval, le désespoir dans les veines. Ce châtiment du cœur, pourquoi collait-il à son destin comme une glu perverse ? se demanda Clara. Elle fut transportée aux confins d'une profonde angoisse qui la faisait brûler du désir de se perdre dans les bras puissants d'un homme aux mille visages, mais dont elle reconnaissait l'âme entre toutes. Pourtant, son rêve d'amour s'évaporait sur toute la trame de ses multiples existences : d'une vie à l'autre, le même échec, chaque rencontre rompue par le fil d'une mauvaise fortune. Clara sentait que jamais elle ne parviendrait à communiquer avec celui qu'elle aimait le plus au monde !

Frappée d'un mal à la poitrine, Éloïse tâchait de balayer les vents incertains de son impérissable élan vers l'âme sœur. L'idée même de dépendre du souffle de cette personne, la rendait malade.

- On ne peut pas vivre ainsi ! clama Clara. À la remorque d'un autre cœur qui vient et part au gré des conjonctures. Qui établit donc ces circonstances ?

Or, l'insatisfaction de n'avoir jamais pu approfondir de lien avec cet être si cher la chavirait. Elle refusait de renoncer à revoir cet être qu'elle connaissait depuis toujours. Alors, le désir la posséda. Ramajustra ! fit Clara. On ne peut tuer l'envie d'aimer la chair, d'aimer une âme, d'aimer l'esprit de l'autre.

Nos âmes ne savent-elles qu'excaver des détroits infranchissables ? Comment parvenir à remblayer ces fossés par un amoncellement d'années d'amour et de roc ? Une larme répandit sa mélancolie sur la joue de Clara. Elle sentit les os de son sternum se figer.

- Apprends d'abord ce qu'est l'amour, comme le Nazaréen te l'enseigne, fit le Baptiste. Je reviendrai un jour t'expliquer ce que signifie le mensonge de Dieu.

Le mensonge de Dieu, répéta Clara. Le mensonge de Dieu. Qu'est-ce que l'amour pour l'autre, si ça ne vient pas de l'amour du Soi ? lui lança Aziza. Le Soi, répéta encore Clara. Le mensonge de Dieu, l'amour du Soi. Qu'est le mensonge ? Qu'est le Soi ?

QUAND S'ÉGARE L'ESPRIT

Certains additionnent leurs biens, inaptes à se soustraire de la peur.
Comme je les plains de vouloir tant de choses
et si peu d'esprit !

Catarina

Depuis des semaines, Catarina veillait sa mère, lui faisait sa toilette, préparait des plats et ne manquait pas de lui faire la lecture. Éléonore affectionnait les passages de l'Évangile de Jean que lui lisait sa fille. Catarina n'était pas retournée à Montségur depuis l'attaque des grottes de Bethléem. Déjà quatre ans ! pensa-t-elle. La maladie de sa mère l'avait forcée à quitter cette vie autrefois chevaleresque. L'âme des Cathares s'apparentait aujourd'hui à une colonie mystique perdue dans une tanière sauvage que des malins avaient défoncée. Ils avaient perdu la guerre contre l'église qui dupait les fidèles. Catarina s'était promis de quitter un jour la maison familiale de Perpignan pour poursuivre son travail dans les grottes, envers et contre la chute des Cathares.

Elle abandonna le chevet de sa mère pour contrôler le tumulte étrange provoqué par son père qui revenait du marché. Elle faillit tomber de surprise.

- Joyeux anniversaire, Catarina ! crièrent tous ses frères, belles-sœurs, neveux et nièces.

- Mais ! trouva-t-elle simplement à dire.

- Quarante ans ! fit Emmanuel en lui tendant un paquet pour lequel elle opposa une douce résistance.

- Allez, pour une fois dans ta vie, un peu de lavande, c'est tellement rafraîchissant, renchérit Thierry.

- Ça purifie, lança Théodore sans savoir.

Tout le monde rit. Les frères entrèrent voir leur mère dans sa chambre.

- Comment va-t-elle ? demanda discrètement Emmanuel avant d'entrer.

- Le docteur croit qu'elle va expirer sous peu. Je ne sais que vous dire. Je soulage sa peine, mais je n'ai pas le contrôle. C'est Lui qui décide, fit-elle en pointant au ciel.

Les frères de Catarina voyageaient constamment, à l'instar de leur père retraité, appelés à construire des cathédrales dans le sud de l'Espagne et partout en Occident. Ils ne voyaient leurs parents et leur sœur qu'en de rares occasions. Après quelques moments auprès de la mourante, leur père Hugues les invita à passer à table. Dans la cuisine, le navet libérait son arôme et les légumes coloraient la table. Cette abondance relevait l'atmosphère. Théodore servit la soupe aux anchois, arborant un air de gaieté qui couvrait l'inquiétude commune pour Éléonore. Il faisait si bon de revoir ces cœurs vaillants, après une longue période d'absence, pensa Catarina.

- Alors, chère sœur, toujours aussi… parfaite ? taquina Salvatore.

- Mais comment as-tu pu vivre aussi sereinement dans des grottes ? lança une belle-sœur.

Catarina sentit sa conscience basculer dans son enfance.

> Recroquevillée dans un trou sombre et humide, les cavités dures pour son dos, elle séjournait dans une grotte de Montségur. Le soleil ne pouvait pas l'atteindre, mais elle trouva une position rendant moins ardu ce rendez-vous avec elle-même. Elle attendait que *cela* se produise.

- Les grottes n'étaient qu'un miroir de l'âme. Il fait si noir à l'intérieur de soi, au début.

> Catarina aspirait à devenir une Parfaite. Éléonore, sa mère, lui jura alors que les frugalités cathares étaient devenues impraticables depuis la prise de Montségur. Une gerbe de lavande

propageait son parfum. La jeune fille l'avait humée et avait fermé les yeux.

- Je continuais de marcher dans les rues, les yeux fermés comme j'avais l'habitude de le faire depuis ma tendre jeunesse. Je croyais ainsi pouvoir inciter mon esprit à entrer dans mon corps pour qu'il guide mes pas. Maman trouvait ce jeu amusant. Et, vous savez ce qu'elle a fait ? Elle m'a laissée me frapper le nez contre un mur ! Comme nous avons ri !

- Et puis ? poursuivit sa belle-sœur fascinée.

- Ensuite, j'ai parlé à maman de ses origines esséniennes. Elle fut soufflée ! « Je n'ai jamais parlé à personne de mes vies passées ! » m'avait-elle répondu. Alors je lui ai dit que j'avais été dans la même communauté qu'elle et que j'avais eu tant de mal à saisir les enseignements des thérapeutes qu'aujourd'hui, je n'étais revenue que pour ça !

- Tu crois vraiment que tu as vécu à ce moment-là ? fit Emmanuel sceptique.

- Mais, je n'ai rien imaginé, il me semble ! répondit-elle.

- Les *Esséniens*, ils étaient Juifs, non ?

- Je sais simplement qu'ils étaient présents du temps de Jésus.

- Alors c'est donc le désir de poursuivre ces enseignements qui t'aurait attirée vers les grottes, remarqua Théodore.

Catarina hocha la tête en signe d'approbation.

- Et quel âge avais-tu ? interrogea encore sa belle-sœur.

- Quatorze ans. Maman a tout fait pour contrecarrer mes projets. « Catarina », insistait-t-elle, « ne dis à personne ce que tu sais. On te prendrait pour une hérétique. » Je lui ai répondu : « Mais nous parlons seulement du message d'amour que les autres ont oublié. » Et alors elle m'a suppliée : « Si les autres l'ont oublié, c'est peut-être qu'ils ne veulent pas s'en souvenir et qu'il faut leur laisser le temps d'avoir envie de savoir. »

- N'est-ce pas à ce moment qu'elle t'a parlé de sa famille ? fit remarquer son père.

- Oui ! Prise d'angoisse, Eléonore en avait échappé son couteau qui s'était enfoncé dans le plancher, à un pouce de son pied ! Et elle hurlait de panique à l'idée de me voir partir : « J'ai perdu ma famille presque entière dans ces grottes ! Que comptes-tu y trouver? »

Catarina fit une pause et avala une bouchée de légumes. Toute la tablée attendait la suite.

- Ce que les Parfaits y ont trouvé, lui avais-je répondu.

- Et alors, demanda sa belle-sœur au comble de l'intrigue, tu as trouvé ?

Catarina, touchée, ne put prévenir ses larmes. Le souvenir d'un amour grand la pénétra.

- Le Parfait me tendit une coupe dans laquelle je devais boire, relata-t-elle en regardant le vide. J'eus à peine la faculté de rationaliser que *cela* se produisait.

La pièce plongea dans un silence solennel, une aura bienfaisante semblait flotter. Et chacun se laissa bercer par cette vague de tiède félicité. Ce moment de grâce fut perturbé par un gémissement. Catarina courut au chevet de sa mère. Ses frères la suivirent. Tous réunis autour d'Éléonore, comme si elle leur avait demandé expressément de les revoir avant de partir, elle leur sourit tendrement, l'un après l'autre.

- Je n'ai plus peur pour vous, fit-elle le souffle court.

Catarina lui toucha le front. Ce geste apaisa le corps pâle d'Éléonore. Elle se retourna vers sa fille et cherchait sa main. Catarina toucha son âme au fond de ses yeux.

- Je n'ai plus peur, répéta Éléonore à Catarina, le sourire faible.

Elle ferma les yeux, apaisée. Les hommes s'agenouillèrent. Les belles-sœurs parurent en silence dans l'embrasure. Catarina se sentait à la fois soulagée et triste. Mais combien réjouie d'avoir pu aider sa mère à combattre le monstre de la peur qui jamais n'avait laissé son âme en repos. Elles avaient remporté cette victoire, la seule qu'il fallait gagner, l'axe du mal.

- Au commencement était la Parole, lut-elle. Et la Parole était avec Dieu et la Parole était Dieu. Elle était au commencement avec Dieu. Tout a été fait par Elle et, sans Elle, rien n'a été fait. En Elle était la vie, et la vie était la Lumière des hommes. La Lumière brille dans les ténèbres. Et les ténèbres ne L'ont pas reçue.

*

Des mois passèrent et la peine se dissipa un peu. Après le deuil, le père de Catarina avait fait promettre à sa fille de porter une boîte mystérieuse en lieu sûr. De Perpignan, elle devait se rendre à Paris avec sa nièce. Hugues tenait à ce que sa fille, plus que ses fils, fut chargée de cette mission particulière quoique dangereuse. Un homme les accompagnerait donc jusqu'au comptoir en question et les conduirait chez Geoffroy, ami de Théodore, où Catarina et sa nièce seraient hébergées avant le retour.

- Je te donne cette clé, Catarina, avant que je ne parte pour le grand voyage. Ce coffre te reviens, ma fille, prononça-t-il solennellement.

- Merci, père, fit Catarina intriguée. J'espère être digne de ce qu'il contient.

- N'en doute pas, conclut Hugues en souriant.

Jamais Catarina n'avait mis les pieds à Paris. Elle avançait avec sa nièce Pascaline dans la grande ville, suivie du brave Fabrice qui les accompagnait. La fille de Théodore ressemblait à Catarina : longiligne mais le visage rond dont l'épiderme opalin donnait à croire que le bonheur existe, la chevelure noire relevée et frisée, héritée d'Éléonore, laissait penser que Pascaline était la fille de Catarina.

Elles parvinrent au Temple de Paris, but du voyage. Cette forteresse représentait le lieu le plus sûr de toute la France et le roi, bien qu'il en usât, en était jaloux. Catarina avait entendu dire que les chevaliers du Temple perdaient du terrain à Jérusalem, les musulmans les repoussaient, et que tous les trésors allaient être rapatriés.

Répliques gothiques de la coupole octogonale du Saint Sépulcre de Jérusalem, les tours se dressaient telles des gardiennes protégeant les nombreux bâtiments, qui donnaient au Temple des allures de cité : cloîtres, dortoirs, réfectoire, le tout entouré de champs cultivés. C'était magnifique !

- Tout ça ressemble à nos grottes, lança Catarina qui ne put s'empêcher de faire le rapprochement.

- C'est vrai, renchérit sa nièce, tout ce va-et-vient et cette impression de réconfort.

Un homme rafraîchissait le panneau d'inscription du bâtiment. Catarina observa les nouvelles couleurs dorées et noires qui ornaient l'enseigne.

- On dit que les Templiers sont d'excellents percepteurs et qu'ils prêtent de l'argent.

- Comme les Juifs ? observa Pascaline.

- Oui, répondit Catarina qui sourit à cette comparaison.

- Mais comment fait-on pour reprendre son bien ? poursuivit Pascaline avec intérêt.

- Tu déposes bien ou argent. En échange, on t'offre la possibilité de le reprendre quand tu veux et de sécuriser ce bien. Ta richesse ainsi protégée apaise tes inquiétudes. C'est pour ça que mon père m'envoie ici. Il a un bien dont il ne veut pas assurer la sécurité par lui-même.

- Mais alors, la paix se monnaie donc ?

- C'est une proposition très honnête, Pascaline ! fit Catarina réfléchissant sur la question.

- Et les Templiers prennent donc sur eux les angoisses du monde ? renchérit Pascaline.

- Pourquoi ?

- Si on les paie pour avoir la paix, eux en revanche, ils doivent redoubler de sécurité, ils ont besoin d'édifier toute une armée, juste pour nous.

- Bien vu !

- Puis, on se retrouve devant le même problème mais à une plus large échelle ! conclut Pascaline logiquement. Deux pays se battront avec les avoirs du peuple parce qu'au départ, les gens s'inquiètent de leurs biens, mais ne veulent pas en assumer la protection.

Catarina éclata de rire à l'entrée de la porte.

- C'est la plus belle leçon sur ce système que j'ai reçue ! Où es-tu allée chercher ça ?

- Mon père aime beaucoup étudier ce concept.

- Théodore ?

- Il m'a toujours dit : « Si tu veux quelque chose, fais-le à ta mesure, sinon tu n'auras pas la paix. » Il disait que mamie Éléonore possédait le don de jongler avec les chiffres et était une négociatrice hors pair.

- C'est sans doute un résidu de ses mémoires juives ! plaisanta Catarina.

- Tu parles des Esséniens ? questionna Pascaline.

- Tu les as aussi dans les veines, à ce que je vois ! ricana Catarina.

- Pas toi ?

- Moi ? J'ai la réalité de cette mission, pas sa part d'illusion.

- Que veux-tu dire ?

- Exactement la même chose que toi. J'ai la paix parce que je ne possède rien.

Un soldat de la cour du roi Philippe le Bel passa devant les dames, dans les encombrements des travaux qui avaient cours au Temple : il avait fallu fabriquer à la hâte de nouvelles tablettes où disposer les nouveaux trésors. Deux chevaliers s'occupaient de recevoir les demandes des clients.

- Je ne savais pas que nous possédions de telles richesses, s'exclama le chevalier Dandurand.

- Normal ! Depuis le temps que nous combattons pour nos pèlerins, répondit le chevalier Chambord.

- Je viens de la part du roi, fit le soldat placidement.

- Que pouvons-nous pour Sa Majesté ? interrogea Chambord posément. Un autre combat se prépare ?

- Sa Majesté, qui a déjà une lettre d'entente, vous offre ces présents et, fit le capitaine en montra la lettre signée, elle voudrait en échange recevoir…

- Oui, fit Chambord en regardant la lettre, venez.

Il marmonna à Dandurand, tout récemment promu chevalier.

- Vous pariez qu'ils se battront contre la Flandre ou l'Angleterre ? fit-il en connaisseur.

Le soldat restait de bronze et attendait.

- Où est le trésor ? continua Chambord.

- Dehors avec mes hommes, répondit le capitaine.

- Restez ici, ordonna Chambord à Dandurand. Je reviens.

Des chevaliers laissèrent avancer les dames poliment vers le plus gros comptoir du pays, submergé par le va-et-vient de richesses étonnantes, accumulées au fil des siècles par les Francs.

Chambord croisa Catarina et Pascaline. Un peu nerveuse, Catarina ne pouvait certifier vouloir accorder sa confiance de gaieté de cœur. Elle obéissait à la volonté de son père. La décision de déposer ce coffre, enfoui à la maison à l'insu de tous, l'avait surprise. Tenant le coffret comme un poupon malade, elle aborda le chevalier qui lui tournait le dos. Concentré à calculer sur un bout de papier, Dandurand n'entendit pas Catarina. Elle s'éclaircit la gorge et le chevalier se retourna comme une vrille. Il vit d'abord Pascaline qui, immédiatement conquis par son charme, fondit. Ils laissèrent discourir le silence pendant un moment.

- Euh… Pouvez-vous m'aider ? demanda Catarina, sourire aux lèvres.

- J'imagine que oui ! s'entendit dire Dandurand.

Il eut du mal à tourner son regard vers la dame qu'il fallait servir.

- On m'a dit qu'ici ce coffre serait en sécurité.

Catarina sortit de son sac une lourde boîte de métal ornée de feuilles d'or et d'émeraudes, munie d'une serrure en laiton. Le chevalier siffla.

- Belle pièce ! fit-il. Rare, non ?

- Je crois que c'est ce que j'ai vu de plus pur dans ma vie, observa Catarina.

Chambord descendit le trésor royal avec les soldats. Lorsqu'il remonta, il fit préparer un reçu par Dandurand en reprenant sa place derrière le comptoir. Tandis qu'il attendait, il aperçut les dames et les salua. Il considéra le sac de jute vide et nota le symbole imprimé représentant le nombre d'or.

- Phi ! Les divines proportions. Il y a un maçon dans la famille ?

- Plusieurs ! corrigea Catarina.

Dandurand tendit le reçu à l'un des soldats du roi qui attendait. Ils saluèrent en partant.

- Vous n'êtes pas d'ici ? vérifia Chambord.

- Non, nous sommes du monde invisible, lança ironiquement Catarina.

- Ah ! fit Chambord amusé. Comment alors pouvez-vous réclamer nos services ?

Catarina regarda Pascaline complice. C'était comme si leur conversation se poursuivait.

- Un bien n'est jamais à l'abri des anges noirs, renchérit Catarina.

- Et vous, madame, fit Chambord qui prenait goût à cette forme séduisante de poésie, vous devez certainement attirer la convoitise de ces anges malins ?

- Moi ? dit-elle en riant franchement. Je ne possède rien que l'on puisse vouloir voler, seigneur.

- Et ce cœur ardent ne requiert-il pas les services d'un protecteur ?

- J'ai déjà un protecteur, fit-elle en pointant vers le ciel.

Dandurand fixait Pascaline, qui fut troublée à se sentir ainsi regardée.

- Alors vous n'êtes pas de Paris, s'intéressa Dandurand.

- Non, fit Pascaline, nous sommes du Sud. Nous allons chez un ami de mon frère, pour quelques temps.

Un soldat appela Chambord. Il requerrait à nouveau son aide.

- Excusez-moi, fit-il. Madame, votre présence en ces lieux a causé en moi, veuillez me croire, un immense bonheur.

- Chevalier, il en fut autant pour moi, dit-elle. Je peux donc compter sur vous ?

Le jeune chevalier finit par répondre à la question de Catarina. Ces rencontres lui plurent. Paris, se dit-elle, est envoûtante !

- Il n'y a pas de lieu plus sûr que le Temple de l'ordre des Chevaliers, madame !

- Vous en êtes bien certain ? lança-t-elle candidement.

- Mais oui ! défendit Dandurand.

Il termina de préparer le reçu qu'il tendit à Catarina. Elle salua le jeune preux. Pascaline fit de même. D'une escale si courte, il ne fallait rien espérer ! Dandurand soupira longuement sans se rendre compte que Chambord venait de remonter. Ce dernier observa son compagnon, les yeux dans le vague, et éclata de rire. Il prit le coffret précieux en narguant le jeune chevalier.

- Ça, ça s'appelle l'amour, mon petit. Et ça s'attrape aussi mystérieusement que la peste.

Pour détourner l'attention de lui, Dandurand questionna son compagnon.

- Chambord. Qu'allons-nous faire avec toutes ces richesses ?

Chambord, qui amorçait une descente vers les escaliers, s'arrêta et se retourna vers le jeune preux qui, visiblement, n'avait pas expérimenté grand-chose !

- Ça fait des lustres que les rois de France viennent nous porter régulièrement leurs biens pour que nous financions leurs ambitions militaires, fit Chambord patiemment.

- Vous voulez dire la guerre, chevalier ?

- Si vous préférez employer ce langage cru.

- Et nous avons aussi des trésors de l'Angleterre ?

- Bon ! Le petit commence à comprendre. Nous finançons aussi l'Angleterre en guerre contre la France ou la Flandre.

- Mais ! Nous les aidons à se battre entre eux !

- Nous ? Non ! Nous leur fournissons simplement des fonds en échange de leurs trésors.

- Et les richesses qui viennent des pèlerins et des guerres en Terre Sainte, qui en profitera maintenant que tous les chevaliers sont forcés de revenir au pays ?

Chambord devint grave. Il gratta finalement le coffret avec son ongle et l'appuya sur sa cuisse en baissant la tête. Dandurand, dont la fougue de l'innocence se gonflait pour servir la foi, serait peut-être déçu par certains aspects absurdes de leur mission. Une saveur de poison parfumait parfois la noblesse de leur cause. Chambord avala de travers.

- Chevalier, je ne suis pas venu ici pour protéger les biens du roi ! fit Dandurand. Où serait le caractère glorieux de notre mission si nous n'avions plus à défendre la ferveur des pèlerins ?

Cette répartie résonna comme un poignard dans le cœur de Chambord. Des trésors servant aux guerres pour enrichir les rois sur le dos des croyants ? Bien sûr, il fallait éviter cette connotation péjorative. Il leva la tête vers Dandurand. Les pèlerinages n'étaient-ils pas organisés pour soutirer de l'argent aux gens du peuple dans le seul but de financer les guerres ? Non, se dit-il. Il n'allait pas engager la conversation dans ce sentier mouvant.

- Vous posez trop de questions.

Chambord reprit son chemin vers le sous-sol, mais revint sur ses pas. Il ne pouvait pas non plus laisser de faux espoirs à cet aspirant. Il soupira avant de parler.

- Je ne suis pas le Maître, fit-il, mais je crois qu'il est sage de ne plus rien espérer de la mission spirituelle.

- Alors, il n'y aura plus de noble cause ? Juste des trésors à garder ? Comme des chiens ?

- Oui, peut-être que c'est ce que nous deviendrons, de simples chiens de garde !

Chambord retourna aux coffres. Arrivé au bas de l'escalier, il posa la boîte sur une table et ouvrit le coffre. Deux chevaliers rangeaient des armes et des trésors sertis de pierres. Ils observaient une surveillance absolue sur le moindre écrin. Chambord reprit la boîte dans ses mains et la porta sur une tablette. C'est alors seulement qu'il remarqua un symbole éloquent à ses yeux. Une seule personne pouvait lui confirmer le contenu de cette nouvelle acquisition. Il reprit la boîte et remonta. Dans l'escalier, il s'approcha d'une torche et distingua clairement une pyramide et des initiales d'émeraude : JdR. Le tour de la pyramide était fait d'équerres de feuilles d'or. Le chevalier fut troublé sans comprendre pourquoi. Il serra la boîte contre lui et sortit du sous-bassement en trombe. Il croisa Dandurand qui venait juste d'empoigner le sac de jute. Chambord le lui arracha des mains au passage pour y remettre le coffre.

- Gardez bien le fort, lança Chambord, j'ai devoir éminent de rendre compte au Maître.

*

Un vitrail en forme d'étoile de David était posé contre un mur. En y regardant de plus près, Catarina y distingua la représentation d'une scène religieuse. Était-ce Jésus ou Jean avec les autres apôtres ? Elle entendait marteler dans le désordre. Un homme besognait parmi les ouvriers. Pascaline reconnut Geoffroy, que sa tante ne connaissait pas, celui qui les abriterait pendant leur séjour. Il avait travaillé avec ses frères et son père dans la maçonnerie. La nièce s'avança et, en la voyant, l'homme lâcha ses outils pour venir la saluer.

- Pascaline, je suis content de te voir ! fit-il. Je vous attendais ! Comment va ta famille ?

- Très bien, fit-elle affablement. Tante Catarina, voici Geoffroy.

- La fille de Hugues, affirma-t-il, le grand-père de Pascaline.

- Oui, dit Catarina.

Il lui baisa la main. Catarina reçut la vibrante certitude d'avoir déjà côtoyé cet homme. On eut dit que la cathédrale encore inachevée respirait et qu'elle les plongeait momentanément dans un silence éternel. Le vitrail devenait vibrant, les personnages bougeaient. La vie s'animait dans l'inanimé. Catarina brisa le silence la première.

- Je vous ai déjà vu quelque part ? interrogea-t-elle.

- Je m'en souviendrais, dit Geoffroy touché par la finesse de cette femme.

- Vous êtes déjà venu à Montségur, peut-être ? sonda Catarina.

- Non. Mais votre père et moi avons travaillé ensemble dans ma jeunesse.

- Vous n'êtes pas si vieux, fit Catarina, à peine plus jeune que lui.

- Un artiste, votre père. Un vrai ! Un grand maître d'œuvre. Nous avons travaillé sur des chantiers de cathédrales. Il est venu ici une fois, pour voir la fabuleuse construction de Notre-Dame. Le Grand œuvre qu'il l'appelait. Comment va-t-il ?

- Il me surprend toujours. J'ai l'impression qu'il est immortel, ajouta-t-elle doucement.

Cette science secrète qui fit de son père un grand maître, qui la connaissait ?

- Oui. Il m'a souvent transmis des connaissances sur son art. Il a une manière poétique de concevoir tout ce qu'il entreprend, qui ramène toujours tout à l'essentiel.

- N'est-ce pas le propre de la poésie ? lança Geoffroy gentiment.

- Je vous envie, avoua-t-elle. Une femme ne pourrait-elle pas pratiquer l'architecture sacrée ?

Geoffroy éclata de rire.

- Une femme dans la maçonnerie !

Catarina demeura posée. Elle crut opportun de faire quelques déclarations et se composa un air grave pour l'occasion. Geoffroy fut interpellé par son sérieux.

- Lorsque j'étais confinée à la maison, je suivais mon père partout. J'étais curieuse de son art. Il m'a transmis des notions parfois très hermétiques.

- Votre père vous a vraiment révélé les secrets de la maçonnerie ? tenta Geoffroy.

- De la géométrie ésotérique de Pythagore à la magie des rosaces et des pentacles, oui.

Une douce confiance s'infiltra dans le sang de Geoffroy, qui se réchauffa.

- Pourquoi grand-père t'a-t-il légué ces connaissances ? fit Pascaline intéressée par l'idée.

- J'étais son unique fille. Il pensait que j'avais droit aux mêmes enseignements que ses fils, jeta Catarina sans émotion.

- Je n'ai jamais maîtrisé ces connaissances comme lui, dit Geoffroy. Lorsqu'il travaillait, il semblait vibrer de tout son être avec les secrets du nombre divin. Hugues votre père a été initié très jeune à toutes ces choses qui transcendent le monde matériel. J'imagine que vous aussi, dit-il en regardant Catarina obligeamment.

- J'en avais une telle soif, avoua-t-elle modestement.

- Aux grottes, poursuivit Geoffroy.

- Comment le savez-vous ?

- Votre père m'a parlé de vous, croyez-moi, avec beaucoup d'amour et d'admiration. Pendant longtemps, il rêvait de se rendre à Montségur.

- Ah bon ? s'étonna la fille de Hugues.

- J'étais l'une des rares personnes à savoir pourquoi il voulait s'y réfugier un jour.

- Que voulez-vous dire ?

- Il avait un projet qui semble avoir porté ses fruits, laissa-t-il flotter.

La tante et la nièce s'échangèrent un regard perplexe. Geoffroy venait de provoquer une intrigue. Il prit ses règles et ses compas et les rangea dans une ceinture de cuir. Il contempla son ouvrage, puis chercha des yeux le contremaître.

- Pourquoi ne pas continuer cette conversation à la maison ? Je vous ai préparé votre chambre. Avant, on arrêtera chercher du pain frais.

*

Le roi Philippe piaffait en prévision du pire. Il marchait de long en large, nerveusement. Sa couronne un peu en travers portait à la dérision, mais à ce moment précis, personne n'entendait à rire. L'affaire prenait une tournure qui pouvait atteindre la réputation du roi.

- Ainsi donc, si les chevaliers du Temple reviennent en France avec toutes les richesses du monde, ils seront plus riches que moi ?

- Nous le craignons, mon roi, laissa tomber le conseiller.

- Il faut arrêter ça ! Il le faut ! s'écria le roi.

- Et comment poursuivrez-vous la guerre contre l'Angleterre sans eux ?

- Nous ferons la guerre aux Templiers et leur prendrons leurs richesses.

Cette phrase fut lâchée comme un véritable assaut.

- Comment le pourrez-vous, mon roi, sans soulever l'ire des croyants qui les soutiennent ? Ils vous diront que ces trésors ne sont pas plus à vous qu'à eux !

C'était sans compter le grand talent de stratège du roi. Philippe avait développé le pouvoir de manipuler la masse. Pour lui, le paraître demeurait l'outil fondamental de toute guerre. Démoniser l'adversaire, quoi de mieux pour persuader le peuple de sa bonne foi ? Les chevaliers passeraient pour des traîtres de Dieu et le pape fournirait leur jugement dernier.

Un messager entra.

- Les Anglais ont déjà atteint la Flandre. Nos hommes attendent toujours le renfort et les armes.

Peu après, le roi un reçut appui relatif du pape Clément V. De fait, Philippe avait dû forcer le départ de ses deux prédécesseurs et trouvait en ce nouveau pontife matière à conduire ses plans. Il put donc influencer le pape, bien qu'il se prépara, lui aussi, à revendiquer les richesses des Templiers. Cet irritant n'entrava cependant pas les projets de Philippe qui les divulgua au pontife : dans moins d'une semaine, toutes les autorités se rendraient à chaque district des chevaliers du Temple pour procéder à l'arrestation de tous les membres sans exception.

Pendant ce temps, les moines-chevaliers cavalaient pour rassembler les trésors qu'ils devaient cacher de crainte que le roi ne les leur vole. Dans leur course folle se hissaient autant de cathédrales qu'avaient construites les maîtres-artisans. La soif de beauté avait été partagée entre maçons initiés. Et les Templiers, qui tentaient de récupérer le plus de richesses pour les ramener chez eux, voyaient dorénavant d'un mauvais œil tout échange avec des étrangers.

*

Les orangés et les rouges contrastaient avec le ciel bleu de la scène religieuse. Vu d'en haut, les vitraux semblaient se rattacher à une cathédrale qui, sous une lumière tamisée, déployait ses magnifiques courbes. Catarina plongea la main à l'intérieur de sa maquette pour y fixer un morceau de marbre sculpté. Faite de bois mince et sertie de feuilles d'or et d'autres matériaux d'usage, l'œuvre s'étendait sur un plateau. Catarina étudiait sa voûte en pensant aux enseignements de son père. Pascaline cuisinait à côté.

- Papa m'a dit que Hugues et Geoffroy s'étaient querellés un jour et que grand-père n'a plus voulu mettre les pieds ici.

- Mon père ? Avec Geoffroy ? Comment deux hommes si sages ont-ils pu rompre leurs liens ?

- C'est tout ce que je sais. Papa, en tout cas, a toujours entretenu son amitié avec Geoffroy. Il l'appelle la perle rare.

- Théodore a raison.

- C'est peut-être une question de génération ? relança Pascaline, qui tentait de comprendre le cœur de cette querelle apparemment inutile.

- Il y a certainement quelque chose de plus sérieux. Peut-être que Geoffroy lui a dit quelque chose de déplaisant. Hugues n'a jamais beaucoup parlé de lui.

Les deux femmes animées par cette intrigue n'entendirent pas le bruit du cheval. Par les volets ouverts, offrant la pleine lumière du jour, apparut un jeune homme.

- On m'a envoyé en mission, fit Dandurand.

Pascaline, s'affairant à pétrir du pain, leva la tête et essaya d'identifier cette voix. Ses yeux parcoururent le vide. Au comble de l'impatience, elle tourna son corps vers la fenêtre. Son cœur palpita à la vue de celui qu'elle avait rencontré au Temple.

- La mission la plus particulière de ma vie, fit-il en inclinant la tête affablement.

Catarina finit par réaliser que quelqu'un regardait par la fenêtre. Elle se retourna.

- Oh ! Vous euh… Attendez, fit Catarina, qui cherchait à cacher sa maquette.

Le valeureux curieux avait bien envie de voir ce qu'elle tentait de dissimuier.

- Vous faites des tartes ? demanda-t-il.

Pascaline s'élança au secours de sa tante, vers la fenêtre où elle ferma les volets.

- Euh… Oui, c'est ça.

- L'ordre des Chevaliers m'envoie, fit-il à travers les volets. Pour votre tante.

- Ah, fit-elle un peu déçue.

Catarina arriva sur le parvis, les mains sales et sans plus de façon. Dandurand attendait dehors, impatient de revoir sa belle. Catarina referma la porte derrière elle.

- Comment avez-vous…, interrogea Catarina un peu méfiante.

- Oh ! rassura Dandurand. Nous avions votre reçu avec l'adresse. Nous nous sommes permis…

- Que me vaut cet honneur ? coupa Catarina.

- Le Maître de l'ordre désirerait vous voir concernant votre dépôt.

- Bien. Je…, fit Catarina, à la fois intriguée et inquiète. Je ne peux pas tout de suite.

Pascaline se nettoya les mains à la cuve, s'essuya avec un linge et sortit de la maison.

- Je suis mandaté pour venir vous chercher quand il vous plaira, répliqua le chevalier qui, d'un air ravi, regarda Pascaline sortir.

- Soit, laissa tomber Catarina qui voyait le jeu nerveux des amoureux. Alors je vous laisse ? dit-elle à sa nièce, complice.

Catarina poursuivit son travail et Geoffroy arriva peu après. Silencieusement, il referma la porte et admira l'habileté de Catarina. Son cœur s'attendrit. Il se surprit à penser qu'elle pourrait rester ici plus longtemps, très longtemps. Geoffroy n'avait eu qu'une seule femme, que la maladie avait emportée trop vite. Longtemps, il avait attendu que son cœur assèche ses vieilles blessures. Peut-être, se dit-il, cette femme venait-elle de le guérir ?

- On croirait que vous avez fait ça toute votre vie, dit-il à Catarina.

- Vous m'avez fait peur, bondit-t-elle en se retournant vers lui.

- Vous êtes magnifique.

- La maquette ? corrigea-t-elle.

- Non, vous, insista Geoffroy.

Elle reprit son ouvrage sans se laisser perturber par ce commentaire qu'elle percevait comme ambigu. Geoffroy posa ses affaires sur la table à côté de la porte.

- Votre nièce semble bien avoir succombé à l'amour, dit-il.

- Oui ! Elle a l'air heureuse, ne trouvez-vous pas ?

- Croyez-vous à l'amour ? lança Geoffroy sans prévenir.

Catarina faillit s'étouffer avec sa salive. Elle alla préparer des herbes.

- L'amour de quoi ? fit-elle pour éviter toute équivoque.

- Eh bien, l'amour entre un homme et une femme, répondit-il franchement.

- Je ne sais pas exactement ce que ça signifie, en dehors de l'intérêt familial, commenta-t-elle froidement.

- Vous voulez dire qu'il ne sert à rien de s'aimer, si ce n'est pour fonder une famille ?

- Non ! s'écria-t-elle interdite.

- Ah bon. C'est ce que j'avais cru comprendre, jeta Geoffroy philosophe.

Pourquoi cette phrase avait-elle bouleversé Catarina ? Elle regarda les bouillons qui commençaient à se former dans l'eau.

- S'aimer pour s'aimer, est-ce nécessaire ? demanda-t-elle comme pour exorciser ce sentiment proche de la peur qu'elle venait de sentir au fond d'elle-même.

- Avez-vous déjà aimé ?

- Un homme ?

Geoffroy acquiesça. Catarina fit semblant de réfléchir. Elle n'avait pas envie de livrer de détails intimes à un homme qu'elle appréciait pourtant, mais qu'elle connaissait trop peu. L'eau éclata en gros bouillons. Catarina la versa dans un pot et prit deux tasses sur la tablette.

- Je ne sais pas, se contenta-t-elle de dire.

Geoffroy comprenait le malaise. Il alla vers la maquette.

- C'est vraiment magnifique, dit-il en regardant Catarina de ses yeux francs pour dissiper le malaise qu'il semblait avoir provoqué.

Elle se sentit soulagée par le commentaire qui esquivait son cœur de l'embarras.

*

Catarina reconnut Chambord. Il devint nerveux à la pensée que les choses ne tournent mal pour cette honnête femme. Ils s'échangèrent des politesses. Dandurand, à côté de la dame, observait les chevaliers autour de la table. Le jour se laissait distraire par les nuages. Dans la pièce s'infiltrait cette brume précédant les pluies qui donnait une allure mystérieuse à la rencontre. Le Maître considéra Catarina et souhaitait faire comprendre à l'interrogée sa noble intention.

- Savez-vous ce que contient cette boîte ? lui demanda le Maître de Molay doucement.

Ah ! C'était donc ça qui avait suscité leur émoi ! pensa Catarina. Le Maître avait bien eut quelques mots de bonté, mais… Il lui expliqua que les biens du Temple restaient impénétrables pour quiconque n'en était le propriétaire. Mais, la nature éminemment symbolique de ce coffre avait suscité la curiosité. Chambord baissa la tête. Les trésors n'appartenant pas à l'ordre, ils devaient en considérer le contenu avec l'accord du possesseur. Il lui assura aussi la pleine confidentialité de la rencontre, en insistant sur l'aspect extraordinaire de cette demande de collaboration.

- Non. Je l'ignore, avoua candidement Catarina.

- Je vous répète que vous n'êtes obligée de répondre à aucune de nos questions. D'où vous vient-elle ? poursuivit le Maître.

- De mon père maçon.

- Que savez-vous de la maçonnerie ?

- Tout ce que j'ai à savoir.

Un chevalier murmura quelques mots à de Molay.

- Qui sont vos ascendants ? fit le maître en reproduisant la question formulée par le chevalier.

Catarina s'entendit dire une vérité qu'elle-même n'avait jamais prononcée et qui faisait partie des instructions secrètes héritées de son père. Mesurant la portée de cette révélation, elle mit momentanément en doute le fait de répondre si aisément, avant de dévoiler ses origines. Jamais jusqu'ici il ne lui avait semblé porter le poids d'une identité lourde.

- Je suis issue d'une longue lignée de bâtisseurs. De père en fils, les secrets de l'architecture nous sont transmis sous la stricte règle du silence. Mon père est un descendant direct de Joseph d'Arimathie qui...

Les chevaliers réagirent à ce nom. Catarina poursuivit. Elle avait l'impression qu'elle pouvait parler librement entourée de ces preux dont la réputation n'était plus à faire.

- ...a enseigné l'architecture parfaite d'après le Temple de Salomon à Merlin, qui l'a ensuite transmis à Titurel.

- Vous connaissez donc la signification des symboles sur ce coffre ?

- Parfaitement. Mon père connaissait l'existence de ce coffre. Il attendait simplement le bon moment pour le récupérer et le mettre en lieu sûr.

- Et vous ne savez vraiment pas ce qu'il contient ?

- Moi, non. J'ai fait promesse à mon père de ne pas l'ouvrir avant d'être en lieu sûr.

Tout le monde sourit.

- Nous permettez-vous d'en révéler le contenu ?

- Il, euh… Je crois que, bégaya Catarina.

Catarina sentit les yeux de tous les chevaliers sur sa personne. Ni son père ni elle n'avaient prévu cette situation. Son père avait passé des années de sa vie à chercher ce coffre. Catarina avait eu pour mission de le mener en lieu sûr. À présent, que fallait-il faire ? Et si le contenu du coffre devait rester secret ? Si elle devait d'abord ouvrir ce caisson chez elle, à l'abri des regards curieux ? Elle l'aurait déjà fait !

- Maintenant que ce coffre est protégé, j'accepte que le contenu soit ici dévoilé.

Le Maître de Molay, ravi, prit la boîte et la tendit à Chambord à sa droite, qui à son tour la passa au chevalier et ainsi de suite jusqu'à ce que, arrivé à Dandurand, il la rendit solennellement à Catarina. Pendant le parcours du coffre, elle avait discrètement sorti la clé du pan de sa robe. Elle la fit pénétrer dans la serrure et donna un coup sec. Le silence intense fit résonner le déclic. Un pincement au cœur, Catarina ouvrit le coffre pendant que chacun retenait son souffle. Elle en sortit une coupe magnifique faite d'émeraude et d'or. Une lumière éblouit la salle abondamment.

- Le Graal ! C'est le Graal ! fit le Maître à la fois émerveillé et ébranlé.

- Taillé par les anges dans une émeraude tombée du front de Lucifer ! ajouta Chambord.

L'intensité de la lumière verte se projeta sur les murs. Le rayon du jour céda son confort à l'incandescence novatrice de cette lueur. Les chevaliers eurent le réflexe de se mettre à genoux pour se recueillir. Catarina fit de même. Le Maître laissa assiéger sa raison par le fruit de l'enchantement que revêtait le mythe suprême du Saint-Graal.

- Ce vase sacré servit à la Cène de Jésus, fit-il sans quitter la Sainte Coupe des yeux. Plus tard, Joseph d'Arimathie y recueillit le sang du flanc du Christ sur la croix et amena le Saint-Graal en Angleterre. De là, il fut conduit en Armorie et nous en avions perdu trace.

La lumière flotta pendant de longues minutes solennelles. Pendant que le temps filait, Catarina cherchait à savoir pourquoi son père avait eu pour tâche de retrouver le Graal alors qu'elle avait pu trouver l'Esprit en elle-même. Comme elle, son père ne semblait pas avoir désiré posséder le Graal. Mais alors, pourquoi transmettre cette Coupe matérielle à un monde qui éprouvait tant de difficulté à croire sans voir ? Cela relevait de l'illusion ! Le Graal aspergeait l'assistance de son émanation d'amour. Catarina admira le travail de transformation qui semblait s'opérer dans le cœur des chevaliers témoins de ce trésor inaccessible par sa puissance et sa beauté. La lumière était si pure.

- Mais ce n'est là que fascination, dit-elle à haute voix sans réellement se rendre compte. Je ne sais pas pourquoi il fallait aujourd'hui que nous puissions voir ce Calice Sacré et être ainsi, encore et toujours, détournés de l'Esprit véritable.

Un soudain chahut provenait de derrière la porte. Un chevalier entra à la course.

- Les soldats du roi ! s'écria-t-il essoufflé. Ils ont forcé la porte du Temple !

Le Maître saisit la Coupe et la remit dans le coffre. Il courut vers Catarina, le lui rendit et la poussa délicatement vers la fenêtre avec Dandurand, pressant celui-ci de la sauver.

- Les voilà ! fit un chevalier paniqué.

Les soldats entrèrent sauvagement dans la pièce encore pavée d'aurores d'émeraudes. Les chevaliers se levèrent promptement.

- Vous êtes en état d'arrestation de par le roi, cria un soldat. Qui bouge meurt.

Déjà prévenus de ce complot, les chevaliers devaient se laisser emprisonner. Toutefois, ceux qui souhaitaient perpétuer la tradition pouvaient s'enfuir. La France entière fut prise d'assaut par les autorités mandatées d'arrêter sur-le-champ tous les chevaliers de l'ordre du Temple.

- Dispersez-vous ! Perpétuez notre combat pour la paix, la vérité et la justice !

Cette phrase, Dandurand l'entendit résonner au fond de son âme et lui redonner toute sa noblesse. Il mènerait cette dame, contre vents et marées, dans ce combat noble qu'il cherchait à résoudre. Catarina se serra contre lui pour ne pas glisser. Ils tentaient de descendre les murs escarpés de la forteresse. Le chevalier aperçut en bas une charrette de vêtements et de nourriture. La magie du Graal, pensa Dandurand. Il prit la boîte et l'attacha à sa ceinture, saisit Catarina lui indiquant qu'elle devait sauter. La voyant hésiter, il lui prit la main et lui fit signe de sauter avec lui. Ils atterrirent dans la charrette. Le conducteur fit claquer son fouet.

*

Catarina arriva chez Geoffroy en catastrophe. Pascaline avait spontanément couru vers Dandurand. Geoffroy s'attabla avec Catarina en quête d'une solution. Les mots étaient à peine esquissés, brefs et efficaces.

- Fuir ? jeta Catarina.

- Cacher ce coffre, mais où ? laissa tomber Geoffroy.

- Pourquoi ? se demanda encore Catarina. Pourquoi ce Graal existe-t-il ?

Geoffroy éclata d'un rire sonore si franc que les autres le suivirent. La tension fut réduite.

- Pourquoi suis-je à nouveau en possession de ce coffre ? Quelle ironie ! fit Catarina.

- Peut-être dois-tu le garder ? fit Pascaline.

- Mais je n'en ai pas besoin, j'ai trouvé l'Esprit.

- Et si le Graal ne pouvait être gardé que par ceux qui ont trouvé l'Esprit ? demanda Geoffroy.

Catarina fut médusée par cette réplique.

- Mais, si c'était vrai, quelle serait alors son utilité ? rétorqua-t-elle.

- En effet, fit Dandurand, à quoi sert de posséder une chose que l'on porte déjà en soi ?

Le casse-tête donnait des tournis. Dès que l'on trouvait un morceau, un autre trou apparaissait. Ce jeu semblait sans fin.

- Je vous le laisse, lança Catarina. Ma seule ambition est de retourner aux grottes. Voilà ce que j'ai à faire.

- Mais tu ne peux pas nous faire ça, chère tante !

- Il semble que cet objet ne puisse vivre qu'en présence des témoins de l'Esprit Saint, observa Geoffroy.

- Oui, et il semble aussi que vos yeux en aient caressé la lumière, Geoffroy, nota Catarina.

- Comment pouvez-vous affirmer pareille chose ? Serait-ce que vous désiriez vous défaire de la responsabilité qui vous incombe, chère dame ? dit-il avec une tendre sincérité.

Catarina se dirigea vers l'armoire pour y prendre les herbes et mit l'eau à bouillir. Elle baissa la tête et demeura pendant un moment, dans un silence absolu, à fixer les petites bulles qui s'affolaient. Les bouillons naissaient dans le pot.

- Pourquoi ai-je l'impression de tenir le sort de l'humanité entre mes mains ?

C'est ce moment que choisirent toutes les larmes de son corps pour couler. Elles scintillèrent sans avertir. Catarina venait de comprendre que sa seule raison d'être fut celle de comprendre les grands mystères de la vie. Cette pensée persistante avait attiré le Saint-Graal vers elle. Alors comment s'en débarrasser sans avoir l'impression de pénaliser l'humanité ? Elle pensa à sa mère qui s'était toujours sentie responsable du malheur des autres. Les angoisses que Catarina avait traversées avec sa mère la hantaient-elles aujourd'hui comme un héritage inavoué et non désiré ? Une pensée affreuse résonna en elle : aider les autres n'était pas toujours une solution ! Leur autonomie dépendait de la force déployée à se sortir du noir par ses propres moyens. Ainsi se manifestait l'Esprit autrement entravé par les espoirs d'un autre. Quel constat ! Catarina sentit une main sur son épaule et une chaleur réconfortante dans son dos. Geoffroy. Il était la seule personne à comprendre la profondeur de ses questions, à les deviner. Ils étaient liés depuis l'origine. Ils étaient frères d'étoiles et époux dans l'âme depuis des temps immémoriaux ! Elle le savait. Il le savait. Mais qu'y pouvaient-ils aujourd'hui ?

- Le Graal a toujours su faire dériver l'homme vers l'illusion du bien et du mal. La Sainte Coupe ne représente rien pour celui qui parle directement à l'Esprit, murmura Geoffroy.

Catarina se sentit soulagée par ses paroles douces en son cœur. Elle avait l'impression que, depuis l'Égypte ancienne, une longue chaîne d'or s'était tissée, portant le même message de fraternité universelle que l'Esprit seul pouvait offrir. Tous y avaient accès, mais les gens se laissaient fasciner, incapables d'accueillir froidement la pénétration de cette lumière.

- Vaincre la mort et le monde matériel dans lesquels se cache l'illusion du bien et du mal, enchaîna lentement Catarina.

Les quatre projetèrent de se rendre à mi-chemin entre Paris et Perpignan, et convinrent d'un lieu où la Coupe se perdrait. Ils gagnèrent les récifs de l'Atlantique. Ce voyage dura plusieurs jours au cours desquels Catarina et Geoffroy purent rapprocher leur cœur. Il fut décidé que les rives de La Rochelle transporteraient le coffre mystérieux loin des angoisses du monde. Ils foulèrent solennellement une côte rocheuse où le courant remuait l'écume des jours d'orage. Ils se recueillirent. Le crépuscule foncé épousa les eaux en bataille et s'apprêtait à accueillir le Vase Sacré. Catarina leva la boîte de métal au bout de ses bras. Elle cambra le dos et oscilla un peu vers l'arrière. Elle inspira un bon coup et lança de toutes ses forces le coffre précieux à l'effigie de Joseph d'Arimathie. Elle échappa un cri. Tous quatre témoignèrent de la disparition du Saint-Graal qui fracassa les ondes remuantes de l'océan. Les eaux se refermèrent rapidement sur le caisson, avalant à nouveau cette part de l'histoire du monde qui succombait à la fascination. L'humanité allait-elle se sortir de cet état d'hypnose ?

Il faisait déjà noir lorsqu'ils parvinrent à l'auberge. Pétri de cet événement hors du commun, chacun s'enveloppa dans les nécessités du silence. Au matin, Catarina fit ses adieux à Geoffroy, non sans peine. Pascaline la raccompagnerait dans le Midi.

- J'aurais bien aimé que vous restiez un peu, fit-il gentiment. Beaucoup, rectifia-t-il.

- Moi aussi. Mais ce n'est pas mon chemin.

- Dommage pour nous. Je chérissais la pensée de mieux vous connaître.

- Et moi, de vous voir rester auprès de moi, avoua franchement Catarina.

Ni l'un ni l'autre ne fut surpris par ces confidences précipitées. Ils n'avaient d'autres choix que de se livrer maintenant, soulevant un voile des temps anciens. Pourtant, une question était demeurée derrière la tête de Catarina.

- Dites-moi, osa-t-elle intriguée, pourquoi vous être querellé avec mon père ?

Geoffroy fut surpris par cette question. Il hésita un long moment avant de répondre. Il prit le temps de trouver les mots judicieux.

- Ça nous ramène à une époque reculée de ma jeunesse. Votre père devait justement avoir votre âge, fit-il en marquant un temps. Il m'a parlé de ses origines.

- Quelles origines ? demanda Catarina pour bien comprendre.

- Les initiales sur le coffre, Joseph d'Arimathie, n'est-ce pas là l'origine de votre lignée ?

Catarina fronça les sourcils.

- Je ne comprends toujours pas la raison d'une querelle si grave.

- Écoutez, j'ai éprouvé beaucoup de chagrin pour la perte de votre père. Nous étions des amis. Je ne voudrais pas que vous partiez aussi avec le cœur en bataille. Je ne le supporterais pas.

- Je vous le promets.

- Soit, fit Geoffroy en inspirant profondément. Lorsque votre père m'a confié le secret de ses origines, je lui ai exprimé mes réticences.

- Comment ?

- Il y eut, au bas mot, une quarantaine d'historiens qui vécurent du temps de Jésus autour de Jérusalem. Philon étaient l'un d'entre eux, avança-il prudemment. Vous savez comme moi que le fils de Dieu a accompli de grandes choses ?

- Oui, c'est vrai. Et alors ? fit la Parfaite.

- La vérité est qu'aucun de ces historiens n'a jamais relevé un seul miracle, enseignement, anecdote ou mention d'un quelconque prophète comme nous en retrouvons dans la Bible.

Geoffroy cessa de parler et attendit une réaction qui ne tarda pas à venir. Catarina se recomposa un visage plus sérieux.

- Je vois, fit-elle. D'après vous, aucune preuve ne nous indique que Jésus ait réellement existé. Nous sommes de la lignée de Joseph d'Arimathie. Si ce que vous dites était démontré, mes ancêtres n'auraient pas existé.

- Je sais, mais rien de tout cela n'a été prouvé. Pas plus que la certitude que vous avez sur la Coupe.

- Pourtant, reprit Catarina, vous avez vu comme moi le Saint-Graal !

- Oui, toute cette question me pose un problème, railla l'homme tendre qu'elle apprenait à connaître. Mais le plus grave est que j'ai perdu un ami pour avoir eu l'audace de réfuter l'existence du Maître.

Un rire de cristal en cascade s'échoua dans les oreilles de Geoffroy.

- Que de confusion ! largua Catarina.

- Oui, mais n'avons-nous pas conclu que la Coupe Sacrée était inutile à celui qui a rencontré l'Esprit ? tourna-t-il en un raisonnement implacable.

- Si, dut-elle admettre. Toutefois, le sang d'une famille ne peut pas être inutile.

- Là n'est pas la question, insista Geoffroy. Le sang nous est cher, c'est le nom qu'on lui attribue qui est sans importance.

Geoffroy posa les yeux sur Catarina et la considéra comme pour sonder son âme.

- Vous ne semblez pas offusquée par mes propos, observa Geoffroy.

- Vous avez raison : je ne suis pas attachée à l'histoire.

- Alors pour vous, vos ascendants...

- Personne n'a d'ascendant sur moi, l'interrompit-elle en jouant sur les mots.

- Vous, vous en avez sur moi, poursuivit-il dans la même veine.

Catarina fut amusée devant tant de spiritualité. Cet homme lui plaisait assurément.

- Je dois retourner aux grottes, fit-elle sans perdre pied avec la réalité qui l'interpellait.

- Et si vous deviez y mourir ? répondit-il en laissant paraître une inquiétude qui trahissait le degré de son attachement pour elle.

- Je dois retourner à mes origines.

- Vous avez du courage, observa admirativement Geoffroy.

- J'ai simplement beaucoup d'amour pour mon âme, rectifia-t-elle modestement.

- Moi aussi, j'aime votre âme, renchérit Geoffroy en esquissant un magnifique sourire.

Catarina se laissa posséder par cet élan d'amour. Ce qu'elle avait vécu durant son séjour et dont Geoffroy avait pu témoigner de très près tous les jours, faisait de cet étranger la personne la plus intime qu'elle avait jamais laissé entrer dans sa vie.

- J'ai aussi beaucoup d'amour pour vous, dit-elle en lui retournant le sourire.

Ils s'embrassèrent d'abord timidement, puis avec plus d'émotion. Catarina dissémina ensuite dans les pupilles de Geoffroy un chemin d'étoiles qu'il emprunta sans hésiter.

TRANSACTION INCOMMODE

La romancière avait enfin donné à Michaël le signal de divulguer les preuves qu'ils avaient. Il arriva au poste avec la cassette vidéo contenant les révélations de l'IRM et la remit à Tanguay. Sous les explications animées de la romancière, l'agent projetait les images en absorbant ces divulgations singulières.

- Voyez ici. Clara nous indique que le docteur Mathieu a réellement trafiqué le pourcentage sur ses droits. Vous avez entendu la question ?

Tanguay acquiesça. Il commençait à s'habituer au langage codé de l'IRM et estimait intéressantes les prouesses de cet engin dénonciateur. Enfin, Nina lui démontra que Clara disposait totalement des droits sur la boîte noire et qu'aucun plan n'existait.

- Comme je vous l'ai dit, nous en avons reconstitué une partie, grosso modo, avec l'un des fournisseurs, Christophe Lanthier.

- Très intéressant, fit l'agent. Tout ça est très intéressant.

- Enfin, nous avons tous été surpris par la réaction de Clara, conclut Nina, lorsqu'à la question d'une tentative de meurtre, sa tension a grimpé. Nous avons dû interrompre la séance.

- Vous croyez, monsieur l'agent, qu'ils ont tenté de la tuer ? demanda Michaël.

- Ce n'est pas impossible, dut admettre Tanguay.

- Mais que pouvons-nous faire maintenant ? demanda Nina. Nous avons la preuve que le docteur a trafiqué les papiers.

- Resterait encore à démontrer tout ça, à prouver l'existence de ces papiers, fit Tanguay. Pour la cour. Mais j'aurai peut-être encore besoin de votre collaboration.

Nina fut ravie de pouvoir encore être utile à la cause de Clara.

- Ça dépend, fit Michaël avec plus de réserve. De quel genre d'aide ?

- D'abord, des renseignements et votre participation. Enfin, me permettez-vous de garder la cassette vidéo ?

- Bien entendu ! fit Nina.

*

Tanguay retrouva son assistant dans la pièce où se trouvait William. Il entra comme un coup de vent.

- Bon, vous avez eu le temps de réfléchir à notre entente ? fit Tanguay à William.

William était assis. Tanguay se pencha sur lui et fixa ses yeux.

- Zimmer vous a-t-il commandé de voler la matrice ?

- Non, répondit William.

- Attendez, je vais vous montrer quelque chose.

Tanguay lui présenta la vidéo de la caméra de surveillance. Il avança l'image jusqu'à ce qu'ils aperçoivent William à l'écran.

- Bon. Vous êtes payé pour voler la matrice ou encore, un élément qui s'y rattache, la boîte noire ?

- Oui.

- C'est Zimmer qui vous a commandé de voler l'invention ?

- Non.

- C'est Zimmer votre patron ? reformula Tanguay.

- Oui.

- Écoutez, je vous conseille de ne pas jouer au fou avec moi, intima Tanguay.

Les deux hommes se dévisagèrent.

- Zimmer est votre patron. Mais ce n'est pas lui qui vous a commandé de voler l'invention ? raisonna Tanguay.

- Non.

- Alors qui est-ce ?

- Je veux des garanties, sinon je ne parlerai pas.

- Allez, dépêchez-vous ! Nous n'avons pas le temps d'attendre. J'ai besoin de savoir sur qui nous devons poser nos yeux.

William ne broncha pas. Tanguay frappa sur la table violemment.

- Allez, crachez le morceau. On va arranger quelque chose pour vous.

- Le conseiller de Zimmer.

- Son nom.

- Wagner.

- Allez, fit-il à son assistant, demandez qu'on le fasse suivre.

Tanguay respira.

- Zimmer est votre patron, mais ce n'est pas lui qui vous a commandé de voler la matrice, reprit Tanguay. Wagner a conseillé à votre patron de vous le demander ?

- Je ne sais pas. Wagner m'a demandé de faire l'impossible pour voler la matrice et de traiter avec Zimmer. C'est tout.

Tanguay quitta la cellule et se rendit à son bureau. Il devait planifier sa rencontre avec Zimmer. Il en faisait presqu'une affaire personnelle : l'arrogance de la science lui chatouillait déjà les narines. Mais s'il avait en plus à faire à une organisation menée par un dirigeant à tête bicéphale ! En fait, qui, de Zimmer ou de Wagner, dirigeait cette opération ? Et dans quel intérêt ?

Tanguay avait réussi à obtenir la permission d'une écoute électronique, mais cette bonne nouvelle ne l'empêchait pas de faire les cent pas dans son bureau. Il se questionnait encore sur la meilleure approche, reformulant dans sa tête de multiples scénarios.

Vandam avait réagi mais ne s'était pas opposé à l'offre de Zimmer. Pourquoi s'était-il ouvert à cette offre alors qu'il cherchait à tout prix à évincer son adversaire ? Était-ce un piège ? Zimmer pouvait déjà utiliser la matrice, mais il n'avait pas de brevet. Alors que Vandam détenait un brevet, mais techniquement ne pouvait se servir de l'invention, surtout sans l'inventrice.

Zimmer avait-il déjà reconstitué les plans de la matrice ? Peut-être. Au fond, en achetant la matrice, il cherchait sans doute à légaliser ses opérations. Et maintenant que l'invention était détruite que pouvait offrir Vandam ? Il pouvait marchander les droits de propriété et faire un peu d'argent. Seulement, si Vandam voulait éviter que Zimmer n'utilise l'invention, il valait mieux qu'elle ne devienne pas légale au sein de cette entreprise étrangère. Ainsi, Zimmer qui s'acharnait à récupérer la boîte noire par le biais d'escrocs, ne pourrait-il rien faire de la matrice. À moins que Vandam ne cherche à la vendre en échange des expérimentations de Zimmer ? Allions-nous assister à une association ? Sûrement pas.

Il était aussi démontrable que Zimmer avait fait venir un stagiaire à l'université pour voler des informations. Ce geste était certainement condamnable d'autant qu'il était doublé d'une effraction pour voler le disque dur. Déjà, Zimmer aurait à s'expliquer sur ses agissements et son intégrité pouvait être attaquée. Ignorait-il qu'il encourait des risques de dossier criminel ?

- S'il est au courant qu'il pourrait être condamné et que malgré tout, il continue de chercher la boîte noire, j'espère que ses plans lui rapporteront pour la peine. Parce qu'avec ça, il se jette un peu dans la gueule du loup, fit Tanguay à voix haute. Bah, que risquerait-il de pire qu'il ne pouvait avoir déjà ? Peut-être n'avait-il plus rien à perdre ?

Bon. Et Vandam ? S'il sait que Zimmer fait une nouvelle offre à Alain, que la matrice a été détruite et que le disque dur a été volé, s'il sait que la boîte noire très convoitée est toujours en circulation et que Zimmer veut encore s'en servir, pourquoi ne fait-il rien pour l'empêcher de s'en saisir ? Pourquoi ne dit-il rien à la police ?

- Pff. Quel casse-tête !

L'assistant entra comme une tornade.

- J'ai quelque chose à nous mettre sous la dent ! s'écria-t-il.

Il tendit une enveloppe à Tanguay qui l'ouvrit. Tout basculait.

*

Dans le vaste bureau de Zimmer, les deux hommes s'occupaient des détails de la transaction. Wagner referma sa mallette.

- Le compte y est, fit-il. Une bonne somme tout de même.

- Tom, fit Zimmer sérieux. Je suis préoccupé.

Wagner éclata d'un petit rire malicieux.

- Jef ! On croirait entendre un enfant ! Qu'est-ce qui t'inquiète ?

- Je ne sais pas. Si ça tournait mal.

- Pourquoi ?

- Je ne sais pas.

- Il n'y a aucune raison, j'ai tout planifié. Fais-moi confiance, fit Wagner en replaçant ses lunettes de son index. Me fais-tu confiance ?

- Je sais que Vandam ne m'a jamais pardonné quand je l'ai dénoncé au fisc.

- Sans doute, fit Wagner.

- Ça été un dur coup, mais il ne s'en était pas mal sorti, franchement, se remémora Zimmer en souriant.

- Allez, j'y vais, fit Wagner en se levant.

- Je te retrouve, comme prévu, dans quinze minutes.

Zimmer tourna son fauteuil vers la baie vitrée. Il regarda le centre-ville. On voyait si peu les étoiles dans le ciel urbain, pensa-t-il. Il pria la lune pour que tout se passe bien.

*

L'agent Tanguay, sous les traits de Lanthier, marchait dans le long couloir menant à la chambre de l'hôtel, une mallette noire à la main droite. Un habit noir, les cheveux lissés vers l'arrière et des lunettes l'affublaient de l'air quasi sévère du vrai Christophe. William, à la gauche de Tanguay, accompagnait le faux fournisseur pour donner l'impression d'une véritable transaction. Il était vingt heures quarante-cinq. Les préparatifs allaient bon train.

Trois autres agents de police se postaient dehors dans une camionnette. Les hommes pouvaient suivre les déplacements dans la pièce par le truchement de la caméra. Enfin, il n'y avait plus qu'à attendre.

Aux dires de William, Wagner lui avait parlé le premier du vol de la matrice et maintenant, Zimmer faisait cette transaction plus ou moins honnête sur la boîte noire. Pourquoi ? Une entreprise à deux têtes, repensa Tanguay, appelle toujours une motivation double. Rien de clair. Double motivation. Motivation double. Une motivation à deux têtes, jonglait Tanguay. Les heures filaient avec les pensées. L'agent prit l'enveloppe que son assistant lui avait remise. Il ouvrit sa mallette et l'y inséra.

À l'heure dite, les agents virent entrer un homme à la fois déterminé et renfrogné, Wagner. Plutôt menu, vêtu d'un habit brun aux fines lignes beiges, il avait de petits yeux malins et semblait pourvu d'une vigilance singulière. Il se rendit à la réception et demanda la chambre numéro deux cent trente-quatre.

- Oui, monsieur Lanthier est là, vous pouvez y aller.

Wagner monta les escaliers, longea le corridor et frappa à la porte. William vint lui ouvrir.

- Zimmer n'est pas avec vous ? demanda-t-il.

- Non. Il va arriver dans quinze minutes.

Les hommes s'assirent autour d'une table ronde. Cinq chaises l'entouraient. Tanguay se trouvait à la droite de William et Wagner s'assit en face du fournisseur. Le temps défilait au compte goutte. Quinze minutes plus tard, Zimmer arriva à la réception. L'homme d'affaires marcha dans le corridor accompagné de deux gardes du corps. Il frappa à la porte de la chambre.

- Messieurs, désolé pour ce retard, préluda-t-il.

L'un des gardes du corps ferma la porte et resta dans le corridor tandis que l'autre se planta à côté de la porte dans la chambre. Zimmer prit place à côté de Wagner.

- Vous pouvez commencer, dit-il encore.

Les agents de police pouvaient voir Zimmer relativement clairement : il était assis en face de la mallette de Tanguay déposée sur la table délibérément.

- Vous d'abord, corrigea Tanguay. Nous allons compter ensemble.

- Comme vous voudrez, accepta Zimmer.

Wagner prit sa mallette, la posa sur la table, l'ouvrit et commença le compte sous les yeux de Tanguay. Zimmer se leva pour l'aider.

- Cent mille, dit-il tout haut.

- Cinq cent mille, fit Zimmer. L'avez-vous vue au moins ? demanda-t-il à Wagner.

- Non.

- Je voudrais la voir, fit Zimmer.

- Une fois le comptage terminé. Ensuite nous devrons vous fouiller, avisa Tanguay.

Zimmer le regarda obliquement.

- Un million, comptait-il encore. Personne ne va me fouiller, largua Zimmer.

- Je suis désolé, poursuivit Tanguay. Je ne suis pas né de la dernière pluie. Je veux juste m'assurer que vous ne me flinguerez pas après la transaction.

- Vous n'y pensez pas ! fit noter Wagner. Dans cet hôtel bondé ?

- Deux millions, continua Zimmer.

- Justement, personne ne sait exactement qui entre et sort ici, argua encore Tanguay. Je vous fouillerai.

Les agents de police enregistraient toute la conversation ainsi que les images qui défilaient sur leur moniteur. Deux d'entre eux sortirent de la camionnette et se rendirent dans le corridor. Le garde du corps fut écarté rapidement.

Dans la chambre, le comptage se poursuivait.

- Huit millions, termina le petit homme.

- Huit millions, répéta Zimmer en regardant William. La prochaine fois, tes arrangements, il faudra les faire avant.

- J'ai fait de mon mieux, répondit froidement William qui jusqu'ici n'avait soufflé mot.

- Vous ne croyez tout de même pas que j'allais lui offrir la boîte noire gratuitement ? envoya Tanguay. C'est moi qui ai pris ce risque, j'ai droit à ma part !

Wagner remonta ses lunettes de son index et leva ses yeux malins sur Tanguay. Il referma la mallette bourrée d'argent et la lui rendit. Le fournisseur la déposa sur la table à côté de la sienne.

- La boîte noire, grogna Zimmer à Tanguay.

- Je ne comprends pas pourquoi une entreprise comme la vôtre s'intéresse tant à la fertilité. Vous êtes spécialisé dans la contraception, non ?

- Je ne suis pas ici pour faire une conférence, mais une transaction.

- Donnez-la-nous, s'impatienta Wagner.

- Non, largua Tanguay.

Wagner sourcilla devant ce refus corsé. Il regarda Zimmer qui devint immédiatement nerveux.

- Mais non, messieurs, vous n'allez pas partir avec les deux mallettes, fit Zimmer.

Il sortit un revolver et le braqua sur Tanguay. Wagner fut surpris de voir son patron armé. Les deux agents de police, toujours postés de l'autre côté de la porte, attendaient le signal pour intervenir.

- Tenez-vous en donc à la transaction, cher monsieur, répliqua Zimmer.

Tanguay s'éloigna de la mallette et leva les bras dans les airs. Wagner s'approcha pour la prendre.

- Ouvrez la valise, cher monsieur Wagner, ouvrez donc. Vous serez étonné par la perfection de cette invention. Pur explosif !

Wagner approcha de la mallette, la mit à plat pour l'ouvrir et se ravisa. Il regarda William.

- Ouvre-la, toi, fit-il.

- Auriez-vous peur d'exploser, cher monsieur ? fit Tanguay.

- Qu'y a-t-il dans cette mallette ? grogna Zimmer.

- Rien de plus que ce que vous cherchez.

Tanguay avait toujours les bras dans les airs. Zimmer s'agita et regarda Wagner qui tentait de contrôler la situation.

- J'ai dit ouvre, envoya Wagner à William.

William se dirigea vers la table.

- Dans quel guêpier vous a mis cet homme, monsieur Zimmer ? largua Tanguay.

Zimmer sourcilla, perplexe.

- Je ne comprends pas vos allusions, monsieur Lanthier. Nous venons seulement acheter la boîte noire.

- Cette invention appartient au docteur Miles.

- Elle n'appartient encore à personne. Vous vendez donc un bien qui ne vous appartient pas. Assez perdu de temps avec ça ! Allez, fit Zimmer.

- Je ne fais que vous aviser. Maintenant que tout est bien clair, vous pourriez vous faire accuser de transaction illégale ou malversation.

Wagner fit un signe à William. Il décadenassa la mallette et la tourna vers les deux hommes pour qu'ils puissent bien voir le contenu, William l'ouvrit. Wagner défaillit. Zimmer devint écarlate.

La caméra cachée reproduisait l'expression des deux hommes sur film. Tanguay ne put que sortir son insigne et le leur tendre. Les autres agents entrèrent pour terminer la transaction. Tanguay referma la mallette et la garda précieusement avec lui.

*

Depuis les deux derniers jours, Ian avait tenté de se trouver seul avec Clara, impatient de comparer leur bague. Seulement maintenant l'occasion d'un tête-à-tête se présentait. Le docteur entra à pas feutrés dans la chambre, se posta à côté de sa patiente et contempla son visage. Il sortit de son sarrau la bague d'émeraude et l'approcha de la main de Clara. Certes, la même pierre d'émeraude, le même symbole, dans une forme différente.

- Est-ce un signe du destin ?

Son téléphone cellulaire sonna. Il l'empoigna dans l'autre poche et l'ouvrit.

- Oui… Oui, chérie, fit-il un peu embarrassé.

Il se détourna de Clara et fit quelques pas en direction de la fenêtre. Il prit des nouvelles de Joan.

- Ça va là-bas ? Dans combien de temps reviens-tu ? À bientôt… Je t'aime aussi.

Ian ferma le téléphone et resta immobile devant la fenêtre. Au dehors, il faisait noir et la fenêtre lui renvoyait son image. Le docteur ferma les yeux et laissa ses bras pendre le long de son corps. Depuis toujours, sans savoir pourquoi, dès qu'il prenait cette position, il sentait le calme monter dans son corps. Il rouvrit ses yeux attendris par les doux remous du destin. Ian se tourna et s'avança à nouveau vers le lit, prit la main de Clara et scruta encore sa bague avant de s'émouvoir devant son visage.

- Que fuyez-vous ? lui demanda-t-il.

LA SCIENCE DU SONGE

J'agonise d'un mal qui se répand sur terre.
C'est mon mari qui nous a conduits là.
Mais cet homme qui est venu pour me soigner, lui,
son âme joue avec le feu. Est-ce qu'il veut combattre le mal ?

Sarah

Les ondes de sa chevelure de feu s'étendaient sur l'oreiller blanc. Sarah sombrait dans le délire depuis déjà quelques heures. Son mari, Lord James, avait fait appeler le médecin de famille. N'ayant pu venir, un autre s'y était rendu.

- Fludd, Fludd, gémissait Sarah.

Le docteur regarda James en sourcillant.

- Oui. Elle a prononcé son nom quelques fois. C'est un éminent homme de science…

- Je connais cet homme, fit le docteur gravement.

Il considéra longuement James avant de prendre le pouls de Sarah. James baissa la tête.

- A-t-elle absorbé des substances, disons, inhabituelles ?

James releva la tête vers le docteur.

- Pas que je sache, laissa-il tomber sans conviction.

L'édredon vert et blanc contrastait avec ses cheveux roux. La domestique vaquait à ses occupations dans la chambre et tentait d'égayer l'atmosphère.

- Sarah est si pâle, dit-elle.

Le docteur souleva l'édredon et la domestique échappa un cri.

- Mon dieu ! Quelle marre ! s'écria-t-elle.

James fut secoué. À la vue du sang, le docteur se retourna vers le pot d'eau et se lava les mains. Il revint vers la jeune dame frêle et palpa délicatement son corps.

- C'est une fausse couche, conclut le médecin.

- Une fausse... Elle portait un enfant ?

- Peut-être l'ignorait-elle aussi, rassura le docteur.

Les sangs de Sarah se mirent à bouillir. Des gouttes perlèrent sur son front. Elle se laissait happer par les brumes de l'inconscience qui la tiraient vers le passé. Deux mois plus tôt, elle et son mari avaient été invités à une cérémonie mondaine. Sarah fut fort impressionnée de pouvoir ainsi côtoyer ces gens de l'élite. C'est là qu'elle rencontra Sir Francis Bacon et le docteur Fludd.

- Fludd, répétait-elle.

Fludd avait été charmant. Il l'avait amené dans un salon où il lui avait lu Le songe d'une nuit d'été. Son mari, demeuré dans l'autre pièce, récitait des prières avec les autres à la lueur de chandelles. Sarah entendait le murmure de quelques incantations alors que ce compagnon galant lisait.

- Titania : Apaisez votre cœur, je ne donnerai pas cet enfant pour tout le Pays de Féerie. Il eut pour mère une prêtresse de mon ordre. Mais elle était mortelle et à la naissance de son enfant, elle mourut. J'ai élevé son garçon par amour pour elle, et par amour d'elle, je ne m'en séparerai jamais[4].

Fludd se leva et ralluma une bougie qui s'était éteinte. Sarah avait tressailli. Il l'avait rassuré d'un geste affectueux et lui avait offert une coupe à boire. Elle buvait alors qu'il poursuivait sa lecture en lui caressant les cheveux.

- Obéron : J'ai repéré cependant le point de chute de la flèche de Cupidon. Elle est tombée sur une petite fleur d'Occident, naguère d'un blanc de lait, désormais empourprée par cette blessure d'amour. Les jeunes filles l'appellent «pensée d'amour». Va me cueillir cette fleur que je te montrai un jour. Son suc, déposé sur les paupières de l'homme ou de la femme endormis, les rend éperdument amoureux de la première créature vivante qu'ils aperçoivent. Va me chercher cette plante …

Sarah, conquise, ne savait plus si l'envoûtement provenait des délices de cette histoire, de ce qu'elle buvait ou bien de certaines caresses de cet homme qui lui faisait éprouver des sensations nouvelles. Elle ferma les yeux et sentit qu'elle s'échappait dans les nuits du songe. Fludd exultait d'un verbe expressif. Il prit une gorgée avant de poursuivre.

- Obéron : Une fois muni de cette substance, je guette Titania endormie et verse la liqueur dans ses yeux. Le premier vivant qu'elle verra à son réveil, elle le poursuivra dans un transport d'amour : et, avant de délivrer sa vue de ce charme, comme je le puis faire par une autre plante, je l'obligerai à me céder son page.

Fludd se retourna vers Sarah qui semblait dormir. Il sourit. C'est alors qu'un cauchemar s'enchevêtra dans la tête de la jeune femme. Ils étaient une dizaine autour d'elle. Un homme s'approchait avec une coupe marquée d'une croix rouge. C'était Fludd, magnifié par une lumière qui venait du ciel. Il était plus grand, plus beau et soudainement, il se transforma en monstre écailleux. Il but du sang dans la coupe et l'offrit à Sarah qui refusa. Il lui mit la coupe aux lèvres et la força à boire.

- Tu enfanteras dans la douleur, dit-il.

Sarah hurla. Son mari sursauta. Le docteur Jill intervint à nouveau

- Que s'est-il passé, lord James, chez ce Fludd ?

435

James pinça la bouche.

- Vous voulez que je vous dise ce qui s'est passé ?

- Quoi ? Vous savez ce qui se passe dans ces maisons ?

- Je sais que ces manipulateurs font tout pour nous priver de nos forces. Et même, ils détournent celles de la Terre pour nous affaiblir.

- Comment savez-vous tout ça ?

- Ce serait trop long de vous expliquer. Je peux seulement vous dire quoi faire si vous souhaitez sortir de leurs griffes.

- Oui ! fit James sans hésiter. Oui.

- Mon père était druide. Vous écouterez ce que j'ai à vous dire et m'oublierez à tout jamais. Autrement, ma vie serait compromise.

La domestique avait quitté la chambre. Les deux hommes s'assirent aux fauteuils tout près de la fenêtre. Sarah s'était apaisée.

- D'abord, sachez que les hommes ne sont pas tous des hommes.

- Que voulez-vous dire ?

- Ne m'interrompez pas. Que celui qui a des oreilles entende. Je ne vous donnerai pas d'explications. Sachez que des étrangers travaillent depuis des siècles à notre perte. L'Inquisition ne vise qu'à détruire toute personne qui connaît les secrets occultes qui ont construit l'humanité et ils feront tout pour nous garder dans l'ignorance de ces principes. Aussi, se sont-ils infiltrés dans les hauts lieux du pouvoir par des sociétés secrètes dans le but de nous asservir. Le docteur Fludd s'est fait prendre par son orgueil d'écraser les autres, avec ses connaissances. On lui a fait croire que le pouvoir vient du fait de diviser ses semblables. En date et heures, selon les énergies du système solaire, nos rois et reines ne font qu'accomplir leur Plan et, en vérité, la plupart ne savent pas pour qui ils agissent. Au prix de la dégradation humaine, ces élites qui mangent dans leurs mains, obtiennent les meilleures conditions de vie, évidemment, s'ils se soumettent à leur chantage. Ainsi va en grandissant la déchéance de l'homme. Je vous conseille de vous tenir loin de ceux qui cherchent à nous diviser. Résistez à la peur et à la concupiscence. Autrement ces caméléons s'abreuveront de votre sang et de votre peur.

- Mais je risque de tout perdre ! fit James en montrant son château.

Sarah cria à nouveau. Jill considéra James et lui fit signe qu'il devait s'occuper de sa femme. James, soufflé par ces révélations, ne savait s'il devait se compter heureux ou malheureux d'avoir su.

- Comment se sortir de ce cercle infernal sans rien perdre ? interrogea James.

- Ces caméléons ne peuvent qu'une seule chose : vous retourner le miroir de vos propres faiblesses. À vous de les surmonter tranquillement. Au risque de tout perdre, il vous reste toujours l'essentiel.

Le docteur s'approcha du corps de Sarah, l'examina à nouveau et lui administra une ponction. Jill lui mit une main sur le front et une main sur le ventre. Alors, comme frappée par une foudre énigmatique, elle ouvrit les yeux. Jill sentit son regard s'effondrer dans la douleur de la femme. Or, sa raison venait de basculer non pas dans les souffrances d'une autre, mais dans la mémoire douce d'un amour impossible. Il sentit qu'il aimait profondément cette femme. Son élan fut interrompu par la voix du mari sollicitant un diagnostic. James n'avait jamais vu pareil traitement. Le docteur lui fit signe de patienter, incapable d'ôter sa main, comme aimantée sur le front et le ventre de cette femme. Il en fut troublé. Mais combien davantage lorsqu'il sentit une main lui prendre tendrement la sienne. Il contempla le visage accueillant de Sarah avec un amour qu'il n'avait encore jamais connu jusqu'ici.

- Je... On se connaît, n'est-ce pas ? fit-elle d'une voix agonisante et fiévreuse.

DE L'AUTRE CÔTÉ DU MIROIR

Ian contemplait Clara avec un sentiment de profonde communion. Un silence revêtait la pièce d'une aura de paix. Sans s'en apercevoir, il avait placé une main sur le front de sa patiente et l'autre sur son ventre et se sentit transporté. Le docteur ne résista pas à cette étrangeté.

- Je vous connais, chuchota-t-il sans s'apercevoir qu'il parlait tout haut.

Il rouvrit les yeux et regarda la position de ses mains, étonné. Son regard suivit le rayon des deux bagues d'émeraude, qui cherchaient à joindre leurs lumières. Il déplaça sa main du ventre vers la main de Clara pour la toucher. Les bagues résonnèrent et un courant parcourut le corps du docteur.

Le sablier coulait ses jours. Ian referma les yeux. Le temps lui offrait les portes de leurs mémoires. Auscultant l'invisible, il entendit des cris d'agonie qui le firent bondir. Ian participait à la vie de Clara et sentait qu'ils avaient partagé des univers étonnants. Il reconnaissait des parcelles de cette âme, du moins certains moments passés avec elle.

Clara entendit une onde céleste qui la pourfendit gracieusement. Crépita alors une lumière éblouissante. La scientifique flottait vers son esprit et le toucha de ses mains : elle communiquait avec son double. Clara ne l'avait jamais vu de ses yeux. Ce moment d'une grande émotion la fit chavirer vers l'autre monde où le docteur fut entraîné. Elle sentit une pure blancheur en son âme et communia avec Ian. Une vague de frissons roula dans sa colonne vertébrale. Ian sentit le corps physique de Clara se déployer sous ses mains.

- La fin. C'est la fin, marmonna-t-elle de manière inaudible.

Ian ouvrit les yeux aussi vite que l'éclair et observa le pouls et la tension de Clara, immobile. Il considéra les courbes encéphalographiques. Tout paraissait normal. Or, émergeant de nulle part, une pensée serpenta en lui, irrésistible.

*

Tanguay avait demandé son aide au docteur Mathieu pour faire parler Raphaëlle. Selon l'agent, il était souhaitable que Vandam entende aussi ses déclarations. Tous convinrent de se rencontrer au poste.

Max et Olivier Vandam se trouvaient de l'autre côté du miroir, dans une pièce exiguë. De leur côté, la fenêtre leur permettrait d'observer Raphaëlle qui ne les voyait pas. Olivier célébrait sa victoire sur la chimiste, toujours convaincu de sa culpabilité. À côté de Max Vandam, plusieurs agents de police discutaient et leurs propos captaient assurément son attention : il se vit surpris par certains événements passés dont il ignorait les détails.

- La chimiste, fit un agent, semblait être la seule au département à connaître les enjeux de cette boîte mystérieuse. Même le directeur n'était pas très au courant.

- Alors vous allez la faire parler ? demanda Vandam. Elle a tout de même transmis des informations confidentielles !

- Oui, valida l'agent.

- Je crois que nous devrions prendre place, fit observer un autre policier.

Ils s'installèrent les uns derrière les autres, comme au cinéma, les yeux rivés à l'écran. De cette loge de choix, ils allaient observer le cours des choses. Au bout de quelques minutes, la porte de la salle de conférence s'ouvrit. Tanguay entra suivi d'Alain et d'une jeune femme frêle à qui on ne voulait aucun mal.

- Asseyez-vous, madame Ducharme. Docteur, fit Tanguay en lui pointant une autre chaise de la main.

La chimiste prit place en face du miroir. L'agent se dirigea vers la distributrice d'eau.

- Vous en voulez ? fit-il.

Alain fit signe que non.

- S'il vous plaît, répondit la jeune femme intimidée.

Raphaëlle avait peur des conséquences de ses actes. À ce moment précis, elle songeait qu'elle allait peut-être faire de la prison. Sa nervosité transparaissait dans sa réserve. Elle se replia sur elle-même, ce qui lui donnait des allures de petite fille. Tanguay s'approcha d'elle.

- Je crois que nous avons certaines questions à clarifier, madame Ducharme, commença-t-il. Qu'en pensez-vous ?

- Sans doute, fit-elle embarrassée.

- Madame Ducharme, vous avez toujours été une employée modèle. Je crois que votre patron, le docteur Mathieu, vous a toujours appréciée pour votre honnêteté, tant dans votre travail que dans vos relations.

Derrière le miroir, Olivier ne partageait pas son point de vue.

- Je sais qu'elle est complice, s'acharnait-il à dire devant les autres hommes, qui ne tinrent pas rigueur de ce commentaire puéril et présomptueux.

Tanguay considéra Alain qui déjà voulait intervenir. Il le laissa faire.

- J'ai trouvé que – et dites-moi si je me trompe – dernièrement vos relations s'étaient justement transformées, avança doucement Alain.

- Je ne vois pas de quoi vous voulez parler. Ma vie est toujours la même.

- La même, Raphaëlle ? insista le docteur.

- Écoutez, docteur, je vous ai dit tout ce que je savais sur cette histoire. Clara est dans le coma. Depuis ce jour, la seule chose qui a préoccupé mon esprit et mon cœur, c'était de m'assurer que les intérêts de la matrice resteraient à l'université, dans les mains de Clara.

- Mais elle pourrait ne jamais revenir.

- Taisez-vous ! échappa-t-elle.

Raphaëlle rougit d'avoir ainsi parlé à son supérieur.

- Je vous demande pardon, se reprit la jeune femme. Je... Contrairement à vous, j'ai toujours été convaincue que Clara allait revenir. Et j'ai toujours trouvé que vous alliez trop vite dans la réorganisation du département, comme si...

- Oui, comme si..., renchérit Tanguay.

- Je ne sais pas. Le docteur Mathieu et moi ne pensions pas de la même manière. Et il était le patron, lui envoya-t-elle. Voilà tout.

- Bien, fit Tanguay. Pouvez-vous nous parler de Nina Belinski ?

- Je vous ai déjà fait savoir que je l'avais simplement conduite à la salle des matrices pour qu'elle puisse récupérer la boîte noire et la mettre en lieu sûr, le temps que les choses se placent. C'était son plan à elle.

- Mais vous saviez que vous enfreigniez le code d'éthique sur la confidentialité vis-à-vis les nouvelles inventions du département, n'est-ce pas ? suggéra doucement Alain. Vous pourriez être révoquée pour ça.

- C'est vrai, mais j'ai toujours agi dans l'intention de protéger les affaires de Clara.

- Et vous avez aussi envoyé la totalité des plans de la matrice à madame Belinski, ajouta Tanguay.

- Tout ça s'apparente très étroitement à un vol. N'êtes-vous pas d'accord ? fit Alain en cherchant l'approbation de Tanguay.

- Un vol ? Mais jamais je n'ai eu l'intention de voler ! Je...

Le corps de Raphaëlle frémit. Elle savait qu'elle se trouvait sur un terrain glissant, qu'elle devait y mettre sa pleine ardeur pour transmettre sa bonne foi. Mais son âme fut happée par un commentaire insolite.

- Combien avez-vous été payée, Raphaëlle, pour divulguer ces informations ? poussa Alain.

Tanguay trouva la question un peu rude, mais il laissa le docteur continuer.

- Quoi ? rugit Raphaëlle sans tarder.

Elle devint écarlate.

- Me payer ! Moi ? C'est par amour pour Clara que..., s'étouffa-t-elle, rouge de colère.

Enfin, elle vient d'être piégée, pensa Olivier, surpris par les allégations d'Alain. Raphaëlle but de l'eau et tenta de se calmer. Elle n'en croyait pas ses oreilles !

- C'est une accusation gratuite, docteur Mathieu ! Vous avez admis que j'ai toujours été une employée exemplaire. Vous devez me croire ! échoua-t-elle à court de mots, gagnée par l'émotion.

- Je veux bien, moi. Jusqu'à tout récemment, j'y croyais, et j'avoue que vos arguments et la sincérité que vous y mettiez pour me convaincre ont laissé leurs marques. Mais il est survenu un élément nouveau qui a rompu cette confiance que j'avais en vous.

Olivier lança un regard vainqueur à son père. Tanguay se dirigea vers la porte, arborant un air sérieux qui interpella Raphaëlle.

*

La patiente d'Ian se trouvait dans le tunnel étroit et blanc de l'appareil d'imagerie médicale, sous le moule de plastique nécessaire au test de résonance magnétique. Il avait verrouillé la porte de la salle et apposé l'affiche « Ne pas déranger ». Clara portait des écouteurs et répondait à Ian par la négative. Le docteur décodait sur l'écran chacune de ses réparties. Il relut le questionnaire.

Question : Êtes-vous dans une autre dimension ? Réponse : Oui. Voyez-vous des images ? Oui. Comme un film ? Oui. Ces images concernent-elles votre vie présente ? Non.

Ian avait été surpris par la dernière réponse. Il recomposa une suite logique d'interrogations et reprit le dialogue avec Clara. Concentré sur l'ordinateur, il formula sa question.

- Ces images concernent-elles votre vie passée ?

Le cerveau de Clara donna un oui. Ian réfléchit. Il tourna légèrement la tête et fut attiré par un point brillant : les deux bagues, qu'il avait déposées sur le comptoir avant d'entrer dans la chambre de résonance, s'embrassaient. Le regard trempé dans le soupir de leur lumière, Ian songea au passé d'autres vies possibles.

- Clara, ces images concernent-elles des vies antérieures à celle-ci ?

Clara répondit par la négative et Ian comprit qu'elle mentait.

- Se peut-il que j'en fasse partie ? osa-t-il.

- Oui, dit l'écran d'ordinateur.

Ian en eut des sueurs froides. Il se sentit profondément épris, sans oser se prononcer sur cette folie. Il se leva, comme pour mieux distinguer le visage de Clara au fond du tunnel, mais ne pouvait la voir. Il formula une question dans sa tête qu'il eut du mal à traduire en parole, paralysé par le ridicule. Enfin, il songea que s'il ne tentait pas de la poser, jamais il ne le saurait.

- Nous sommes-nous déjà aimés ?

L'anoxie de Clara touchait à sa fin. La patiente montrait des signes de reprise du langage, bien qu'elle semblât toujours attirée vers l'autre dimension. Parfois, le docteur l'entendait formuler des mots de manière indéchiffrable. Après plusieurs secondes, l'écran offrit sa réponse au docteur, et les haut-parleurs firent entendre une voix presque inaudible.

- ... iii, fit Clara, on... se…c... nnait.

En parole, Clara venait de confirmer leur amour logé dans les atomes de leur mémoire. Agité, Ian tourna l'écran de l'ordinateur en face de la vitre, pour le voir depuis l'intérieur de la chambre magnétique. Il tâta son corps pour vérifier s'il ne portait pas de métal et se rendit à la tête de Clara. Il la contempla pendant de longues secondes, étira le bras vers l'intérieur du tunnel et posa sa main sur le front de sa patiente, qui bascula à nouveau dans le passé.

*

Avaient-ils en main une preuve irréfutable pouvant peser contre elle ? pensait Raphaëlle avec angoisse. Je ne suis pas coupable de complicité pour vol, se convainquit-elle. La chimiste ne voyait rien qui pouvait trahir ses agissements et se demanda soudain si le docteur n'avait pas comploté avec la police.

Lorsque William entra dans la salle de conférence, il fit mine de ne pas la reconnaître. Le cœur de Raphaëlle s'agita, sa gorge s'assécha et une raideur naquit dans sa nuque. Quoi ? Elle avait été piégée ? Piégée par cet homme qu'elle avait cru si plaisant et délicat ! Comment pouvait-il ainsi tromper les gens ? Pourquoi l'avait-il séduite ? Elle resta figée.

- Connaissez-vous cet homme ? demanda droitement Tanguay.

La question percuta comme une flèche entre les omoplates de Raphaëlle. William feignait toujours de ne pas la connaître. Comment devait-elle agir ?

- Docteur Mathieu, je ne suis pas une voleuse, non plus qu'une menteuse. Cet homme, même s'il fait semblant de ne pas me connaître, moi je le reconnais. Il m'a charmée dans un restaurant et moi…

Raphaëlle mit sa tête entre ses mains. Elle se sentait si honteuse. S'être fait rouler de si impropre manière la mit dans tous ses états. Son corps s'étouffa sous quelques sanglots impossibles à réprimer plus longtemps. La jeune femme voulait disparaître six pieds sous terre.

- J'ai si honte, grommela-t-elle.

Alain ne savait que faire devant une telle réaction. Lui non plus n'avait pas l'habitude de ce genre d'interrogatoire. Il s'était cru à la hauteur, mais cette affaire dépassait ses capacités. Il appréciait la chimiste et, ne voulant pas la briser, s'approcha d'elle et lui mit la main sur l'épaule.

- Comprenez, fit Alain doucement, je ne vous en veux pas. Mais ce que vous avez fait nous a menés dans une zone périlleuse.

Raphaëlle sanglota de plus belle. Cette fois, elle posa les bras sur la table et y enfouit sa tête. Alain entendit une rumeur venir de l'autre côté de la porte. Nina entra comme une tornade dans le bureau, suivie de deux agents de police. Elle s'était entendue avec Tanguay pour faire une entrée en scène remarquée.

- Que me voulez-vous à la fin ? s'écria Nina en lançant son sac sur la table.

Elle vit Alain, qui se tenait debout aux côtés de Raphaëlle.

- Ah ! Vous ! Ça tombe bien, j'ai deux mots à vous dire ! lança Nina en pointant l'index.

Michaël arriva tout de suite après Nina. Alain fut sonné. Que faisaient là ces deux individus ? Il regarda Tanguay d'un air interrogateur. L'agent feint de perdre le contrôle. Derrière le miroir Vandam décroisa les bras.

- Est-ce que c'est elle qui a détruit la matrice ? demanda Max Vandam à l'un des agents.

- Oui, c'est elle. Attendons la suite, ajouta-t-il calmement.

Michaël sauta sur sa proie.

- Alain, vous m'avez menti au sujet du pourcentage ! Clara avait droit à un montant sur la commercialisation et vous m'avez dit que non !

- Mais nous n'avions signé aucun brevet ! rectifia Alain.

- Ce sont des tissus de mensonges ! envoya Nina sans prévenir.

- Comment ? Vous vous permettez de venir me dire ça ici, alors que vous avez détruit son invention ? hurla Alain.

C'est ce moment que choisit Tanguay pour relever l'atmosphère.

- Nous l'avons su de la bouche même du docteur Miles, intervint Tanguay.

Le silence qui suivit fut ardent mais de courte durée.

- De la bouche de Clara ? laissa tomber Alain. Elle…

Le docteur Mathieu avait blêmi sur le coup, mais fut aussitôt submergé par une avalanche de questions. Clara était revenue à la vie ? Qu'allait-il devoir faire avec l'entente ? Devait-il tout avouer ? Une confession allégerait-elle les conséquences de ses actes ? Et comment Clara allait-elle pouvoir débattre de tout cela ? Somme toute, se rassura-t-il, c'était la parole de Clara contre la sienne.

Du fond de la petite pièce, Max Vandam essayait de comprendre ce charabia. William s'était assis et assistait comme un étranger à ce festin d'aveux. Raphaëlle évitait d'orienter ses prunelles dans sa direction. La trahison oppressait sa poitrine comme une boule de plomb.

- Elle nous a tout confirmé, docteur Mathieu, renchérit Tanguay.

Alain dut se rasseoir.

- Qu'est-ce que cette histoire de pourcentage ? demanda encore Max Vandam perdu.

Tanguay appuya sur un bouton. Le miroir commença à s'abaisser laissant paraître plusieurs têtes.

- Voyez-vous, monsieur Vandam, commença Tanguay, sous le regard hébété de tous, si Nina Belinski n'avait pas su que le docteur Mathieu voulait la part de Clara Miles sur la matrice, votre plan aurait peut-être fonctionné.

Exposé comme la Joconde, Vandam apparut comme un tableau d'énigme soumis à l'estimation. Max se ferma à double tour.

- Votre concurrent, monsieur Zimmer, voulait acheter la matrice. Étrangement, selon les dires même du docteur Mathieu, vous étiez prêt à la vendre alors que ni monsieur Zimmer ni vous ne pouviez en tirer quoi que ce fut, sans la boîte noire. Alors je me suis demandé pourquoi vous laissiez votre concurrent courir après la chose dont vous aviez le plus besoin pour poursuivre les travaux de la matrice complètement, malgré l'absence du docteur Miles. Je me suis dit : « comme cet homme tient si peu à une invention pour laquelle il a tout de même investi une bonne somme ! » Pourquoi étiez-vous prêt à perdre la matrice ?

Tanguay s'avança vers un magnétoscope et l'alluma. Vandam s'inquiéta de cette mise en scène, mais il demeurait confiant. Il n'avait rien à se reprocher.

- La vengeance, monsieur Vandam, vous a fait sacrifier une fabuleuse invention.

Tanguay fit une pause avant de s'adresser à nouveau à Vandam.

- Pourquoi avoir sacrifié la matrice ?

Les deux hommes s'affrontèrent des yeux. Vandam resta de glace. Enfin, au bout d'un moment, il pinça la bouche en leva le menton comme pour proclamer la puissance de son silence. Tanguay lui posa une autre question qui accrut la tension dans l'atmosphère.

- Pourrez-vous vous défendre contre une accusation de complot ?

Alors l'assistance vit défiler sur un écran géant des images prises par la police. L'hélicoptère de la Vandam-Med flottait dans le crépuscule. Vandam atterrissait et une voiture venait à sa rencontre. Vandam sortit de l'hélicoptère et entra dans la voiture. La police capta les images de Wagner et Vandam. Ils roulaient lentement et s'éloignaient de l'hélicoptère. Au bout de quelques minutes, la voiture se gara sur la route. Tanguay augmenta le volume pour que tous puissent entendre le mieux possible cette conversation captée sur le vif par ses hommes,

- Huit millions ?! s'exclamait Vandam. Il a du culot ce fournisseur.

L'assistance entendait leur voix rendue quelque peu grésillante par la reproduction électronique. La conversation demeurait claire.

- Tom, pourrait-on déjà accuser Zimmer de vol sur une propriété intellectuelle ?

- Oui. Et avec le stagiaire infiltré chez vous, il écopera sans doute d'un dossier criminel.

- Et cette transaction sur la boîte noire, tu es sûr qu'elle en vaut la peine ?

- Je voulais t'en parler, j'ai bien réfléchi. Et tout bien considéré, je trouve qu'elle nous permet justement d'étaler les intentions de Zimmer dans un rayon plus large.

- Que veux-tu dire ?

- Bien, disons qu'il est plus visible qu'à l'intérieur du bureau.

- C'est vrai. Et après cette transaction, hop ! Nous procédons à une accusation.

Wagner plissa le nez et remonta ses lunettes, laissant son index au milieu de la monture.

- Tu auras ta vengeance, tel que promis.

De l'autre côté de la pièce, à plusieurs pieds de distance, Tanguay soutenait le regard de Vandam qui semblait lui catapulter une poudre de venin verdâtre au visage. L'agent fit signe à ses assistants de l'amener.

L'agent appuya sur le bouton et la vitre remonta. Olivier semblait lessivé. Son père venait de se faire attaquer devant tout le monde. Les Vandam disparaissaient derrière le miroir de la vérité. On ne voyait plus que le reflet de chacun dans le miroir attristé par la mauvaise conjoncture des âmes.

LE PRIVILÈGE DE L'ÂME SŒUR

Le bruit infernal des machines délirantes devenait insupportable. Dans un laboratoire en feu, Ivanhoé et Soujiane durent tout abandonner à l'instar des autres équipes. Ils entendaient des cris de terreur provenant de partout dans l'immeuble dont des pans entiers s'affaissaient. Le désastre sembla dès lors inévitable. Ivanhoé et Soujiane sortirent sains et saufs de l'édifice. Le vent se leva au dehors.

- C'est la fin ! C'est la fin ! cria Soujiane à Ivanhoé. La matière se pulvérise. Il faudra tout recommencer. La civilisation entière en souffrira !

- Tout recommencer ? Mais c'est beaucoup trop long. Nous devons stopper cette erreur.

- Mais le séisme ébranle la Terre sur une grande partie de sa longueur !

Le vent devint si violent qu'au passage il arrachait certains arbres. Ivanhoé considéra l'ampleur de la tourmente et ses épaules se courbèrent. Avec amertume, Soujiane regardait les gens s'enfuir.

- Tous ceux qui voulaient aller trop vite, constata-t-elle, ils sont les premiers à se sauver.

- Il nous faut au moins préserver la mémoire de nos expériences ! proposa Ivanhoé. Chez les tribus nous pourrons cacher notre science pour le monde futur.

- Mais lorsque le cristal éclatera, la mémoire de notre civilisation disparaîtra, fit observer Soujiane.

- Soujiane, nous devons essayer de laisser quelque chose dans le ventre de la Terre.

Ivanhoé prit Soujiane par la main. Ils retournèrent ensemble vers le laboratoire en feu. Au péril de leur vie, ils se rendirent vers la plaque centrale de données et réussirent à délivrer plusieurs rondelles d'informations enfermées dans des disques de plomb. Au bout de vingt-cinq minutes, ils furent prisonniers des flammes.

*

- Clara, Clara, répétait Ian dans la chambre magnétique, où êtes-vous ? Êtes-vous dans le passé ?

Clara avait du mal à vivre ses deux vies en simultané. Elle entendait la question, mais ne parvenait plus à inhiber la vérité. Ce jeu devenait trop exigeant pour communiquer ce qu'elle voyait. Elle grimaça. Et, dans un effort sans nom, elle put émettre quelques sons.

- At…at…lante, balbutia-t-elle.

Ian délivra de sa poche un carnet de cuir rouge et le crayon assorti. Il prit des notes.

> Ivanhoé et Soujiane avaient définitivement quitté le site où ils avaient passé de nombreuses années. Avec plusieurs personnes, ils s'étaient dirigés vers les contrées inhabitées dans l'espoir de pouvoir s'y réfugier. Dans les années qui suivirent, la mer se gonflait et les glaces commençaient à fendre. Ils purent enfin établir un lien avec une société autochtone et dans une cave de l'Amérique du sud, ils négociaient avec eux.

- Dans terre… avec vous… garder ces disques… il le faut, continuait Clara qui se débattait.

Ian nota tout ce qu'il put.

> Les Atlantes supplièrent les indigènes de les écouter. Ils leur décrivirent la catastrophe dans laquelle le monde plongeait et expliquèrent qu'ils devaient préserver leurs connaissances, essentielles pour le futur. Les indigènes se méfièrent d'abord.

Ivanhoé leur exprima encore que cette science était tombée entre les mains de personnes qui voulaient s'en approprier la puissance pour contrôler la Terre. De là avait découlé ce grave déséquilibre qui les conduisait au désastre. Ils convinrent avec les autochtones qu'il était préférable de protéger ces capsules jusqu'au jour où l'humanité aurait atteint une force d'âme suffisante pour éviter d'autres dérapages. Les natifs finirent par accepter de les conduire au creux de la planète et cachèrent les rondelles d'informations dans ses entrailles. La communauté leur offrit en cadeau chacun une bague et invita Ivanhoé et Soujiane à rester avec eux.

- Clara, dit Ian, nous sommes encore ensemble dans ce passé ?

Clara ne répondit pas. Ian regardait son visage en quête d'une réponse. Il attendit quelques secondes et regarda l'écran d'ordinateur qui indiquait clairement une suractivité d'oxygène dans l'aire antérieure de son cerveau. Ian comprenait enfin la provenance du vide qu'il ressentait depuis toujours au fond de son âme.

- Et c'est après que j'ai commencé à vous chercher, dut-il conclure.

- Moi… oii aussi.

- Je sens, je sais, dit-il en baissant la tête, comme pour endiguer la rivière qui courait dans ses yeux. Allez-vous pouvoir vous rappeler aussi ? demanda-t-il.

Aucune réponse ne put combler cette question. Ni elle ni lui ne savait si elle allait pouvoir contacter à nouveau la mémoire de ces événements passés lorsqu'elle reprendrait totalement conscience. Le pouls de Clara s'accéléra. Ian la sortit du tunnel et l'examina. Il revint vers la tête de la patiente et mit à nouveau sa main vers le front de Clara qui se calma.

Soudain, comme il admirait le visage de cette femme singulière sur la table raide et étroite, Clara ouvrit les yeux, fixant droit devant eux. Le cœur d'Ian précipita la mesure. Que de lumière coulait de sa peau, pensa-t-il. Et sans prévenir, les yeux de Clara bifurquèrent vers la droite, directement dans ceux d'Ian. Il se sentit happé par la profondeur de cette âme qui sondait d'autres dimensions et y fut transporté. Clara et lui voyagèrent ainsi à la dérive de l'océan cosmique.

Ian rouvrit les yeux et observa Clara avec une attention soutenue. Il dégagea sa main de son front pour mieux apercevoir le travail qui s'exerçait dans les pores de peau de Clara. Étonné, il vit son aura irradier à partir de l'intérieur de son corps endormi. Il pensa à l'étoile de David, laissée à elle-même dans la chambre six cent huit. Avait-elle transfusé toute sa lumière dans la chair de sa patiente ? Ian contempla les paupières closes de cette âme qu'il reconnaissait. Par un concours de synchronisation qui l'enchanta, Clara rouvrit à nouveau les yeux. Leurs frissons s'unirent l'instant d'un soupir éternel. Comment évoquer la proximité de deux êtres qui avaient tellement souffert d'éloignement ? Comment se raconter ces nombreuses vies à se chercher, à se trouver et à se perdre, sans même ne s'être jamais rencontrés auparavant ? C'était impossible. Impossible. Seuls leurs regards pouvaient admettre qu'ils avaient maintes et maintes fois frémi l'un pour l'autre, exactement comme ils le faisaient maintenant. Seul le silence pouvait permettre à leur âme aujourd'hui de parler de leurs souvenirs sans trahir la vérité. Il y avait bien ces images, pensa le docteur, les nombreuses images du cerveau de Clara : mais en elles-mêmes elles ne signifiaient rien !

- Si le cerveau n'est pas le siège de la conscience, où en est la matrice ? dit-il encore.

Ian finit par sourire à Clara. Elle lui répondit en amenant lentement sa main sur celle du docteur. Une larme vint à paraître dans le jour de ses yeux. Il regarda cette larme s'échapper de ce regard aux mille visages et il ne put retenir plus longtemps la sienne, douce et salée, qui tomba si délicatement qu'elle mourut avant de toucher le sol. Affecté par un élan sans nom, la main d'Ian s'approcha de la joue de Clara. Il prit le temps d'effleurer, comme un bouquet d'affabilités, la peau de ce visage aux pupilles inoubliables. Il n'avait qu'une envie : lui dire qu'il l'aimait. Tous deux semblaient reconnaissants à la destinée de les avoir encore réunis. Mais ils savaient qu'ils ne devaient rien attendre de cette rencontre que cette seconde immortelle qui ferait naufrage, à l'instar de toutes les autres, dans un écrin précieux de leur mémoire. Ces moments intenses d'éternité ne valaient-ils pas plus que des années de vie commune sur Terre ?

- L'âme sœur, fit Clara en prononçant avec peine.

- L'âme sœur, répéta Ian, en cherchant à savoir ce qu'elle voulait dire. Nous sommes des âmes sœurs ?

Clara sourit et fit un faible signe affirmatif de la tête. Au frémissement de son corps, Ian reconnut la vérité. Il pleurait déjà devant l'imminence d'une autre séparation en regardant couler, sur les joues de Clara, des larmes faites de la même tristesse que la sienne.

*

Nina félicita Tanguay pour son excellent travail. Enfin justice serait rendue. Michaël se sentait abattu, mais heureux d'en finir avec ces épouvantables péripéties qui l'empêchaient de se concentrer sur l'essentiel : la santé de sa femme. Pourtant, un maillon lui échappait.

- Je ne comprends pas, fit Michaël, comment Vandam a-t-il pu sacrifier le labeur d'une vie ?

- Et comment a-t-il presque sacrifié la vie de Clara ! rajouta Nina.

- J'ai aussi beaucoup de problèmes avec ce manque d'éthique, fit Tanguay impuissant devant le problème. J'imagine que vous-même, vous côtoyez souvent dans votre profession, des êtres rongés par l'esprit de vengeance.

- Oui, s'attrista Michaël, et ça prend parfois des proportions presque inhumaines.

- Je ne sais pas, fit Tanguay, mais cet esprit malin, où qu'il soit je chercherai toujours à le démasquer.

- Voilà qui est noble et réconfortant ! fit Nina ravie.

- Bien, fit Michaël en souriant, si ces messieurs n'ont pas d'autres questions à poser.

- Non. Vous pouvez partir, répondit Tanguay en le remerciant.

- Ça va, fit Michaël.

Il se tourna vers Nina et Raphaëlle.

- Je vous ramène ?

Nina se leva, reprit son sac, attrapa la chimiste par le poignet et l'entraîna avec elle. La romancière lança un regard froid à Alain. Raphaëlle baissa les yeux pour ne pas l'affronter et se mordit les lèvres. Un agent vint chercher le docteur Mathieu toujours écrasé sur sa chaise, sourd aux mouvements des départs. Raphaëlle tourna la tête pour ne pas le regarder. Elle éprouva un certain soulagement de savoir qu'un complot plus épineux que le sien ferait la manchette dans l'histoire du département. Elle sortit de la salle suivie de Michaël qui serra la main de l'agent. Au dehors, les oiseaux chantaient l'espoir de jours plus sages. Nina se retourna, l'air satisfait, vers Michaël. Il s'avança vers elle et la prit par les épaules en continuant de marcher. La romancière lui envoya un sourire complice auquel il répondit sans hésiter. De son autre bras, Nina accrocha Raphaëlle par le cou et l'étreignit doucement. Ils attendraient le verdict de leur sentence, en espérant clémence pour leur fidélité envers Clara. Chère Clara !

*

Ian s'était réfugié dans son laboratoire de cristaux où il fabriquait une étoile de David, comme ça, pour rien. Il voulait décanter un peu toute cette histoire. Joan n'était pas encore revenue de voyage. Il n'avait de compte à rendre à personne. Il voulait seulement continuer de rêver en paix. Dans son laboratoire, entouré de l'évanescence de ses pierres, il se sentait bien, à sa juste place. Il pensa à Clara, à toutes ces impressions venues d'un autre temps. Il hocha la tête. Puis il porta un regard à sa bague d'émeraude et sourit, hébété. Avec le docteur, elle miroitait son état d'âme sur les murs. Ian plongea dans ce faisceau de lumière verte. Il se sentait heureux.

- Toute ma vie, échappa-t-il, je vous ai aimée dans une autre dimension.

Il éprouvait le bonheur d'avoir enfin rencontré celle qu'il avait toujours cherchée. Il ne dirait rien à sa Joan.

*

L'heure vint enfin pour Clara d'effectuer un retour dans ce monde matériel imperméable, le plus souvent, aux autres univers. Un nuage d'éther retenait encore son attention. À mi-chemin entre ciel et terre, Clara voulait redescendre avec le plus de bagage possible. Mais les filtres des douanes invisibles triaient les souvenirs d'après leur nécessité immédiate. Or, à mesure que ses pensées regagnaient la terre ferme, la pureté dont elles étaient investies dès le départ, perdait une part d'intégrité. En revenant à elle, Clara éprouva tout de même la troublante impression d'avoir accédé aux plus vieux secrets enfouis d'une civilisation. Ces échos produits depuis les autres dimensions lui parviendraient par fragments, selon une heure donnée.

Clara se demanda depuis combien de temps elle avait quitté son corps et où son esprit l'avait amenée. Pourquoi revenir ? Cette question se formula dans le siège de sa raison. Ce vieux mécanisme qui n'avait pas voulu collaborer normalement depuis quelques temps. Elle parvint alors à concevoir qu'elle gisait intubée dans un lit d'hôpital et se remémora la voiture qui l'avait renversée. Pourquoi revenir alors qu'on voulait la tuer ? La matrice, pensa-t-elle. Elle se souvint aussi s'être jurée que jamais on ne lui prendrait la vie contre une invention. Elle songea à son mari et s'inquiéta de sa fille. Un goût âpre habitait son palais. Revenir ! Il faut revenir. Sa famille devait l'attendre dans l'angoisse.

Elle se revit dans le tunnel de la chambre de résonance magnétique et se rappela vaguement son appréhension à rentrer en contact avec le monde, mais n'avait pas de certitude sur ce qui la rendait si réticente. Certes l'accident avait secoué son corps, mais son escale vers le haut cachait une autre crainte qu'elle ne parvenait pas encore à nommer.

Les images s'entrechoquaient et se dissipaient comme l'écume trépasse dans la mer. Derrière ses paupières closes, elle perçut une lumière chatoyante circuler autour d'elle. Lui apparut soudain celui qui la soignait : un homme de cristal, songea-t-elle, et ses yeux, dans la chambre de résonance, offraient leur bleu limpide. Des courants de lumière remuante alertèrent sa mémoire. Elle tressaillit.

Un nerf se crispa dans sa nuque. Elle replongea dans le regard de cet inconnu qui veillait sur elle avec une telle tendresse. Se pouvait-il que… ? Son cerveau essayait de trafiquer des interprétations de lumière pour mieux en comprendre l'expression. Devant le précipice de la vérité, Clara s'acharnait à faire parler le mensonge. Elle entendit sa voix :

- Que fuyez-vous ?

De retour dans sa conscience, elle savait que le docteur avait raison. Elle cherchait encore à fuir cette réalité neuve. Mon âme sœur, se dit-elle. À nouveau, son corps trépida. Elle découvrait, sans l'ombre d'un doute, que son mari n'était pas son âme sœur. Après en avoir tant rêvé, c'était pire qu'un cauchemar ! Comment allait-elle pouvoir continuer à entretenir ce rêve qu'ils chérissaient ? Ne pas revenir. Flotter entre deux mondes jusqu'à ce qu'il l'oublie, qu'il se trouve une autre femme. Alors elle pourrait revenir en paix.

Clara repensa à cet homme cristallin. Elle sut dès lors, indubitalement, que le docteur l'aimait depuis toujours, et qu'elle l'aimait pareillement. Elle reconnut cette évidence qui la transportait à l'orée de marées magnanimes où l'amour répondait à toutes les angoisses à condition d'être vrai, juste et beau. Elle reconnut la quête du docteur, empreinte d'une quintessence qu'elle recherchait ardemment aussi, à travers ses inventions. Elle se prit à penser l'impossible. Ils se connaissaient avant même de s'être rencontrés ! Ils se savaient, depuis toujours, capables d'exister l'un pour l'autre et semblaient ne revenir sur Terre que pour ça. Clara se surprit à rêver de poursuivre cet amour. Mais comment faire ?

- Allez-vous pouvoir vous rappeler vous aussi ? avait demandé le docteur.

Des larmes sillonnèrent ses joues rosies par l'éveil, le sang et les doutes éternels. Clara supportait mal ce qu'elle venait d'apprendre sur elle-même. Aimer un autre homme que son mari, sans même que ni Ian ni Clara n'en soient avisés, c'était là le comble de la solitude. Penser à deux hommes à la fois : l'un endormi par les privilèges du mensonge de posséder sa femme et l'autre, dans son éveil, ne pouvait même pas aspirer à l'épouser alors qu'ils s'aimaient depuis le début des temps. Les non-dits restaient à l'honneur comme mille souffrances ensevelies dans le cœur des amants. Clara pensa à Nina et entendit ses mots : savoir est la chose la plus difficile à supporter : tu es toujours seule dans ta conscience, à porter le poids de la vérité.

Est-ce pour cette raison que les gens évitent de se poser trop de questions ? songea Clara.

- Que fuyez-vous ?

La peur de la vérité nous détourne constamment de l'esprit.

- Le Saint Graal ne représente rien pour celui qui parle directement à l'Esprit, murmura Geoffroy.

Clara s'aperçut que le combat n'était jamais gagné. Le jeu de la vérité et du mensonge défiait le cœur de l'homme à chacun de ses pas. Si mentir n'était pas naturel, pourquoi beaucoup de notre vie était-elle dévouée à trafiquer la vérité ? Pendant combien de temps pouvions-nous seulement fermer les yeux et tout remettre à plus tard ?

- Vous avez du courage, observa admirativement Geoffroy.

- J'ai simplement beaucoup d'amour pour mon âme, rectifia Catarina modestement.

- Moi aussi, j'aime votre âme, renchérit Geoffroy en esquissant un magnifique sourire.

- J'ai aussi beaucoup d'amour pour vous, dit-elle en lui retournant le sourire.

FIN

TABLE DES MATIÈRES

LEXIQUE

EMI :   expérience de mort imminente.

IRM :   imagerie par résonance magnétique.

FACULTÉ DIVINE

Claquoir :   instrument de musique à percussion, en bois, utilisé pendant les offices religieux.

Croix Ankh :   la croix ansée est aussi dite croix de vie ou signe de vie. Symbolise la clé du monde des morts cependant qu'elle incarne avant tout la notion de souffle de vie qui peut être donné ou pris par les divinités.

Djed :   symbole en forme de pilier représentant la colonne vertébrale. Signe de durée et de stabilité. On le trouvait sur les sceptres, monté sur des amulettes ou en bijoux protecteurs.

Œil d'Horus :   se dit oudjat en égyptien et signifie « complet ». Il représente un œil humain fardé et accentué par deux marques colorées caractéristiques du faucon pèlerin. Il indiquait les fractions du hékat – environ 4,785 litres – unité de mesure pour les céréales, les agrumes et les liquides.

Ouas :   sceptre symbolisant le pouvoir de Ptah. Dérivé d'un bâton à attraper les serpents dont la base se terminait par une fourche et la partie supérieure courbée supportait une tête d'animal.

Oudjat :   voir oeil d'Horus.

LE BEAU ET LE VRAI N'EXISTENT QUE PAR LE JUSTE

Métèque :   étranger participant à la vie active au même titre que les autres, mais n'ayant pas droit au titre de citoyen d'Athènes.

LA VIERGE NOIRCIE

Ah kin :	grand prêtre.
Bacab :	les quatre génies protecteurs.
Balche :	vin fortement alcoolisé.
Chac :	aînés qui assistaient les prêtres pendant les cérémonies et sacrifices.
Haab :	l'un des trois calendriers mayas.
Nacom :	prêtre chargé de prendre le cœur du sacrifié.

CE DIEU PAR QUI LE SANG COULE

Haschischins : secte mystique considérée comme une branche de la faction Shiite de l'Islam, du groupe Ismaélien. Le nom haschischin a engendré le mot « assassin » ou « assassen » qui signifie en arabe « gardien » ou « gardiens des secrets ». On lui donne également la signification littérale de « mangeur de hashish » Fondée par Hassan-ibn-Sabbah, premier grand maître qui mourut en 1124, à l'âge de 90 ans. On suppose que les Haschinschins usaient du hashish pour donner la vision du paradis aux candidats choisis dans leur secte.

Saladin : chef de guerre et d'état, fin politicien et fervent religieux, il contribue à forger l'union de l'Islam aussi bien que le jihad qu'il lance contre les ennemis de la Foi. Il reste maître de Jérusalem tout en accordant le droit de pèlerinage aux chrétiens. La paix durera bien après sa mort en 1194.

Templiers : secte de moines-chevaliers dont la vocation avait pour but d'assurer le service et la protection des pèlerins entre leur lieu de débarquement et leur arrivée à Jérusalem. Appréciant leurs services, le Pape Baudouin II leur offrit en 1119 une partie de son palais situé à l'emplacement du Temple de Salomon, d'où cette appellation subséquente de Templiers. Guerriers mystiques et croyants, ils combattaient les envahisseurs Turcs et Mongols, à l'instar de la secte des Haschischins qui représentent l'équivalent islamique des Templiers. Les deux Ordres furent reniés par les plus hauts dignitaires religieux chrétiens ou musulmans, princes, vizir, roi ou sultan.

TANT QUE LE CORPS BERCERA L'ÂME

Digambara : ascètes ou jaïns vêtus d'espace, à l'instar des Tirthankara.

Ratna-traya : trinité ou les trois joyaux que sont la foi juste, la connaissance juste et la conduite juste.

Pakhavaj : instrument de percussion

Roti : pain de pâte rempli de légume relevé de cari.

Shvetambara : ascètes ou laïcs jaïns vêtus de blanc à l'opposé des Digambara.

Tirthankara : au nombre de vingt-quatre, maîtres vénérés comme des dieux pour avoir brisé les cycles du karma. Ils étaient aussi appelés les Vainqueurs du Soi, les faiseurs de gué ou conquérants du karma. La religion des jaïns a été révélée et transmise par ces sages.

Tattvarthadhigamasutra :

écrit en sanskrit, sutra donnant accès aux principes d'Umasvati. Il apparaît comme une réponse aux textes fondamentaux des divers systèmes philosophiques brahmaniques. Il instruit les fidèles et les guide vers le chemin de la Délivrance, constitué de trois joyaux: la foi juste (darsana), la connaissance juste (jñana) et la conduite juste (caritra).

QUAND S'ÉGARE L'ESPRIT

Esséniens: filiale en Israël de thérapeutes égyptiens représentés par un serpent de mer, symbolisant leur appartenance à la royauté mérovingienne.

1. L'Odyssée, Homère, éditions Rive-Gauche,
   coll. Les cents livres, 1980.

2. Électre, Sophocle, Théâtre complet de Sophocle,
   éditions GF Flammarion, 1964.

3. L'Iliade, Homère,
   éditions GF Flammarion, 1965.

4. Le songe d'une nuit d'été, Shakespeare,
   éditions GF-Flammarion, 1956, 1996.

AGMV Marquis

MEMBRE DE SCABRINI MEDIA

Québec, Canada
2002